AMANTE SOMBRIO

Universo dos Livros Editora Ltda.
Rua Haddock Lobo, 347 • 12º andar • Cerqueira César
CEP 01414-001 • São Paulo • SP
Telefone: (11) 3217-2603 • Fax: (11) 3217-2616
www.universodoslivros.com.br
e-mail: editor@universodoslivros.com.br
Siga-nos no Twitter: @univdoslivros

AMANTE SOMBRIO

São Paulo
2011

UNIVERSO DOS LIVROS

Título original
Dark Lover

1ª Edição – 2ª reimpressão

Diretor-Editorial
Luis Matos

Tradução
Jacqueline Valpassos

Revisão
Guilherme Laurito Summa
Julio Domingas

Assistente-Editorial
Noele Rossi
Talita Camargo
Talita Gnidarchichi

Arte
Fabiana Pedrozo
Stephanie Lin

Capa
Sérgio Bergocce

Dados Internacionais de Catalogação na Publicação (CIP)
(Câmara Brasileira do Livro, SP, Brasil)

W259a Ward, J. R.

Amante Sombrio / J. R. Ward ; [tradução de Jaqueline Valpassos]. – São Paulo : Universo dos Livros, 2010.
448 p. – (Irmandade da Adaga Negra)

Tradução de: Dark Lover.

ISBN 978-85-7930-082-0

1. Vampiros. 2. Ficção. I. Título. II. Série

CDD 813.6

A *Você*, com admiração e amor.
Obrigada por vir e me encontrar.
E por me mostrar o caminho.
Foi a maior e melhor emoção de minha vida.

AGRADECIMENTOS

Muito obrigada a: Karen Solem, Kara Cesare, Claire Zion, Kara Welsh, Rose Hilliard.

Ao meu Comitê Executivo: Sue Grafton, dra. Jessica Andersen, Betsey Vaughan. As horas que passei com vocês na Internet, pendurada ao telefone e as nossas foneconferências em Hutchins e em Seneca Park mantiveram-me focada, sã, e sorridente.

Com amor, à minha família.

Glossário de termos e nomes próprios

As Escolhidas: Vampiras educadas para servirem à Virgem Escriba. São consideradas membros da aristocracia, embora sejam voltadas mais para as coisas espirituais do que temporais. Têm pouca, ou nenhuma, interação com os machos, mas podem acasalar com guerreiros a fim de reproduzir sua espécie, segundo a orientação da Virgem Escriba. Têm a capacidade de predizer o futuro. No passado, eram utilizadas para satisfazer a necessidade de sangue de membros solteiros da Irmandade, mas tal prática foi abandonada pelos Irmãos.

Cio: Período fértil das vampiras. Em geral, dura dois dias e é acompanhado por intenso desejo sexual. Ocorre pela primeira vez aproximadamente cinco anos após a transição da fêmea e, a partir daí, uma vez a cada dez anos. Todos os machos respondem em certa medida se estiverem por perto de uma fêmea no cio. Pode ser uma época perigosa, com conflitos e lutas entre os machos, especialmente se a fêmea não tiver companheiro.

Doggen: Membro da classe servil no mundo dos vampiros. Os *doggens* seguem antigas e conservadoras tradições de servir aos seus superiores, obedecendo a códigos formais no comportamento e no vestir. Podem sair durante o dia, mas envelhecem relativamente rápido. Sua expectativa de vida é de aproximadamente quinhentos anos.

Escravo de Sangue: Vampiro macho ou fêmea que foi subjugado para satisfazer a necessidade de sangue de outros vampiros. A prática de manter escravos de sangue caiu em desuso, mas não é ilegal.

Fade: Reino atemporal onde os mortos se reúnem com seus entes queridos por toda a eternidade.

Hellren: Vampiro macho que tem uma companheira. Os machos podem ter mais de uma fêmea.

Irmandade da Adaga Negra: Guerreiros vampiros altamente treinados para proteger a sua espécie contra a Sociedade Redutora. Resultado de cruzamentos seletivos dentro da raça, os membros da Irmandade possuem imensa força física e mental, assim como a capacidade de se recuperar de ferimentos rapidamente. Não é constituída majoritariamente por irmãos de sangue. São iniciados na Irmandade por indicação de seus membros. Agressivos, autossuficientes e reservados por natureza, vivem apartados dos vampiros civis e têm pouco contato com membros das outras classes, a não ser quando precisam se alimentar. Tema para lendas, são reverenciados no mundo dos vampiros. Só podem ser mortos por ferimentos muito graves como tiros ou uma punhalada no coração.

Leelan: Termo carinhoso, que pode ser traduzido aproximadamente por "muito amada".

Ômega: Figura mística e maligna que almeja a extinção dos vampiros devido a um ressentimento contra a Virgem Escriba. Existe em um reino atemporal e possui grandes poderes, entre os quais, no entanto, não se encontra a capacidade de criar.

Perdição: Refere-se a uma fraqueza crítica em um indivíduo. Tal fraqueza pode ser interna, como um vício, ou externa, como uma paixão.

Primeira Família: O rei e a rainha dos vampiros, e os seus filhos.

Princeps: O nível mais elevado da aristocracia dos vampiros, só suplantado pelos membros da Primeira Família ou pelas Escolhidas da Virgem Escriba. O título é hereditário, não pode ser outorgado.

Redutor: Membro da Sociedade Redutora. Humano sem alma empenhado na exterminação dos vampiros. Os *redutores* só morrem se forem apunhalados no peito; do contrário, vivem eternamente, sem envelhecer. Não comem nem bebem e são impotentes. Com o tempo, seus cabelos, a pele e os olhos perdem a pigmentação. Cheiram a talco de bebê. Depois de iniciados na sociedade por Ômega, conservam uma urna de cerâmica onde seu coração foi depositado após ter sido removido.

Rytho: Forma ritual de lavar a honra, oferecida pelo ofensor ao ofendido. Se aceito, o ofendido escolhe uma arma e ataca o ofensor, que se apresenta desprotegido perante ele.

Shellan: Vampira que tem um companheiro. Em geral, as fêmeas não têm mais de um macho devido à natureza fortemente territorial dos machos.

Sociedade Redutora: Ordem de assassinos constituída por Ômega com o propósito de erradicar a espécie dos vampiros.

Transição: Momento crítico na vida dos vampiros, quando se transformam em adultos. A partir daí, precisam beber sangue do sexo oposto para sobreviver e não suportam a luz do dia. Geralmente, ocorre por volta dos vinte e cinco anos. Alguns vampiros não sobrevivem à transição, sobretudo os machos. Antes da mudança, os vampiros são fisicamente frágeis, inaptos ou indiferentes para o sexo, e incapazes de se desmaterializar.

Tumba: Cripta sagrada da Irmandade da Adaga Negra. Usada como local de cerimônias e como depósito das urnas dos *redutores*. Entre as cerimônias ali realizadas, estão as iniciações, funerais e ações disciplinadoras contra os Irmãos. O acesso a ela é vetado, exceto aos membros da Irmandade, à Virgem Escriba ou aos candidatos à iniciação.

Vampiro: Membro de uma espécie à parte do *Homo sapiens*. Os vampiros precisam beber sangue do sexo oposto para sobreviver. O sangue humano os mantêm vivos, mas sua força não dura muito tempo. Após sua transição, que geralmente ocorre aos vinte e cinco anos, são incapazes de sair à luz do dia e devem se alimentar na veia regularmente. Os vampiros não podem "converter" os humanos por meio de uma mordida ou transferência de sangue, embora, ainda que raramente, sejam capazes de procriar com a outra espécie. Podem se desmaterializar por meio da vontade, mas precisam estar calmos e concentrados para consegui-lo, e não podem levar consigo nada pesado. São capazes de apagar as lembranças das pessoas, desde que recentes. Alguns vampiros são capazes de ler a mente de outras pessoas. Sua expectativa de vida ultrapassa os mil anos, sendo que, em certos casos, vai além disso.

Virgem Escriba: Força mística conselheira do rei, guardiã dos registros vampíricos e dispensadora de privilégios. Existe em um reino atemporal e possui grandes poderes. Capaz de um único ato de criação, que usou para trazer os vampiros à existência.

Capítulo 1

Darius olhou em torno, avaliando a pista de dança fervilhante de corpos seminus. O Screamer's estava bombando naquela noite, repleto de mulheres vestindo couro e homens mal-encarados, que pareciam ter uma longa ficha criminal.

Darius e seu acompanhante não destoavam nem um pouco dos outros, com a diferença de que eles eram assassinos de verdade.

– Quer dizer que você vai mesmo fazer isso? – perguntou Tohrment.

Darius ergueu a vista da mesa baixa e encarou o outro vampiro.

– Sim, vou.

Tohrment mexeu seu uísque e sorriu tristemente. Apenas as pontinhas de suas presas ficaram à mostra.

– Você é maluco, D.

– Isso você está careca de saber.

Tohrment inclinou o copo em sinal de acatamento:

– Mas você está cada vez mais ousado. Agora está querendo pegar uma garota inocente, que nem imagina no que está se metendo, e colocar sua transição nas mãos de alguém como Wrath. É uma temeridade.

– Ele não é mau, apesar das aparências – Darius terminou sua cerveja –, mostre um pouco de respeito por ele.

– Eu o respeito pra caramba. Mas essa é uma péssima ideia.

– Preciso dele.

– Tem certeza disso?

Uma mulher de microssaia e botas até as coxas, usando um top feito de correntes, acercou-se da mesa deles. Seus olhos reluziam por baixo do rímel carregado e os quadris se remexiam de tal modo quando caminhava, que pareciam ter articulação dupla. Darius dispensou-a. Sexo não estava em seus planos naquela noite.

– Ela é minha *filha*, Tohr.

– Ela é mestiça, D. E você sabe muito bem como ele se sente em relação aos humanos – Tohrment balançou a cabeça. – Minha tataravó era humana e você não me vê comentando isso perto dele.

Darius ergueu a mão para chamar a atenção da garçonete e apontou para sua garrafa vazia e o copo de Tohrment quase no fim.

– Não vou deixar que mais um de meus filhos morra. Não se houver uma possibilidade de salvá-la. E, de qualquer modo, não se pode dizer com certeza se ela vai se transformar. Pode ser que ela acabe vivendo uma vida feliz, sem jamais experimentar o que herdou de minha parte. Já aconteceu antes.

E ele esperava que o mesmo acontecesse com sua filha, que ela fosse poupada. Porque, se ela completasse a transição e se transformasse em um deles, passaria a ser caçada como todos os vampiros.

– Darius, se ele realmente chegar a fazer isso será porque tem uma dívida com você, não por querer fazê-lo de fato.

– Qualquer meio é válido, desde que eu o convença a fazer.

– Mas, você não percebe o que está reservando a ela? Ele é um bárbaro quando se alimenta e a primeira vez pode ser um bocado violenta, mesmo quando se está preparado, coisa que ela não está.

– Vou conversar com ela.

– E o que vai falar? Vai chegar para ela e dizer "Oi, sei que você nunca me viu na vida, mas sou seu pai. E sabe do que mais? Você ganhou na loteria da evolução: você é uma vampira. Vamos para a Disneylândia!"

– Nesse exato momento eu odeio você.

Tohrment se inclinou para frente, os ombros fortes destacando-se sob a jaqueta de couro negro:

– Você sabe que falo para o seu bem. Só acho que você deveria pensar melhor – houve uma pausa tensa –, talvez eu mesmo pudesse fazer isso.

Darius olhou-o secamente:

– Você acha mesmo que depois de fazê-lo voltaria para casa tranquilamente? Wellsie fincaria uma estaca no seu coração e deixaria que o sol completasse o serviço, meu amigo.

Tohrment fez uma careta.

– Tem razão.

– E depois ela viria atrás de mim.

Os dois estremeceram.

– Além do mais... – Darius recostou-se enquanto a garçonete depositava as bebidas sobre a mesa. Esperou até que ela tivesse ido embora para continuar a falar, mesmo sabendo que o som do rap, pulsante e ensurdecedor, não a teria deixado escutar coisa alguma – Além do mais, estamos vivendo uma época perigosa. Se algo me acontecesse...

– Eu tomaria conta dela.

Darius segurou forte o ombro do amigo.

– Sei que sim. Mas, Wrath é melhor – não havia menosprezo em seu comentário; era apenas a constatação de um fato –, não há ninguém como ele.

– Ainda bem – disse Tohrment, com um meio-sorriso.

Os outros membros daquela irmandade, um círculo fechado de guerreiros fortemente unidos que trocavam informações e combatiam juntos, compartilhavam a mesma opinião. Em matéria de vingança, não havia outro como Wrath, e ele caçava seus inimigos de maneira tão obcecada que beirava a insanidade. Era o último de sua linhagem, o último vampiro de sangue puro que restara no mundo, e, embora sua raça o reverenciasse como rei, ele desprezava tal posição.

Era quase trágico que fosse ele a melhor escolha para que a filha mestiça de Darius sobrevivesse. O sangue de Wrath, tão forte, tão puro, aumentaria as chances de ela completar a transição se fosse ele a tomá-la. Mas Tohrment não deixava de ter razão. Era quase como entregar uma virgem nas mãos de um tarado.

De repente, a multidão afastou-se para os lados bruscamente, abrindo caminho para alguém. Ou para alguma coisa.

– Merda. Aí está ele – murmurou Tohrment. Virou seu uísque de uma vez.

– Não me leve a mal, mas estou saindo fora. Essa não é uma conversa que precise da minha participação.

Darius observou o mar de gente abrir espaço como se quisesse escapar daquele vulto imponente que se destacava de todos. Fugir era um bom reflexo do instinto de sobrevivência.

Wrath: quase dois metros de puro terror trajado em couro. Seu cabelo era liso, longo e negro, partindo do bico de viúva no alto da testa. Pesados óculos escuros escondiam-lhe os olhos jamais vistos por alguém. Os ombros tinham o dobro do tamanho dos da maioria dos homens. No rosto, a um só tempo aristocrático e brutal, transparecia o rei que era por nascimento e o guerreiro no qual o destino o transformara.

E a onda de perigo que o precedia era o seu melhor cartão de visitas.

Quando aquela emanação de ódio frio alcançou Darius, ele virou seu copo e sorveu toda a cerveja em goles contínuos.

Realmente esperava estar fazendo a coisa certa.

Beth Randall ergueu a vista quando seu editor apoiou o quadril sobre a mesa, olhos fixos no decote em "V" de Beth.

– Trabalhando até tarde de novo? – murmurou.

– Olá, Dick.

Já não devia estar em casa com sua esposa e os dois filhos?, acrescentou mentalmente.

– O que está fazendo?

– Escrevendo um artigo para o Tony.

– Sabe, há outras maneiras de me impressionar.

Sim, já imaginava.

– Você leu o meu e-mail, Dick? Fui à delegacia esta tarde e conversei com Jose e Ricky. Eles juram que um traficante de armas se mudou para esta cidade. Encontraram duas Magnum modificadas nas mãos de traficantes de drogas.

Dick estendeu a mão para lhe dar um tapinha no ombro, acariciando-o antes de retirar a mão.

– Continue a trabalhar em coisas pequenas. Deixe os meninos crescidos cobrirem os crimes violentos. Não queremos que aconteça alguma coisa com esse seu rostinho tão bonito.

Ele sorriu, semicerrando os olhos enquanto o seu olhar se demorava nos lábios dela.

Essa rotina de encaradas já era uma chatice três anos atrás, pensou ela, desde que começara a trabalhar para ele.

Um saco de papel. O que precisava era de um saco de papel para enfiar a cabeça toda vez que falasse com ele. Talvez com a fotografia da sra. Dick colada na frente.

– Quer uma carona até sua casa? – ele perguntou.

Só se estivesse chovendo caco de vidro, palhaço.

– Não, obrigado – Beth se virou para a tela do computador com a esperança de ele entender a indireta.

Afinal, ele se afastou, provavelmente em direção ao bar do outro lado da rua, onde a maior parte dos repórteres se reunia para um *happy hour* antes de ir para casa. Caldwell, Nova York, não era exatamente um mar de oportunidades para um jornalista, mas os "meninos crescidos" de Dick gostavam de manter as aparências de uma vida social muito agitada. Curtiam se reunir no Charlie's para sonhar com o dia em que trabalhariam para jornais maiores e mais importantes. A maioria era como Dick: homens de meia-idade, comuns, competentes, mas nada de extraordinário. Caldwell era grande o suficiente e bem próxima da cidade de Nova York para ter sua cota de crimes violentos, drogas e prostituição, que os mantinha ocupados. Mas o *Correio de Caldwell* não era o *Times*, e nenhum deles jamais ganharia um Pulitzer.

Era deprimente.

Bem, olhe-se no espelho, pensou Beth. Era apenas uma repórter local. Sequer chegara a trabalhar para um jornal de distribuição nacional. Então, quando fosse cinquentona, a menos que as coisas mudassem muito, precisaria estar trabalhando em um jornalzinho independente preparando os anúncios de classificados para poder olhar com saudade para os seus dias de glória no *Correio de Caldwell.*

Estendeu a mão para alcançar o saquinho de M&M's. O maldito estava vazio. De novo.

Talvez devesse ir para casa e comprar comida chinesa no caminho.

Enquanto se encaminhava para a saída da redação, que era um espaço aberto dividido em baias por frágeis divisórias cinzentas, deparou-se com o estoque de bolinhos recheados de seu amigo Tony. Tony comia o tempo todo. Para ele não existia café da manhã, almoço e jantar: consumir era uma proposição binária. Se estivesse acordado, tinha de levar algo à boca, e para se manter abastecido, sua mesa era uma verdadeira orgia de guloseimas altamente calóricas.

Abriu a embalagem do bolinho e mal podia acreditar que estava cravando os dentes naquela delícia artificial, enquanto apagava as luzes e descia a escada que dava para a rua Trade. Lá fora, o calor de julho era uma barreira física entre ela e seu apartamento. Doze quarteirões inteiros de calor úmido. Felizmente, o restaurante chinês ficava a meio caminho de sua casa e poderia refrescar-se um pouco no forte ar condicionado do estabelecimento. Com sorte, estariam muito ocupados naquela noite, e ela teria oportunidade de aguardar um pouco aproveitando a trégua refrescante.

Quando terminou o bolinho, abriu seu celular flip, teclou a discagem rápida e fez o pedido: bife com brócolis. Enquanto caminhava, ia passando pelos marcos deprimentes que já lhe eram familiares. Ao longo daquela extensão da rua Trade, só havia bares, clubes de strip e um ou outro estúdio de tatuagem. Os únicos restaurantes eram o chinês e um self-service de comida Tex-Mex. As demais construções, que haviam sido utilizadas como escritórios nos anos 20, quando o centro da cidade era uma zona próspera, estavam vazias. Conhecia cada fenda da calçada; sabia quanto duravam as pausas nos semáforos. E o emaranhado de sons que podia escutar através das portas e janelas abertas também não era novidade para ela.

No bar McGrider tocava blues; da porta de vidro do Zero Sum o que saía era a batida hipnótica do tecno; e as máquinas de karaokê estavam a toda no Ruben's. A maioria daqueles lugares tinha boa reputação, mas, de alguns, preferia manter-se afastada, em especial do Screamer's, que tinha uma clientela verdadeiramente sinistra. Não entraria ali sem uma escolta policial.

Ao calcular a distância até o restaurante chinês, foi tomada por uma sensação de esgotamento físico. Que umidade! O ar estava tão carregado que parecia estar respirando água.

Teve a sensação de que aquela exaustão não se devia unicamente ao clima. Não vinha dormindo bem há semanas e suspeitava que estivesse à beira de uma depressão. Seu emprego não a levava a parte alguma, vivia num lugar que não lhe dizia nada, tinha poucos amigos, nenhum interesse romântico concreto ou em vista. Imaginava-se dali a dez anos, estaria na mesma: marcando passo em Caldwell, com Dick e os meninos crescidos, sempre a mesma rotina de levantar-se, ir para o trabalho, tentar fazer algo relevante, fracassar, voltar para casa sozinha.

Talvez só precisasse sair dali. Ir embora de Caldwell e do *Correio de Caldwell*. Afastar-se daquela espécie de família eletrônica formada por seu despertador, o telefone de sua escrivaninha e a televisão, que afugentava seus sonhos enquanto dormia.

A verdade era que não havia motivos que a prendessem à cidade a não ser a força do hábito. Como não falava com seus pais adotivos há anos, não sentiriam falta dela. E os poucos amigos que tinha estavam ocupados com suas próprias famílias.

Ao escutar um assobio malicioso atrás de si, rolou os olhos com ar de exasperação. Esse era o problema de trabalhar perto de uma região de casas noturnas. De vez em quando, era importunada por algum engraçadinho.

A seguir, os assovios se transformaram em cantadas e, como era de se esperar, dois carinhas atravessaram a rua correndo e puseram-se a caminhar atrás dela. Olhou em volta. Estava se afastando dos bares, na direção do longo trecho de edifícios vazios que havia antes dos restaurantes. A noite estava nublada e escura, mas, pelo menos, havia os postes de iluminação pública e, de vez em quando, passava um carro.

– Eu gosto de seu cabelo negro – disse o mais alto, passando a caminhar ao lado dela. – Posso passar a mão nele?

Beth sabia que não podia parar. Pareciam rapazes universitários em férias de verão, mas não queria correr riscos. Além disso, o restaurante chinês distava ainda cinco quarteirões.

Procurou em sua bolsa o spray de pimenta, por precaução.

– Precisa de carona para algum lugar? – perguntou de novo o cara alto –, meu carro não está longe. Sério, por que não vem com a gente? Podemos dar uma volta.

Sorriu escancaradamente e deu uma piscada para o amigo, como se com aquela conversa mole fosse levá-la para a cama no mesmo instante. O colega riu e a rodeou, o ralo cabelo loiro esvoaçando a cada passo.

– Sim, vamos dar uma volta com ela! – disse o loiro.

Merda, onde estava o spray?

O mais alto esticou a mão, tocando-lhe o cabelo, e ela o encarou firmemente. De camisa polo e bermuda cáqui, tinha, de fato, uma excelente aparência. Um legítimo produto americano.

Quando o rapaz sorriu para ela, acelerou o passo, concentrando-se no tênue brilho de néon do letreiro do restaurante chinês. Rezou para que passasse algum transeunte, mas o calor havia afugentado os pedestres para os locais com ar condicionado. A rua estava deserta.

– Quer me dizer seu nome? – perguntou o legítimo produto americano.

Seu coração disparou no peito: havia esquecido o spray na outra bolsa.

Ainda faltavam quatro quarteirões.

– Acho que vou ter de escolher um nome para você. Deixe-me pensar... O que acha de "xaninha"?

O loiro soltou uma risadinha.

Ela engoliu em seco e tirou o celular da bolsa, no caso de precisar chamar o 911.

Fique calma. Mantenha o controle.

Imaginou como se sentiria bem quando adentrasse o ar gelado do restaurante chinês. Talvez devesse esperar e chamar um táxi, só para estar segura de que chegaria em casa sem continuar a ser incomodada por eles.

– Vamos lá, xaninha – sussurrou o produto americano. – Sei que vai gostar de mim.

Só mais três quarteirões...

No instante em que desceu o meio-fio da calçada para cruzar a rua Dez, ele a agarrou pela cintura. Seus pés ficaram suspensos no ar; enquanto ele a arrastava para trás, cobria-lhe a boca fortemente com a palma da mão. Beth lutava possessa, socando e chutando, e, quando conseguiu acertar-lhe um golpe no olho, desvencilhou-se. Afastou-se dali o mais rápido que pôde, pisando forte, sem fôlego. Um carro passou pela rua Trade, e ela gritou assim que viu o brilho dos faróis.

Mas, então, o rapaz a agarrou de novo.

– Você está pedindo por isso, vagabunda – disse o legítimo produto americano em seu ouvido, tapando-lhe a boca com a mão. Sacudia-lhe o pescoço de um lado para o outro de tal forma que ela pensou que fosse quebrá-lo, e arrastou-a para as sombras. Ela podia sentir o cheiro de suor e do perfume de mauricinho que ele usava, enquanto escutava as estridentes gargalhadas do colega.

Um beco. Estavam levando-a para um beco.

Sentiu-se nauseada, a bílis subia-lhe pela garganta. Esperneou furiosamente, tentando libertar-se. O pânico lhe dava forças, mas ele era mais forte.

Empurrou-a para trás de uma caçamba de lixo e pressionou seu corpo contra o dela. Ela o encheu de cotoveladas nas costelas e chutes.

– Puta que pariu! Segure os braços dela!

Conseguiu dar um bom chute nos testículos do loiro antes que ele segurasse seus punhos e os erguesse acima da cabeça.

– Vamos, vagabunda, você vai gostar disso – grunhiu o legítimo produto americano, tentando colocar um joelho entre as pernas da garota.

Pressionou-lhe as costas contra a parede de tijolos do edifício, mantendo-a presa pela garganta. Teve de usar a outra mão para lhe rasgar a blusa. Assim que sentiu a boca livre, ela começou a gritar. Ele a esbofeteou com força, cortando-lhe o lábio. Sentiu o sabor do sangue na língua e uma dor atordoante.

– Faça isso de novo e eu corto a sua língua – os olhos do legítimo produto americano brilhavam de ódio e luxúria enquanto afastava a renda branca do sutiã e deixava os seios dela expostos.

– Cacete, acho que vou mesmo fazer isso.

– Ei, seus peitos são de verdade? – perguntou o loiro, como se ela fosse responder.

Seu colega agarrou um dos mamilos de Beth e puxou. Ela fez uma careta de dor, as lágrimas nublaram-lhe os olhos. Ou talvez estivesse perdendo o foco porque estava prestes a desmaiar.

O legítimo produto americano riu.

– Acredito que são naturais. Mas poderá conferir por você mesmo quando eu acabar.

Enquanto o loiro ria como um idiota, algo no interior do cérebro dela entrou em ação e se negou a deixar que aquilo acontecesse. Obrigou-se a deixar de lutar e recorreu a seu treinamento de defesa pessoal. A não ser pela respiração ofegante, seu corpo ficou imóvel, e não demorou muito para o legítimo produto americano notar.

– Quer se divertir numa boa? – disse ele, olhando-a desconfiado.

Ela concordou lentamente.

– Bom – ele se inclinou, e seu cheiro impregnou-lhe as narinas. Beth esforçou-se para controlar o nojo que sentia daquele bafo de cigarro velho misturado com cerveja.

– Mas, se gritar outra vez, meto a faca em você. Entendeu? – ela assentiu novamente.

– Solte-a.

O loiro largou-lhe os punhos e riu, movendo-se em volta deles como se procurasse o melhor ângulo para assistir.

Ela sentia as mãos do legítimo produto americano percorrerem sua pele de maneira bruta enquanto se esfregava nela, e foi preciso muito autocontrole para conservar o bolinho de Tony no estômago. Mesmo enojada do contato daquelas mãos que apertavam seus seios, estendeu a mão procurando-lhe a braguilha das calças. Ele ainda a segurava pelo pescoço, o que dificultava a respiração, mas, no momento em que tocou seus genitais, ele gemeu e afrouxou a pressão em sua garganta.

Com um movimento decidido, Beth agarrou-lhe os testículos, torcendo-os o mais forte que pôde, dando-lhe uma joelhada no nariz enquanto ele se curvava de dor. A adrenalina corria por suas veias e, por uma fração de segundo, desejou que o colega a atacasse em vez de ficar ali parado olhando para ela estupidamente.

– Desgraçados! – ela gritou.

Beth saiu em disparada do beco, segurando a blusa enquanto corria sem parar até chegar à entrada de seu edifício. Suas mãos tremiam tanto que mal conseguiu colocar a chave na fechadura. E foi só quando estava diante do espelho do banheiro que percebeu as lágrimas escorrendo em seu rosto.

Butch O'Neal ergueu os olhos quando o rádio sob o painel de seu carro de patrulha disfarçado comunicou que uma: vítima do sexo masculino estava caída no chão de um beco próximo dali, ainda respirando.

Butch consultou o relógio. Passava um pouco das dez, o que significava que a diversão estava só começando. Era uma sexta-feira à noite do começo de julho, e os universitários em início de férias estavam ansiosos por competir nas Olimpíadas da Estupidez. Imaginou que o sujeito ou havia sido assaltado ou recebera uma lição.

Esperava que fosse a segunda opção.

Butch apanhou o fone e disse ao operador que atenderia à chamada, embora fosse detetive de homicídios, não patrulheiro. Estava trabalhando em dois casos naquele momento, um afogado no rio Hudson e uma pessoa atropelada por um motorista que fugiu; mas sempre havia lugar para mais um. No que lhe dizia respeito, quanto mais tempo passasse fora de casa, melhor. Os pratos sujos na pia e os lençóis amassados sobre a cama não sentiriam falta dele.

Ligou a sirene e pisou no acelerador enquanto pensava: *Vejamos o que aconteceu à "playboysada" em férias.*

Capítulo 2

Ao atravessar o Screamer's, Wrath sorria desdenhosamente enquanto a multidão se atropelava para sair de seu caminho. Seus poros transpiravam medo e curiosidade, que tinha tanto de morbidez quanto de excitação sexual. Ele aspirou aquele odor rançoso.

Gado. Todos eles.

Apesar dos óculos escuros, seus olhos não suportavam a tênue luz, e precisou fechar as pálpebras. Sua visão era tão ruim que estaria mais confortável se fosse totalmente cego. Concentrando-se em sua audição, podia distinguir os sons isoladamente: a batida da música, o arrastar de pés, as palavras sussurradas, o som de um copo espatifando-se no chão. Se esbarrava em algo, não se importava. Fosse uma cadeira, uma mesa, um ser humano, era só passar por cima do que estivesse estorvando sua passagem.

Percebeu a presença de Darius claramente porque o corpo dele era o único naquele lugar que não cheirava a pânico.

Embora mesmo o guerreiro estivesse nervoso aquela noite.

Wrath abriu os olhos quando parou em frente ao outro vampiro. Darius era um vulto disforme, sua cor escura e a roupa negra eram só o que a vista de Wrath conseguia distinguir.

– Aonde Tohrment foi? – perguntou ele, ao sentir o cheiro de uísque escocês.

– Foi dar uma volta. Obrigado por vir.

Wrath sentou-se. Olhou fixamente para frente e observou a multidão ocupando aos poucos o espaço que ele havia aberto.

Esperou.

O rap de Ludacris foi substituído pelo lendário Cypress Hill.

Aquilo prometia. Darius era objetivo e sabia que Wrath não suportava perder tempo. O silêncio era sinal de algo sério no ar.

Darius bebeu um gole de sua cerveja e respirou fundo.

– Meu senhor... obrigado por vir.

– Se quer algo de mim, não comece desse jeito – disse Wrath com voz arrastada, sentindo que uma garçonete se aproximava. Pôde distinguir seios grandes e uma tira de pele entre a blusa apertada e a saia curta.

– Desejam beber alguma coisa? – perguntou ela, sem pressa.

Ficou tentado a sugerir que ela se deitasse sobre a mesa e o deixasse beber de sua artéria. Sangue humano não o manteria vivo por muito tempo, mas, com certeza, teria melhor gosto que álcool aguado.

– Por enquanto não – disse. Seu sorriso enigmático despertou na garçonete a um só tempo ansiedade e desejo. Encheu os pulmões com o cheiro dela.

Não estou interessado, pensou.

A garçonete assentiu, mas não se moveu. Ficou ali parada, olhando-o fixamente, o cabelo loiro e curto formando um halo na escuridão ao redor de seu rosto. Como que hipnotizada, parecia ter esquecido até o próprio nome, que dirá o trabalho.

E como aquilo era desagradável.

Darius agitou-se, impaciente.

– Isso é tudo – murmurou –, estamos satisfeitos.

Quando ela se afastou, desaparecendo na multidão, Wrath escutou Darius limpar a garganta, preparando-se para falar.

– Obrigado por vir.

– Você já disse isso.

– É, tem razão. Você e eu nos conhecemos há muito tempo.

– É verdade.

– Lutamos juntos muitas vezes, eliminamos um monte de *redutores*.

Wrath concordou. A Irmandade da Adaga Negra vinha protegendo a raça contra a *Sociedade Redutora* há gerações. Era formada por

Darius, Tohrment e outros quatro. Estavam em franca desvantagem numérica em relação aos *redutores*, humanos desprovidos de alma que serviam ao torpe Ômega. Mas Wrath e seus guerreiros conseguiam defender seus semelhantes.

Darius pigarreou de novo.

– Depois de todo esse tempo...

– D., vá direto ao ponto. Marissa precisa de mim esta noite.

– Deseja utilizar seu quarto em minha casa novamente? Sabe que não permito que ninguém mais fique nela – Darius deixou escapar uma risada desajeitada. – Sem dúvida, o irmão dela preferiria que você não aparecesse na casa dele.

Wrath cruzou os braços sobre o peito, empurrando a mesa com a bota para obter um pouco mais de espaço.

Estava pouco ligando que o irmão de Marissa fosse muito sensível e se incomodasse com a vida que Wrath levava. Havers era um esnobe, um diletante, que preferia enterrar a cabeça na areia como uma avestruz, totalmente incapaz de compreender o tipo de inimigos que tinha a raça e quanto custava defender seus membros.

E só porque o rapaz se sentia melindrado, Wrath não ia bancar o cavalheiro enquanto cidadãos eram assassinados. Seu lugar era no campo de batalha com seus guerreiros, não sentado no trono. Havers que fosse catar coquinho, embora Marissa não devesse pagar pela atitude do irmão.

– Talvez aceite sua oferta.

– Está bem.

– Agora, fale.

– Tenho uma filha.

Wrath virou lentamente a cabeça.

– Desde quando?

– Há algum tempo.

– Quem é a mãe?

– Você não a conhece. E ela... ela morreu.

O pesar de Darius se espalhou ao seu redor com um cheiro acre de dor antiga que se sobrepôs ao fedor de suor humano, álcool e sexo que o clube exalava.

– Qual a idade dela? – quis saber Wrath. Teve a sensação de saber aonde aquilo iria levar.

– Vinte e cinco.

Wrath praguejou baixinho.

– Não me peça isso, Darius. Não me peça para fazer.

– Eu preciso. Meu senhor, seu sangue é...

– Me chame assim outra vez e farei com que se cale. Para sempre.

– Você não está entendendo. Ela é...

Wrath começou a se levantar. A mão de Darius o agarrou pelo antebraço, mas foi repelida instantaneamente.

– É meio humana.

– Tenha a santa paciência...

– É possível que não sobreviva à transição. Escute, se você ajudá-la, pelo menos terá uma oportunidade. Seu sangue é muito forte, aumentaria as probabilidades de ela sobreviver à transição sendo mestiça. Não estou pedindo que a tome como sua *companheira*, nem que a proteja, porque posso cuidar disso. Só estou tentando... Por favor. Meus outros filhos morreram. Só me restou ela. E eu... E a mãe dela foi o amor da minha vida.

Se tivesse sido qualquer outro, Wrath teria usado sua expressão favorita: *dane-se*. No que lhe dizia respeito, só havia duas posições válidas para um humano: tratando-se de uma fêmea, deitada de costas; de um macho, de barriga para baixo e sem respirar.

Mas Darius era quase um amigo. Ou teria sido, se Wrath houvesse permitido que se aproximasse.

Enquanto se levantava, fechou os olhos com força. Odiava-se por dentro. Desprezava-se por virar as costas e ir embora, mas simplesmente não era o tipo de macho que pudesse ajudar uma pobre mestiça a suportar um momento tão doloroso e arriscado. As palavras "cortesia" e "piedade" não faziam parte de seu vocabulário.

– Não posso fazer isso. Nem mesmo em consideração a você.

A angústia de Darius o atingiu como uma grande onda, e Wrath literalmente titubeou diante da força daquela emoção. Apertou o ombro do outro vampiro.

– Se a ama de verdade, faça-lhe um favor: peça a outro.

Wrath deu meia volta e saiu do clube. A caminho da porta, apagou a própria imagem do córtex cerebral de todos os humanos do lugar. Os mais fortes pensariam nele como um personagem num sonho. Os fracos sequer se lembrariam dele.

Do lado de fora, dirigiu-se a um canto escuro atrás do Screamer's para poder se desmaterializar. Passou por uma mulher que fazia sexo oral em um cara nas sombras, um vagabundo bêbado desmaiado no chão e um traficante de drogas que discutia pelo celular o preço do crack.

Wrath soube de cara que o seguiam. E quem era. O cheiro adocicado de talco de bebê os entregava no ato.

Sorriu de orelha a orelha, abriu sua jaqueta de couro e sacou uma *hira shuriken*. A estrela ninja feita de aço inoxidável se adaptava confortavelmente à palma de sua mão. Cem gramas de morte prontos para voar.

Com a arma na mão, Wrath não alterou o passo, embora desejasse se apressar. Após ter deixado Darius na mão, estava louco por uma luta, e aquele membro da *Sociedade Redutora* viera bem a calhar.

Matar um humano desprovido de alma era justamente o que precisava para dar uma animada.

À medida que atraía o *redutor* para a densa escuridão, o corpo de Wrath ia se preparando para a luta, seu coração batia compassadamente, os músculos dos braços e coxas se contraíam em antecipação. Percebeu o ruído de uma arma sendo engatilhada e calculou o alvo da bala: apontava para sua nuca.

Com um rápido movimento, girou sobre si mesmo no instante em que o projétil deixava a arma. Abaixou-se e lançou a estrela, que traçou um arco mortífero com um brilho prateado. Atingiu o *redutor* bem no pescoço, abrindo-lhe a garganta antes de continuar sua trajetória na escuridão. A pistola caiu no chão, chocando-se ruidosamente contra o asfalto.

O *redutor* segurou o pescoço com as mãos e caiu de joelhos.

Wrath aproximou-se dele e revistou-lhe os bolsos. Encontrou uma carteira e um celular e guardou-os na jaqueta.

Depois, tirou uma longa faca de lâmina escura do coldre peitoral. Lamentava que a luta não houvesse durado mais, porém, a julgar pelo cabelo escuro e encaracolado e o ataque relativamente inepto, tratava-se de um novato. Com um rápido empurrão, colocou o *redutor* de barriga para cima, lançou a faca ao ar e a agarrou pelo punho com um ágil movimento da mão. A lâmina mergulhou na carne, atravessou o osso e chegou até o negro vazio deixado pelo coração.

Com um som estrangulado, o *redutor* se desintegrou em um flash de luz.

Wrath limpou a lâmina em suas calças de couro, deslizou-a para dentro do coldre e pôs-se de pé, olhando ao redor. Então, desmaterializou-se.

Darius pediu uma terceira cerveja. Uma dupla de belas góticas se aproximou dele, dispostas a ajudá-lo a esquecer dos problemas. Ele declinou do convite.

Deixou o lugar e dirigiu-se para o seu BMW 6501, estacionado no beco atrás do clube. Como todo bom vampiro, podia se desmaterializar quando bem entendesse e atravessar grandes distâncias, mas isso era um truque difícil de executar se carregasse algo pesado. E não era coisa que se fizesse em público.

Além disso, um carro elegante é uma belezinha de se ver.

Entrou no automóvel e fechou a porta. Do céu, gotas de chuva começavam a cair e escorrer pelo para-brisa como grossas lágrimas.

Não havia esgotado suas opções. A conversa sobre o irmão de Marissa o fizera pensar. Havers era um médico totalmente devotado a curar a raça. Talvez pudesse ajudá-lo. Com toda certeza, valia a pena tentar.

Imerso em seus planos, Darius introduziu a chave na ignição e a girou. O motor resfolegou. Girou a chave de novo e, então, teve uma horrível premonição ao escutar um tiquetaque ritmado.

A bomba, que havia sido presa ao chassi do carro e conectada ao sistema elétrico, explodiu.

Enquanto seu corpo era incinerado pela poderosa explosão, seu último pensamento foi para a filha que ainda não o conhecia. E que jamais o faria.

Capítulo 3

Beth tomou um banho de chuveiro por longos quarenta e cinco minutos, gastou meio vidro de sabonete líquido, e quase derreteu o papel de parede barato do banheiro por ter escolhido deixar a água tão quente. Secou-se, vestiu o roupão de banho e evitou olhar novamente para seu reflexo no espelho. Seu lábio estava com um aspecto horrível.

Saiu do banheiro. O restante de seu pequeno apartamento consistia em um único cômodo. O ar condicionado quebrara há duas semanas e o ambiente ali estava quase tão sufocante quanto o banheiro. Olhou para as duas janelas e a porta corrediça que dava para um pátio traseiro sem atrativos. Desejou abri-las todas, mas, em vez disso, conferiu se estavam bem trancadas.

Embora seus nervos estivessem em frangalhos, ao menos seu corpo se recuperava rapidamente. Sua fome retornara com força redobrada, numa espécie de protesto pelo jantar pulado, e ela se dirigiu à cozinha do tipo americana. As sobras de frango de quatro noites atrás até pareciam apetitosas, mas, quando abriu o papel alumínio, o que sentiu foi o odor de meias suadas. Jogou no lixo todo o pacote e colocou um recipiente de comida congelada no micro-ondas. Comeu, de pé mesmo, o macarrão com queijo, sustentando a pequena bandeja de plástico na mão com um pegador de panelas. Não foi suficiente. Sequer deu para encher um buraquinho de dente, preparou outra porção.

A ideia de engordar dez quilos em uma só noite era tremendamente atraente; ora, se era. Não podia mudar seu rosto, mas era capaz de apostar que o homem das cavernas misógino que a atacara preferia que suas vítimas não tivessem o traseiro de um elefante.

Piscou, tentando tirar da cabeça a imagem do rosto dele.

Ainda podia sentir aquelas mãos, ásperas e brutas machucando seus seios.

Precisava prestar queixa. Tinha de ir a uma delegacia.

Só que agora não queria sair do apartamento. Pelo menos não até de manhã.

Dirigiu-se até o *futon* que usava tanto como sofá quanto como cama e aninhou-se em posição fetal. Seu estômago tinha dificuldades para digerir o macarrão com queijo e foi tomada por ondas de náusea seguidas de calafrios que percorriam todo seu corpo.

Um suave miado a fez levantar a cabeça.

– Olá, Boo – disse, estalando os dedos apaticamente. O pobre animal havia fugido apavorado quando ela entrara como um furacão pela porta arrancando as roupas e atirando-as por toda a sala.

Miando outra vez, o gato negro se aproximou. Seus grandes olhos verdes pareciam preocupados enquanto saltava com elegância para seu colo.

– Desculpe-me por todo esse drama – murmurou ela, fazendo-lhe carinho.

O animalzinho esfregou a cabeça contra o seu ombro, ronronando. Seu corpo era morno e muito leve. Não saberia dizer o tempo que permaneceu ali sentada acariciando seu pelo fino e macio, mas, quando o telefone tocou, sobressaltou-se.

Enquanto tentava alcançar o aparelho, ajeitou-se para continuar acariciando o animal de estimação. Anos de convivência haviam aprimorado sua coordenação gato/telefone à beira da perfeição.

– Olá? – disse, pensando que passava de meia-noite, o que descartava *telemarketing* e sugeria um assunto de trabalho ou algum psicopata ofegante.

– Olá, senhorita B. Calce suas sapatilhas de dança. O carro de um sujeito saltou pelos ares ao lado do Screamer's. Ele estava dentro.

Beth fechou os olhos com vontade de chorar. Jose de la Cruz era um dos detetives da polícia da cidade e, praticamente, um amigo.

Mas, pensando bem, o mesmo podia dizer da maioria dos homens e mulheres de uniforme azul. Por passar tanto tempo na delegacia, acabara por conhecê-los todos bastante bem, embora Jose fosse um de seus favoritos.

– Alô, está aí?

Conte a ele. Conte a ele o que aconteceu. É só abrir a boca e falar.

A vergonha e o horror do ocorrido estrangulavam-lhe as cordas vocais.

– Estou ouvindo, Jose – afastou os cabelos negros do rosto e pigarreou. – Não poderei ir esta noite.

– Tá, sei. Quando foi que começou a dispensar uma boa informação? – riu gostosamente. – Ah, mas não tenha pressa. *O Bonzão* assumiu o caso.

Bonzão era o detetive de homicídios Brian O'Neal, mais conhecido como Butch. Ou simplesmente *senhor.*

– Sério, realmente não posso... fazer isso esta noite.

– Está ocupada com alguém? – a curiosidade elevou o seu tom de voz. José era casado. E feliz no casamento. Mas, ela sabia que na delegacia todos especulavam sobre ela. Uma mulher bonita como ela sem um homem? Não dava para acreditar.

– E então, está?

– Meu Deus, não. Não.

Houve uma pausa. Era óbvio que o faro de policial de seu amigo fora acionado.

– O que aconteceu?

– Estou bem. Um pouco cansada. Irei à delegacia amanhã.

Prestaria queixa, então. No dia seguinte se sentiria suficientemente forte para recordar o que tinha acontecido sem desmoronar.

– Quer que eu dê uma passada aí?

– Não, mas obrigada. Estou bem.

Desligou o telefone.

Quinze minutos depois, vestiu uma calça jeans recém-lavada e uma camisa larga que ocultava suas formas. Chamou um táxi. Antes de sair, porém, procurou no armário até encontrar sua outra bolsa. Apanhou o spray de pimenta e o apertou com força na mão enquanto saía do apartamento.

No trajeto de pouco mais de três quilômetros entre sua casa e o lugar onde a bomba explodira, recuperaria a voz. E contaria tudo a Jose.

Por mais que detestasse a ideia de recordar o ataque, não ia permitir que aquele cretino continuasse livre fazendo o mesmo a outra pessoa. E mesmo se nunca o prendessem, ao menos teria feito sua parte para tentar detê-lo.

Wrath se materializou na sala da casa de Darius. Caramba, já tinha esquecido de como o vampiro vivia bem.

Embora D. fosse um guerreiro, tinha os gostos de um aristocrata, o que, por sinal, fazia sentido. Nascera na nobreza, e apreciar o bem viver ainda era importante para ele. Sua mansão do século XIX era bem cuidada, repleta de antiguidades e obras de arte. E também era tão segura como a caixa-forte de um banco.

Mas o amarelo-claro das paredes da sala-de-estar feriram os olhos de Wrath.

– Que agradável surpresa, meu senhor.

Fritz, o mordomo, veio do vestíbulo e fez uma profunda reverência, enquanto apagava as luzes para aliviar os olhos de Wrath. Como de hábito, o velho homem trajava negro. Estava com Darius há cerca de cem anos, e era um *doggen*, o que significava que podia sair à luz do dia, mas, envelhecia mais rápido que os vampiros. Sua subespécie vinha servindo aristocratas e guerreiros há milênios.

– Ficará conosco muito tempo, meu senhor?

Wrath balançou a cabeça negativamente. Não se pudesse evitar.

– Uma hora, no máximo.

– Seu quarto está preparado. Se precisar de mim, senhor, estou às ordens.

Fritz se inclinou de novo e saiu da sala, fechando a porta de duas folhas atrás de si.

Wrath se dirigiu para um retrato de mais de dois metros de altura de um rei francês, segundo lhe haviam dito. Colocou sua mão sobre o lado direito da pesada moldura dourada. A tela girou sobre seu eixo e revelou um escuro corredor de pedra iluminado com lâmpadas a gás.

Entrou e desceu uma escada que se aprofundava no solo. Ao final dos degraus havia duas portas. Uma conduzia aos suntuosos aposentos de Darius, e a outra se abriu para o que Wrath considerava o seu lar longe de casa. Na maior parte dos dias ele dormia em um armazém em Nova York, em um cômodo interno feito de aço com um sistema de segurança comparável ao do Fort Knox.

Mas ele nunca convidaria Marissa para ir lá. Tampouco um dos guerreiros da irmandade. Sua privacidade era muito valiosa.

Quando entrou, as velas em arandelas nas paredes se acenderam por todo o aposento obedientes à sua vontade. Seu discreto brilho dourado mal iluminava a escuridão. Por consideração à visão sensível de Wrath, Darius pintara de negro as paredes e o teto de seis metros de altura. Em um canto, destacava-se uma enorme cama com lençóis de cetim negro e uma pilha de travesseiros. No lado oposto, um sofá de couro, uma TV widescreen e uma porta que levava a um banheiro em mármore negro. Também havia um armário cheio de armas e roupas.

Por alguma razão, Darius sempre insistia para que ficasse na mansão. Era um maldito mistério. Não precisava de defesa, porque Darius podia muito bem proteger-se. E a ideia de que um vampiro como D. se ressentisse de solidão era ridícula.

Wrath percebeu a presença de Marissa antes que ela adentrasse o aposento. O cheiro do mar, uma brisa fresca, a precediam.

Terminemos com isso de uma vez, pensou. Estava ansioso para retornar às ruas. Tivera apenas um gostinho de luta e aquela noite queria esbaldar-se.

Virou-se.

Enquanto Marissa fazia-lhe uma mesura com seu delicado corpo, sentiu um misto de devoção e inquietação emanando dela.

– Meu senhor – disse ela.

Pelo pouco que podia ver, estava usando uma levíssima roupa de *chiffon* branco, e seu longo cabelo loiro se derramava em cascata pelos ombros e costas. Sabia que se vestira para agradá-lo, e desejou no mais íntimo de seu ser que não tivesse se esforçado tanto.

Tirou a jaqueta de couro e o coldre peitoral onde levava suas adagas.

Maldizia os próprios pais. Por que lhe tinham dado uma fêmea como ela? Tão... frágil.

Mas, pensando bem, considerando o estado em que se encontrava antes de sua transição, talvez temessem que outra mais forte pudesse lhe causar mal.

Wrath flexionou os braços, seus bíceps se enrijeceram e um de seus ombros estalou devido ao esforço.

Se pudessem vê-lo agora. O garoto franzino se transformara num assassino frio e implacável.

Talvez seja melhor que estejam mortos, pensou. Não teriam aprovado tal transformação.

Contudo, se eles tivessem vivido até uma idade avançada, ele não seria assim.

Marissa deslocou-se nervosamente.

– Lamento incomodá-lo, mas não posso esperar mais.

Wrath se dirigiu ao banheiro.

– Precisa de mim e eu vim.

Abriu a torneira e enrolou as mangas de sua camisa negra. Em meio ao vapor que subia da pia, lavou a sujeira, o suor e a morte de suas mãos. Esfregou o sabonete pelos braços, cobrindo de espuma as tatuagens rituais que adornavam a parte interna de seus antebraços. Enxaguou-se, secou-se e caminhou até o sofá. Sentou e esperou, rangendo os dentes.

Há quanto tempo faziam aquilo? Séculos. Ainda assim, Marissa sempre precisava de algum tempo para poder se aproximar. Se fosse outra sua paciência se esgotaria num instante, mas com ela era um pouco mais tolerante...

A verdade é que sentia pena dela por ter sido forçada a se tornar sua companheira. Ele havia dito várias vezes que a liberava de seu compromisso para que encontrasse um verdadeiro companheiro, um que não somente matasse tudo o que a ameaçasse, mas que também a amasse.

O estranho é que Marissa não queria deixá-lo, por mais frágil que fosse. Provavelmente, temia que nenhuma outra fêmea se sujeitaria a ele, que nenhuma alimentaria a besta quando fosse necessário e a raça perderia sua linhagem mais poderosa. Seu rei. Seu líder, que carecia da vontade de liderar.

Oh, sim: um maldito inconveniente. Permanecia afastado dela a menos que precisasse se alimentar, o que não acontecia com frequência devido a sua linhagem. Ela nunca sabia onde estava, ou o que estava fazendo. Passava longos e solitários dias na casa do irmão, sacrificando sua vida para manter vivo o último vampiro de sangue puro, o único que não tinha uma gota sequer de sangue humano em seu corpo.

Francamente, não entendia como suportava isso... ou a ele.

De repente, sentiu vontade de praguejar. Aquela noite parecia ser um banquete para alimentar seu ego. Primeiro Darius. Agora ela.

Os olhos de Wrath a seguiram enquanto se deslocava pelo aposento, acercando-se dele em largos círculos. Obrigou-se a relaxar o rosto, a estabilizar a respiração, a imobilizar o corpo. Aquela era a pior parte de estar com ela. Não ter liberdade de movimentos causava-lhe a sensação de pânico, e sabia que quando ela começasse a se alimentar, a sufocante sensação pioraria.

– Esteve ocupado, meu senhor? – disse ela suavemente.

Ele concordou, pensando que, se tivesse sorte, iria estar ainda mais ocupado antes do amanhecer.

Marissa finalmente parou diante dele, e o vampiro pôde sentir sua fome prevalecendo sobre sua inquietação. Também podia sentir-lhe o desejo.

Ela o queria, mas ele lhe bloqueava tal sentimento.

Sob hipótese alguma faria sexo com ela. Não podia imaginar submeter Marissa às coisas que havia feito com outros corpos femininos. E ele nunca a desejou dessa maneira. Nem mesmo no começo.

– Venha aqui – disse, fazendo um gesto com a mão. E deixou cair o antebraço sobre a coxa, com o punho para cima. – Está faminta. Não deveria esperar tanto para me chamar.

Marissa ajoelhou-se aos seus pés, o vestido esparramando-se ao redor de seu corpo. O contato de seus dedos na pele dele era quente e ela tocava suas tatuagens com a mão, suavemente, acariciando os negros caracteres que detalhavam sua linhagem no antigo idioma.

Como estava tão próxima, ele pôde perceber o movimento de sua boca se abrindo, suas presas brancas cintilando antes de cravarem em sua veia.

Wrath fechou os olhos, deixando a cabeça pender para trás enquanto ela bebia. O pânico lhe sobreveio rápido e forte. Dobrou o braço livre ao redor da beirada do sofá, tencionando os músculos ao mesmo tempo em que se agarrava no canto para manter o corpo no lugar. Calmo, precisava permanecer calmo. Aquilo logo terminaria e, então, estaria livre.

Quando Marissa ergueu a cabeça dez minutos depois, ele se levantou de um salto e aplacou a ansiedade caminhando, sentindo um alívio doentio em poder se movimentar novamente. Assim que se recuperou, aproximou-se dela. Estava saciada, absorvendo a força obtida com a mistura do sangue dele ao seu. Não o agradou vê-la largada no chão, por isso, ergueu-a, e estava pensando em chamar Fritz para que a levasse à casa do irmão, quando bateram à porta.

Wrath lançou o olhar para o outro lado do aposento, levou-a para a cama e a deitou ali.

– Obrigada, meu senhor – murmurou ela –, voltarei para casa sozinha.

Ele se deteve um instante. Cobriu-lhe as pernas com um lençol antes de escancarar a porta.

Alguma coisa deixara Fritz muito aflito.

Wrath saiu, fechando a porta atrás de si. Estava prestes a exigir uma explicação que justificasse tal interrupção, quando o cheiro do mordomo permeou sua irritação.

Soube, sem perguntar, que a morte havia feito outra visita.

E levara Darius consigo.

– Senhor...

– Como foi? – grunhiu. Lidaria com a dor mais tarde. Primeiro, precisava dos detalhes.

– Ah, o carro... – era compreensível que o mordomo estivesse profundamente perturbado, o fiapo de voz que lhe saía era tão frágil quanto seu velho corpo. – Uma bomba, meu senhor. O carro. Ao sair do clube. Tohrment ligou. Viu o que aconteceu.

Wrath pensou no *redutor* que havia liquidado. Desejou saber se tinha sido ele que armara a bomba.

Aqueles desgraçados já não tinham noção de honra. Pelo menos seus precursores, séculos atrás, lutavam como guerreiros. Essa nova geração era composta de covardes que se escondiam por trás da tecnologia.

– Convoque a Irmandade – bradou – diga-lhes que venham imediatamente.

– Sim, é claro. Senhor... Darius me pediu que lhe desse isto – o mordomo lhe estendeu algo –, se o senhor não estivesse com ele quando morresse.

Wrath apanhou o envelope e voltou para o quarto, incapaz de poder oferecer compaixão a Fritz ou a quem quer que fosse. Marissa havia ido embora, o que era bom para ela.

Meteu a última mensagem de Darius no cós de sua calça de couro.

E extravasou sua ira.

As velas explodiram e espatifaram-se no chão enquanto um feroz redemoinho girava em torno dele, cada vez mais forte, mais rápido, mais terrível, até que a mobília se elevou do chão traçando círculos ao seu redor. Ele atirou a cabeça para trás e rugiu.

Capítulo 4

Quando o táxi deixou Beth em frente ao Screamer's, a cena do crime fervilhava de atividade. Flashes azuis e brancos partiam dos carros de patrulha que bloqueavam o acesso ao beco. O veículo blindado do esquadrão antibombas havia chegado. O lugar estava repleto de agentes da lei, tanto uniformizados quanto à paisana. E a habitual multidão de curiosos embriagados já se instalara na periferia da cena, fumando e conversando.

Sua experiência como repórter lhe ensinara que um homicídio era um acontecimento social em Caldwell. Isto é, para todos, menos para o homem ou mulher que havia morrido. Para a vítima, imaginava, a morte era um acontecimento bastante solitário, ainda que na hora tivesse diante de si o rosto de seu assassino. Algumas pontes temos de atravessar sozinhos, não importa quem nos empurre até ali.

Beth cobriu a boca com a manga da blusa. O cheiro de metal queimado misturado com um penetrante produto químico invadiu seu nariz.

– Ei, Beth! – um dos policiais acenou chamando-a. – Se quiser olhar de perto, entre no Screamer's e saia pelos fundos. Há um corredor...

– Na verdade, estou aqui para ver o Jose. Ele está por aqui?

O policial esticou o pescoço, procurando entre a multidão.

– Estava aqui há um minuto. Talvez tenha voltado para a delegacia. Ricky! Você viu o Jose?

Butch O'Neal parou diante dela, silenciando o outro policial com um olhar duro.

– Ora, se não é uma surpresa...

Beth deu um passo para trás. *Bonzão* era um homem e tanto. Alto, forte, voz grave, cheio de atitude. Supunha que muitas mulheres se sentiriam atraídas por ele, porque não podia negar que, embora rude, tinha um grande charme. Mas com Beth isso não funcionava.

Não que os homens não a interessassem.

– Então, Randall, o que a traz por aqui? – levou um pedaço de chiclete à boca e amassou o papel formando uma bolinha. Sua mandíbula trabalhava como se estivesse frustrado: não mastigava, parecia apenas pulsar.

– Estou aqui procurando Jose. Não pelo crime.

– Claro que sim – encarou-a com os olhos semicerrados. Com suas sobrancelhas castanhas e olhos profundos, parecia sempre um pouco zangado, mas, subitamente, sua expressão se intensificou.

– Poderia vir comigo um segundo?

– Eu realmente preciso falar com o Jose...

Segurou-lhe pelo braço com firmeza.

– É só um instante – Butch a levou para um canto isolado do beco, longe da comoção.

– Que diabos aconteceu com seu rosto?

Ela ergueu a mão e cobriu o lábio ferido. Ainda devia estar em choque, porque havia se esquecido.

– Repetirei a pergunta – disse. – Que *diabos* aconteceu com você?

– Eu, ah... – a garganta travou –, estava...

Não ia chorar. Não diante do *Bonzão.*

– Preciso ver Jose.

– Não está aqui, então, não poderá contar com ele. Agora fale.

Butch a segurou pelos dois braços, como se pressentisse que poderia sair correndo. Era apenas uns poucos centímetros mais alto do que ela, mas tinha pelo menos 30 quilos de músculos a mais.

O medo congelou seu peito como se fosse arrebentá-lo, mas já estava farta de ser constrangida fisicamente aquela noite.

– Solte-me, O'Neal – colocou a palma da mão no peito do homem e o empurrou. Ele se afastou. Um pouco.

– Beth, diga-me...

– Se não me soltar... – encarou-o –, publicarei um artigo sobre suas técnicas de interrogatório. Sabe? As que requerem radiografias e gesso depois que as emprega.

Os olhos de O'Neal estreitaram-se de novo. Soltou-a e levantou as mãos como se estivesse se rendendo.

– Está bem – deixou-a e retornou à cena do crime.

Beth apoiou as costas contra a parede do prédio, sentindo que suas pernas fraquejavam. Olhou para baixo, tentando reunir forças, e divisou alguma coisa metálica. Dobrou os joelhos e se inclinou. Era uma estrela ninja.

– Ei, Ricky! – chamou. O policial voltou e ela apontou para o chão.

– Evidência.

Deixou-o fazer seu trabalho e se dirigiu com pressa para a rua Trade, em busca de um táxi. Simplesmente já não aguentava mais.

No dia seguinte, prestaria queixa oficialmente a Jose. Na primeira hora da manhã.

Quando Wrath reapareceu na sala de estar, já recuperara o controle. Suas armas estavam nos coldres e sua jaqueta pesava na mão, cheia de estrelas ninja e de facas que gostava de utilizar.

Tohrment foi o primeiro membro da Irmandade a chegar. Seus olhos azuis brilhavam tão intensamente com a dor e a sede de vingança que até Wrath pôde captar um flash de cor.

Enquanto Tohr se encostava em uma das paredes amarelas de Darius, Vishous adentrou o aposento. O cavanhaque que deixara crescer há pouco tempo fazia-lhe parecer ainda mais sinistro do que o habitual, embora fosse a tatuagem ao redor do olho esquerdo o que realmente o classificaria como assustador. Naquela noite, trazia o gorro do Red Sox tão enterrado na cabeça que as complexas marcas gravadas em sua têmpora quase não podiam ser percebidas. Como sempre, sua luva negra de direção, que usava para que a mão esquerda não entrasse em contato com alguém inadvertidamente, estava em seu lugar. O que era uma coisa boa, um baita serviço público.

Em seguida, chegou Rhage. Maneirara a postura arrogante em deferência ao motivo da convocação daquela reunião. Rhage era um macho enorme, poderoso, mais forte do que todos os outros guerreiros. Também era uma lenda sexual no mundo dos vampiros, bonito como um galã de cinema e com o vigor de cem garanhões. As fêmeas, tanto as vampiras como as humanas, passariam por cima de suas próprias crias para chegar nele.

Pelo menos até vislumbrarem seu lado funesto. Quando a besta de Rhage aflorava, não havia outra coisa a fazer, mesmo para os próprios membros da Irmandade, a não ser se esconder e rezar.

Phury foi o último a chegar. Mancava quase que imperceptivelmente. Sua perna protética havia sido substituída recentemente: agora era uma obra-prima de tecnologia feita de uma liga de titânio e carbono. A combinação de barras, articulações e parafusos estava atarraxada à base da coxa direita.

Com sua fantástica juba de cabelos multicoloridos, Phury deveria estar acompanhado de beldades de Hollywood, mas se mantinha fiel ao seu voto de celibato. Só havia lugar para um único amor em sua vida, e isso o vinha matando lentamente há anos.

– Onde está seu irmão gêmeo? – perguntou Wrath.

– Z. está a caminho.

Que Zsadist estivesse atrasado não constituía surpresa. Z. era uma gigantesca e aterradora ameaça para o mundo. Um filho-da-mãe que praguejava mais do que falava e levava o ódio, especialmente às fêmeas, às últimas consequências. O seu rosto coberto de cicatrizes e a cabeça raspada com máquina zero o faziam aparentar ser tão perigoso quanto de fato era, de modo que a tendência das pessoas era a de sair de seu caminho.

Raptado de sua família quando criança, acabou como escravo de sangue, e o abuso que sofreu nas mãos de sua ama foi brutal em todos os sentidos. Levou quase um século para que Phury conseguisse encontrar seu irmão gêmeo, e Z. fora tão torturado que faltava muito pouco para morrer quando foi resgatado.

Um mergulho no mar salgado sarara as feridas na pele de Zsadist; além do labirinto de cicatrizes, exibia ainda as tatuagens de escravo, e também numerosos piercings que ele mesmo acrescentara. Só porque gostava da sensação de dor.

Sem dúvida, Z. era o mais perigoso dos membros da Irmandade. Depois do que havia passado, não dava a mínima para coisa alguma nem para ninguém. Inclusive o próprio irmão.

Até Wrath ficava esperto na presença daquele guerreiro.

Sim, a Irmandade da Adaga Negra era um grupo extraordinário. A única barreira a proteger a população de vampiros dos *redutores*.

Cruzando os braços, Wrath passeou o olhar pela sala, observando cada um dos guerreiros, considerando seus pontos fortes, mas, principalmente, suas vulnerabilidades.

A morte de Darius o fez se dar conta de que, embora seus guerreiros provocassem severas baixas às legiões de assassinos da Sociedade, havia tão poucos membros da Irmandade em oposição a um inesgotável e autogerador contingente de *redutores*.

Porque o céu é testemunha de que havia muitos humanos com uma queda e talento para matar.

Definitivamente, os números não estavam a favor da raça. Impossível ignorar o fato de que os vampiros não viviam eternamente, que os membros da Irmandade podiam ser assassinados e que o equilíbrio podia ser quebrado de uma hora para outra. A favor de seus inimigos.

A verdade é que a mudança já havia começado. Desde que Ômega criara a *Sociedade Redutora*, eras antes, o número de vampiros havia diminuído de tal maneira que só restavam alguns enclaves na população. Sua espécie estava ameaçada de extinção. Embora os membros da Irmandade fossem mortalmente bons no que faziam.

Se Wrath fosse outro tipo de rei, como seu pai, que desejava ser adorado e reverenciado pelas famílias da espécie, talvez o futuro parecesse mais promissor. Mas ele não era como seu pai. Wrath era um lutador, não um líder, saía-se melhor com uma adaga na mão do que sentado, sendo objeto de adoração.

Concentrou-se de novo nos membros do grupo. Como os guerreiros lhe devolveram o olhar, era óbvio que aguardavam instruções suas. E aquela deferência o deixou nervoso.

– Recebi a morte de Darius como um ataque pessoal – disse.

Houve um grunhido abafado de aprovação da parte do grupo.

Wrath puxou da jaqueta a carteira e o celular do membro da *Sociedade Redutora* que havia matado.

– Tirei isso de um *redutor* que esbarrou comigo esta noite atrás do Screamer's. Quem quer fazer as honras?

Lançou-os ao ar. Phury pegou ambos os objetos e passou o telefone para Vishous.

Wrath começou a caminhar de um lado para o outro.

– Temos de sair à caça de novo.

– Mandou bem – aprovou Rhage. Houve um movimento metálico seguido do som de uma faca sendo fincada numa mesa. – Temos de prendê-los onde treinam, onde *vivem*.

O que significava que os membros da Irmandade teriam de fazer um reconhecimento do terreno. Os membros da *Sociedade Redutora* não eram estúpidos. Alteravam seu centro de operações com regularidade, mudando constantemente o local das instalações de recrutamento e treinamento. Por essa razão, os guerreiros vampiros sempre consideraram mais eficaz agir como alvos e lutar contra quem fosse atrás deles.

Vez ou outra, a Irmandade realizava algumas incursões, matando dúzias de *redutores* em uma só noite. Mas esse tipo de tática ofensiva era raro. Os ataques em grande escala eram eficazes, mas também apresentavam algumas dificuldades. Os grandes combates atraíam a polícia, e tentar passar despercebidos era vital para todos.

– Tem uma carteira de motorista – murmurou Phury. Investigarei o endereço; é local.

– Em nome de quem? – perguntou Wrath.

– Robert Strauss.

Vishous praguejou enquanto examinava o telefone.

– Aqui não há muito. Algumas coisas na memória de chamadas, umas discagens rápidas. Checarei no computador quem ligou e quais números foram chamados.

Wrath rangeu os dentes. A impaciência e o ódio eram um coquetel difícil de engolir.

– Desnecessário dizer para que trabalhe o mais rápido possível. Não há maneira de saber se o *redutor* que eliminei esta noite foi o autor da morte de Darius; assim sendo, penso que temos de limpar completamente toda a área. Matar todos eles sem nos importarmos em sermos discretos.

A porta principal se escancarou de repente e Zsadist entrou na casa.

Wrath o olhou com ar irônico.

– Muita gentileza de sua parte aparecer, Z. Estava muito ocupado com as fêmeas?

– Não enche, cara.

Zsadist foi para um canto e permaneceu apartado do grupo.

– Onde estará, meu senhor? – perguntou Tohrment, delicadamente.

O bom e velho Tohr. Sempre tentando manter a paz, seja por meio de uma distração, de uma intervenção ou à força, mesmo.

– Aqui. Permanecerei aqui. Se o *redutor* que matou Darius está vivo e interessado em jogar um pouco mais, quero estar disponível e fácil de encontrar.

Quando os guerreiros se foram, Wrath vestiu a jaqueta. Ao fazê-lo, o envelope de Darius espetou-o e ele o tirou da cintura. Na frente havia uma linha escrita à tinta. Wrath imaginou tratar-se de seu nome. Abriu o envelope. Enquanto puxava dele uma folha de papel creme, uma fotografia caiu no chão. Recolheu-a e teve a vaga impressão de que a figura retratada tinha o cabelo longo e negro. Uma mulher.

Wrath olhou fixamente o papel. Era uma caligrafia contínua, um rabisco ininteligível que não tinha a menor esperança de decifrar, por mais que forçasse a vista.

– Fritz! – chamou.

O mordomo veio correndo.

– Leia isso.

Fritz tomou a folha e baixou a cabeça, lendo em silêncio.

– Em voz alta! – rugiu Wrath.

– Oh! Perdoe-me, amo – Fritz limpou a garganta – "*Caso já não tenha falado com você, peça detalhes a Tohrment. Avenida Redd, número 1.188, apartamento 1B. Seu nome é Elizabeth Randall. P.S.: a casa e Fritz são seus se ela não sobreviver à idade adulta. Lamento que o fim tenha chegado tão cedo. D.*"

– Filho-da-mãe – murmurou Wrath.

Capítulo 5

Beth vestira sua roupa de dormir, um short macio e uma camiseta, e estava esticando o futon quando Boo começou a miar na porta corrediça de vidro. O gato dava voltas em um estreito círculo, com os olhos fixos em alguma coisa lá fora.

– Quer brigar outra vez com o gato da senhora Gio? Já fez isso uma vez e não se saiu bem, está lembrado?

Batidas na porta da frente a fizeram virar a cabeça com um sobressalto.

Dirigiu-se para lá e espiou pelo olho-mágico. Quando viu quem estava do outro lado, girou e apoiou as costas contra a madeira barata.

As batidas recomeçaram.

– Sei que está aí – disse *Bonzão* –, e não vou embora sem falar com você.

Beth destrancou a porta e abriu-a de uma vez. Antes que tivesse tempo de mandá-lo passear, o detetive passou por ela e entrou.

Boo arqueou o dorso e silvou.

– Também tenho prazer em conhecê-lo, pantera negra – o vozeirão de Butch parecia totalmente fora de contexto em seu apartamento.

– Como entrou no edifício? – perguntou ela, fechando a porta.

– Forcei a fechadura.

– Há alguma razão particular para que tenha escolhido este edifício para invadir, detetive?

Ele deu de ombros e sentou-se em uma poltrona surrada.

– Pensei em visitar uma amiga.

– Então, por que está me incomodando?

– Tem um bonito apartamento – disse ele, olhando suas coisas.

– Que mentiroso.

– Ei, pelo menos está limpo. Que é mais do que posso dizer sobre o meu próprio chiqueiro – seus profundos olhos castanhos se desviaram para o rosto dela e lá permaneceram.

– Agora, falemos do que aconteceu quando saiu do trabalho esta noite, está bem?

Ela cruzou os braços sobre o peito.

Ele riu de mansinho.

– Caraca, o que tem Jose que eu não tenho?

– Quer uma caneta e papel para anotar? A lista é longa.

– Ai! Essa doeu! Você é dura, sabia? – seu tom era divertido. – Diga-me, você só gosta dos que não estão disponíveis?

– Olha, estou esgotada...

– Sim, saiu tarde do trabalho. Às nove e quarenta e cinco, mais ou menos. Falei com seu chefe. Dick me disse que ainda estava em sua mesa quando ele saiu para o Charlie's. Veio para casa a pé, não foi? Certamente pela rua Trade, presumo, como faz todas as noites. E estava sozinha, durante certo tempo...

Beth engoliu em seco quando um leve ruído fez com que desviasse o olhar para a porta corrediça de vidro. Boo recomeçara a zanzar de um lado para o outro e a miar, com os olhos fixos na escuridão.

– Agora, vai me contar o que aconteceu quando chegou ao cruzamento da Trade com a Dez? – seu olhar se suavizou.

– Como sabe...?

– Diga-me o que aconteceu. Prometo que esse filho-da-mãe vai ter o que merece.

Wrath permaneceu imóvel, envolto pelas sombras da noite quieta, olhando fixamente a silhueta da filha de Darius. Era alta para uma fêmea humana, e seu cabelo era negro, mas isso era tudo que podia perceber com sua parca visão. Aspirou fundo, mas não pôde captar seu cheiro. Suas portas e janelas estavam fechadas e o vento que soprava do oeste trazia o fedor de fruta podre do lixo.

Entretanto, podia escutar o murmúrio de sua voz através da porta fechada. Estava falando com alguém. Um homem em quem ela, aparentemente, não confiava, ou que não a agradava, porque só pronunciava monossílabos.

– Facilitarei as coisas ao máximo para você – dizia o homem.

Wrath observou-a se aproximar da porta de vidro e olhar para fora. Seus olhos estavam fixos em sua direção, mas sabia que não podia vê-lo. A escuridão o envolvia por completo.

Beth abriu a porta e pôs a cabeça para fora, impedindo, com o pé, que o gato saísse.

Wrath sentiu sua respiração alterada ao distinguir o cheiro da mulher. Verdadeiramente bom. Como uma flor intensamente perfumada. Do tipo que floresce à noite. Introduziu mais ar em seus pulmões e fechou os olhos enquanto o corpo reagia e seu sangue se agitava. Darius estava certo: ela se aproximava de sua transição. Farejava isso nela. Mestiça ou não, estava prestes a passar por sua transformação.

Ela deslizou a porta enquanto se virava para o homem. Sua voz era muito mais clara com a porta aberta, e Wrath gostou de seu tom rouco.

– Vieram do outro lado da rua. Eram dois. O mais alto me arrastou para o beco e...

Ao ouvir isso, Wrath ficou atento.

– Tentei me defender, mas ele era mais forte do que eu, e seu amigo me segurou os braços – começou a soluçar. – Disse-me que cortaria minha língua se gritasse e pensei de verdade que fosse me matar. Então, rasgou minha blusa e puxou o sutiã para cima. Por muito pouco não me... Mas, consegui me libertar e corri. Tinha os olhos azuis, cabelo castanho e um brinco na orelha esquerda. Usava uma camisa polo azul escuro e bermuda cáqui. Não consegui ver direito que tipo de calçado usava. Seu amigo era loiro, cabelo curto, sem brincos, vestido com uma camiseta branca com o nome de uma banda local, *Os comedores de Tomates*.

O homem se levantou e caminhou até ela. Rodeou-a com um braço, tentando atraí-la contra seu peito, mas ela recuou, colocando certa distância entre os dois.

– Você realmente acha que conseguirá prendê-lo? – perguntou.

O homem concordou. – Sim, com certeza.

Butch saiu do apartamento de Beth Randall de mau humor.

Ver uma mulher que tinha sido atingida no rosto não era uma parte de seu trabalho que gostasse. E, no caso de Beth, era particularmente perturbador, porque a conhecia há bastante tempo e sentia-se atraído por ela. O fato de que fosse uma mulher extraordinariamente bela não tornava as coisas mais fáceis. Mas o lábio inchado e os hematomas na garganta eram gritantes, em completo contraste com a perfeição de suas feições.

Beth Randall era simplesmente linda. Tinha os cabelos longos, negros e fartos, uns olhos azuis de intenso brilho, a pele cremosa e uma boca talhada para ser beijada. O corpo era escultural. Pernas longas, cintura fina e seios perfeitamente proporcionados.

Todos os homens da delegacia estavam apaixonados por ela, e Butch tinha de lhe reconhecer um enorme mérito: jamais usava sua aparência para obter informação confidencial dos rapazes. Mantinha tudo no nível estritamente profissional. Nunca saiu com um deles, embora a maioria estivesse disposta a dar seu testículo esquerdo só para segurar a mão dela.

Uma coisa era certa: seu agressor havia cometido um tremendo engano ao escolhê-la. Toda a força policial sairia em perseguição daquele babaca assim que descobrissem sua identidade.

E Butch tinha um informante.

Entrou em seu carro e dirigiu até o complexo hospitalar Saint Francis, do outro lado da cidade. Estacionou na calçada diante do pronto-socorro e entrou.

O guarda diante da porta giratória sorriu para ele.

– Está indo para o necrotério, detetive?

– Não. Dessa vez vou visitar um amigo.

O homem concordou e fez sinal para que entrasse.

Butch atravessou a sala de espera da emergência com suas plantas de plástico, revistas gastas e pessoas com semblante preocupado. Empurrou algumas portas duplas e se dirigiu ao estéril e branco ambiente clínico. Saudou com um ligeiro aceno de cabeça as enfermeiras e médicos que conhecia e se aproximou do balcão de triagem.

– Olá, Doug, lembra daquele cara que trouxemos com o nariz quebrado?

O funcionário ergueu a vista de um gráfico que estava consultando.

– Sim, está prestes a ter alta. Está nos fundos, quarto vinte e oito – soltou uma risadinha –; o nariz era o menor de seus problemas. Acho que não cantará notas graves durante um bom tempo.

– Obrigado, amigo. A propósito, como vai sua esposa?

– Bem. Dará à luz dentro de uma semana.

– Não deixe de me avisar quando a criança nascer.

Butch se dirigiu aos fundos da unidade. Antes de entrar no quarto vinte e oito, checou o corredor em ambas as direções. Tudo tranquilo. Não havia pessoal médico à vista, nem visitantes, nem pacientes.

Empurrou a porta e meteu a cabeça pela abertura.

Do leito, Billy Riddle ergueu a vista. Uma bandagem branca sustentava-lhe o nariz, como se estivesse evitando que o cérebro saísse por ali.

– O que há de novo, policial? Pegou o sujeito que me atingiu? Terei alta em breve e me sentiria melhor sabendo que o tem sob custódia.

Butch fechou a porta e girou o fecho silenciosamente. Sorriu enquanto atravessava o quarto, reparando no brinco de diamante quadrado que brilhava no lóbulo esquerdo do rapaz.

– Como vai esse nariz, Billy?

– Bem. Mas a enfermeira é uma anta...

Butch o agarrou pela gola de sua polo e o atirou ao chão. Depois, lançou o agressor de Beth contra a parede com tanta força que os aparelhos localizados atrás da cama balançaram.

Butch se aproximou de tal forma do rosto do jovem que poderiam ter se beijado.

– Divertiu-se esta noite?

Os olhos azuis arregalados do paciente se encontraram com os seus.

– Do que está falando...?

Butch o prensou de novo contra a parede.

– Alguém o identificou. A mulher que tentou violentar.

– Não fui eu!

– Claro que foi você. E se levarmos em consideração sua pequena ameaça sobre a língua dela e a sua faca, temos o suficiente para enviá-lo a Dannemora*. Já teve um namorado, Billy? Aposto que será muito popular por lá. Um belo garoto branco como você...

O rapaz ficou tão pálido quanto as paredes.

– Não a toquei!

– Vou lhe dizer uma coisa, Billy. Se for honesto comigo e me disser onde está o seu amigo, é possível que saia caminhando daqui. Do contrário, irá para a delegacia em uma maca.

Billy pareceu considerar o acordo por um instante. Então, as palavras lhe saíram da boca com extraordinária rapidez:

– Ela queria! Estava implorando por aquilo...

Butch levantou o joelho e o pressionou contra os testículos de Billy. Um grito agudo cortou o ar.

– É por isso que terá de urinar sentado pela próxima semana?

Quando o traste começou a balbuciar, Butch o largou e observou enquanto deslizava até o chão. Ao avistar as algemas, a lamentação de Billy aumentou de intensidade.

Butch virou-o de modo rude e uniu os pulsos do rapaz sem a menor delicadeza. Algemou-o e disse:

– Está preso. Tudo que disser poderá ser usado contra você no tribunal. Tem direito a um advogado...

– Você faz ideia de quem é o meu pai? – berrou Billy, como se tivesse conseguido recobrar o fôlego. – Ele fará com que lhe tomem o distintivo!

– Se não puder pagá-lo, o estado lhe providenciará um. Entendeu os seus direitos?

– Vá se danar!

Butch pegou o rapaz pela nuca e amassou-lhe o nariz contra o linóleo do piso:

– Entendeu os seus direitos?

---

* Referência ao Clinton Correctional Facility, presídio de segurança máxima do estado de Nova York, localizado na cidade de Dannemora, em Clinton County.

Billy gemeu e assentiu com a cabeça, deixando uma mancha de sangue fresco no chão.

– Bom. Agora vamos cuidar da papelada. Detestaria não seguir o procedimento policial adequado.

CAPÍTULO 6

– Boo! Quer parar com isso? – Beth golpeou o travesseiro e virou-se para poder ver o gato.

O animal a olhou e miou. À luz da cozinha, que tinha deixado acesa, viu-o caminhar em direção à porta de vidro.

– Vai sonhando, Boo. Você é um gato doméstico, de casa, entendeu? Confie em mim, lá fora não é tão bom como parece.

Fechou os olhos e, ao ouvir o próximo miado lamentoso, praguejou e arremessou os lençóis para o lado. Foi até a porta e olhou para fora.

Foi então que viu o homem. Estava de pé junto ao muro traseiro do pátio, uma silhueta escura muito maior que as outras sombras, já familiares, que projetavam as latas de lixo e a mesa de piquenique coberta de musgo.

Com mãos trêmulas conferiu o trinco da porta e depois os das janelas. Também estavam trancadas. Baixou as persianas, pegou o telefone sem fio e voltou a se postar ao lado de Boo.

O homem havia se movido.

Merda!

Estava vindo em sua direção. Conferiu de novo o trinco e recuou, tropeçando na borda do futon. Ao cair, o telefone se soltou de sua mão, saltando para longe. Bateu forte contra o colchão, o impacta fez com que sua cabeça quicasse.

Por mais incrível que parecesse, a porta de vidro se abriu como se não houvesse sido trancada e conferida por ela.

Ainda deitada de costas, agitou as pernas violentamente, embaraçando os lençóis ao tentar empurrar para trás o corpo para se afastar do intruso. Ele era gigantesco, seus ombros largos como vigas, suas pernas tão grossas como o tórax dela. Não conseguia ver seu rosto, mas o perigo que emanava dele era como uma pistola apontada para o seu peito.

Rolou para o chão entre gemidos e engatinhou para fugir, machucando os joelhos e as mãos contra o duro chão de madeira. As passadas do homem atrás dela ressoavam como trovões, cada vez mais próximas. Encolhida como um animal, cega pelo medo, chocou-se contra a mesa do corredor e não sentiu dor alguma.

As lágrimas começaram a escorrer por sua face enquanto implorava piedade, tentando chegar à porta da frente...

Beth despertou. Tinha a boca aberta e uma gritaria terrível quebrava o silêncio do amanhecer.

Era ela. Estava gritando a plenos pulmões.

Fechou firmemente os lábios e, como era de se esperar, seus ouvidos pararam de doer. Pulou da cama, foi até a porta do pátio e saudou os primeiros raios de sol com um alívio tão grande que quase desfaleceu. Enquanto os batimentos de seu coração recobravam o ritmo normal, respirou fundo e verificou a porta.

O trinco estava no lugar. O pátio vazio. Tudo como sempre.

Riu. Não era de admirar ter pesadelos depois do que passara na noite anterior. Certamente iria sentir calafrios durante um bom tempo.

Virou-se em direção ao banheiro. Sentia-se exaurida, mas a última coisa que queria era ficar sozinha em seu apartamento. Ansiava pelo burburinho da redação, estar rodeada por seus colegas, telefones, papéis. Ali se sentiria mais segura.

Estava prestes a entrar no banheiro quando sentiu uma pontada no pé. Dobrou a perna e extraiu um caco de cerâmica da áspera pele do calcanhar. Ao inclinar-se, encontrou o vaso que mantinha sobre a mesa do corredor despedaçado no chão.

Franzindo o cenho, catou os cacos e limpou a bagunça.

Provavelmente, devia tê-lo arremessado longe sem querer, quando entrou em casa agitada na noite anterior, depois de ter sido atacada.

Quando Wrath desceu às profundezas da terra sob a mansão de Darius, sentia-se esgotado. Fechou a porta atrás de si, trancou-a, desarmou-se, e tirou do armário um baú gasto. Abrindo-lhe a tampa, grunhiu ao erguer uma laje de mármore negro que media quase um metro quadrado e tinha dez centímetros de espessura. Colocou-a no meio da sala, voltou para baú e apanhou um saco de veludo, que jogou sobre a cama.

Tirou a roupa, tomou um banho e barbeou-se; então, ainda nu, retornou ao quarto. Pegou o saco, desatou a fita de cetim que o fechava, e despejou uns diamantes brutos, do tamanho de seixos, sobre a laje. O saco vazio escorregou de sua mão para o chão.

Baixou a cabeça e pronunciou as palavras em sua língua materna, fazendo as sílabas subirem e descerem no ritmo de sua respiração, rendendo homenagem aos seus mortos. Quando terminou de falar, ajoelhou-se sobre a laje, sentindo as pedras cortando-lhe a carne. Deslocou o peso de seu corpo para os calcanhares, colocou as palmas das mãos sobre as coxas e fechou os olhos.

O ritual de morte requeria que passasse o dia sem se mover, suportando a dor, sangrando em memória de seu amigo.

Mentalmente, viu a filha de Darius.

Não devia ter entrado em sua casa daquela forma. Quase a matara de pavor, quando tudo que queria era se apresentar e explicar-lhe por que em breve iria precisar dele. Também havia planejado lhe dizer que perseguiria o macho humano que a atacara.

Oh, sim, havia conduzido a situação maravilhosamente. Com a delicadeza de um tanque de guerra.

No instante em que entrou, ela enlouqueceu de terror e foi preciso apagar sua memória e colocá-la em um ligeiro transe para acalmá-la. Quando a depositou sobre a cama, pretendia partir imediatamente, mas não conseguiu fazê-lo. Permaneceu junto a ela, avaliando o difuso contraste entre seu cabelo negro e a fronha branca do travesseiro, aspirando o seu perfume; sentindo uma profunda excitação sexual.

Antes de ir, certificou-se de que as portas e janelas estivessem trancadas. E, então, virou-se para olhá-la uma vez mais. Pensou em seu pai.

Wrath se concentrou na dor que subia por suas coxas.

Enquanto seu sangue tingia o mármore de vermelho, viu o rosto do guerreiro morto e sentiu o vínculo que tinham compartilhado em vida.

Precisava honrar a última vontade daquele membro da Irmandade. Era o mínimo que podia fazer por quem servira à raça tantos anos junto com ele.

Mestiça ou não, a filha do Darius nunca mais voltaria a caminhar pela noite desprotegida. E não enfrentaria sozinha sua transição.

Que Deus a ajudasse.

Butch terminou de fichar Billy Riddle por volta das seis da manhã. Como o sujeito se mostrou muito ofendido porque o tinha colocado na cela com traficantes de drogas e delinquentes, Butch caprichou para cometer o máximo possível de enganos tipográficos em seu relatório. E, como é de se imaginar, a central de processamento de dados continuava a se confundir sobre o tipo de formulários que deviam ser preenchidos.

E, depois, as impressoras quebraram ao mesmo tempo; todas as vinte e três.

Apesar de tudo, Riddle não passaria muito tempo na delegacia. Seu pai, de fato, era um homem poderoso, um senador. Assim sendo, um elegante advogado o tiraria dali num estalar de dedos. Provavelmente, dentro de uma hora estaria livre.

Pois é assim que funciona o sistema judicial para alguns. O dinheiro fala mais alto e os sacanas se safam.

Não que isso surpreendesse ou frustrasse Butch.

No caminho para a recepção, encontrou-se com uma das habituais visitantes noturnas da delegacia. Cherry Pie acabava de ser liberada das celas femininas. Seu verdadeiro nome era Mary Mulcahy, e pelo que Butch ouvira falar, trabalhava nas ruas há cerca de dois anos.

– Olá, detetive – ronronou. O batom vermelho se concentrava nos cantos da boca e o delineador negro estava todo borrado e escorrido. *Ela até seria bonita,* pensou ele, *se deixasse o cachimbo de crack de lado e dormisse direto um mês inteirinho*. –Vai para casa sozinho?

– Como sempre. – Segurou a porta para ela ao saírem.

– Sua mão direita não fica cansada depois de um tempo?

Butch riu enquanto ambos pararam e levantaram a vista para o céu.

– Como vai, Cherry?

– Estou bem como sempre.

Colocou um cigarro entre os dentes e o acendeu enquanto olhava para o detetive.

– Já sabe, se nascer muito cabelo na palma da sua mão, pode me chamar. Para você eu faço de graça, porque é um filho-da-mãe muito bonito. Mas não conte para o Big Daddy que eu disse isso.

Soltou uma nuvem de fumaça e, com ar distraído, tocou com o dedo sua orelha esquerda rasgada. Faltava-lhe a metade superior.

Caraca, esse cafetão dela era mesmo um cão raivoso.

Começaram a descer os degraus.

– Já consultou esse programa do qual lhe falei? – perguntou Butch, quando chegaram à calçada. Estava ajudando um amigo a montar um grupo de apoio para prostitutas que desejassem se livrar de seus cafetões e deixar aquela vida.

– Ah, sim, claro. Uma maravilha – sorriu-lhe. – Vejo você depois.

– Vê se se cuida.

Ela se virou para ir embora, dando uma palmada na nádega direita.

– Pense só, isso pode ser seu.

Por uns instantes, Butch a observou rebolar descendo a rua. Então, caminhou para o carro e, seguindo um impulso, dirigiu até o outro lado da cidade, voltando para a vizinhança do Screamer's. Estacionou em frente ao McGrider's. Cerca de quinze minutos depois, uma mulher saiu de lá, usando uma calça jeans justa e um top negro. A luz dos faróis a fez piscar como se fosse míope.

Quando avistou o carro dele, sacudiu sua cabeleira castanha e foi caminhando para lá. Butch baixou o vidro da janela e ela se inclinou, beijando-o nos lábios.

– Há quanto tempo não o vejo. Sente-se solitário, Butch? – disse ela, com a boca colada na dele.

Cheirava a cerveja velha e a licor de cerejas, o perfume de todo bartender ao final de uma longa noite.

– Entre – disse ele.

A mulher deu a volta no carro pela frente e sentou-se ao lado dele. Conversaram sobre como a noite dela havia sido enquanto ele dirigia até o rio. Ela estava decepcionada porque as gorjetas mais uma vez haviam sido escassas. E seus pés a estavam matando de tanto ir de um lado para o outro do balcão.

Estacionou sob um dos arcos da ponte que cruzava o rio Hudson e unia as duas metades de Caldwell, certificando-se de ficar longe o suficiente dos indigentes deitados sobre suas camas improvisadas com papelão. Não havia necessidade de público.

E tinha de dar a Abby o devido crédito: ela era rápida. Já havia desabotoado suas calças e começara a friccionar seu pênis ereto antes mesmo que ele houvesse desligado o motor. Enquanto empurrava para trás o assento, ela o montou e acariciou-lhe o pescoço com a boca. Sua vista passeou para além dos cabelos ondulados e fartos dela, na direção da água.

A luz do amanhecer era tão bela, pensou, notando-a brincar na superfície do rio.

– Você me ama, querido? – sussurrou ela ao seu ouvido.

– Sim, claro – alisou-lhe o cabelo para trás e a olhou nos olhos. Estavam vazios. Tanto fazia ser ele como qualquer outro homem ali: por isso a relação deles funcionava.

Seu coração estava tão vazio como o olhar dela.

Capítulo 7

Enquanto o Sr. X cruzava o estacionamento e se dirigia à Academia de Artes Marciais de Caldwell, captou o cheiro do Dunkin' Donuts no outro lado da rua. Aquele aroma, aquele sublime e denso aroma de farinha, açúcar e azeite quente, impregnava o ar matinal. Olhou para trás e viu um homem sair com duas caixas nas cores branco e rosa sob o braço e um enorme copo de plástico com café na outra mão.

Que maneira agradável de iniciar a manhã, pensou o Sr. X.

Subiu na calçada que se estendia sob a marquise vermelha e dourada da academia. Deteve-se um momento, inclinou-se e recolheu um copo de plástico descartado. Seu dono anterior tivera o cuidado de deixar um pouco de refrigerante no fundo para que as pontas de cigarro pudessem nadar um pouco até que chegasse alguém para recolhê-las e jogá-las fora. Atirou a desagradável mistura numa lixeira e destrancou as portas da academia.

Na noite anterior, a *Sociedade Redutora* marcara um ponto na guerra e havia sido ele o autor de semelhante façanha. Darius fora um vampiro incrivelmente poderoso, membro da Irmandade da Adaga Negra. Um troféu e tanto.

Era realmente uma pena que não restara nada do cadáver para colocar na parede, mas a bomba do Sr. X tinha dado conta do recado. Encontrava-se em casa, escutando a frequência da polícia, quando chegou o relatório. A operação havia saído tal como o planejado, perfeitamente executada, perfeitamente anônima, perfeitamente mortífera.

Tentou recordar a última vez em que um membro da Irmandade havia sido eliminado. Com toda certeza, teria sido muito antes que ele passasse a integrar a Sociedade, décadas atrás. Esperara receber uns tapinhas nas costas, embora elogios não fossem importantes para ele. Pensara, inclusive, receber algum tipo de bônus por isso, talvez uma ampliação de sua esfera de influência, talvez uma área geográfica de atuação mais ampla.

Mas a recompensa... a recompensa havia sido maior que o esperado.

Ômega o visitara uma hora antes do amanhecer, para lhe conferir todos os direitos e privilégios de um *redutor*-chefe.

Líder da *Sociedade Redutora.*

Era uma responsabilidade extraordinária. E exatamente o que o Sr. X sempre desejara.

Poder era a única forma de louvor que lhe interessava.

Dirigiu-se ao seu escritório a passos largos. As primeiras aulas começariam às nove. Tempo mais do que suficiente, portanto, para estabelecer algumas das novas regras que deviam acatar seus subordinados na Sociedade.

Seu primeiro impulso, depois que Ômega saiu, foi o de fazer um comunicado, mas isso não teria sido inteligente. Um líder organiza seus pensamentos antes de falar; não se apressaria a subir ao pedestal para ser adorado. O ego, afinal de contas, era a raiz de todo o mal.

Por isso, em vez de fazer alarde como um tolo, havia saído para o jardim para se sentar e observar o gramado que havia atrás de sua casa. À luz da aurora, havia repassado os pontos fortes e as debilidades de sua organização, permitindo que seu instinto lhe mostrasse o caminho para lidar com ambos. Do emaranhado de imagens e pensamentos nasceram normas de procedimento e o futuro tornou-se claro.

Agora, sentado à sua mesa, entrara na segura página da Web mantida pela Sociedade e ali deixou claro que se produzira uma mudança de liderança. Ordenou que todos os *redutores* fossem à academia às quatro, naquela tarde, sabendo que alguns teriam de viajar, ciente, entretanto, que nenhum se encontrava a uma distância de mais de oito horas de carro. Quem não comparecesse seria expulso da Sociedade e caçado como um animal.

Reunir os *redutores* em um só lugar era evento raro. Naquele momento, seu número oscilava entre cinquenta e sessenta membros, dependendo da quantidade de baixas que a Irmandade infligia em determinada noite e o número de novos recrutas postos a serviço. Todos os membros da Sociedade se encontravam na Nova Inglaterra e arredores. Essa concentração no nordeste dos Estados Unidos se devia à prevalência de vampiros na região. Se a população se mudasse, o mesmo faria a Sociedade.

Era dessa maneira há várias gerações.

O Sr. X tinha consciência de que convocar os *redutores* a Caldwell para uma reunião era de vital importância. Embora conhecesse a maioria deles, e alguns bastante bem, precisava que eles o vissem, escutassem o que tinha a dizer e o avaliassem. Especialmente se pretendia redirecionar seus objetivos.

Convocar a reunião à luz do dia também era importante, já que isso garantiria não serem surpreendidos pela Irmandade. E aos olhos dos empregados humanos da academia, o encontro poderia passar facilmente por um seminário de técnicas de artes marciais. Poderiam utilizar a grande sala de conferências localizada no subsolo e trancar as portas para não serem interrompidos.

Antes de se desconectar, postou um relato sobre a eliminação de Darius, porque queria que seus caçadores de vampiros o tivessem por escrito. Detalhou o tipo de bomba usado, o método passo a passo de fabricar uma e a maneira como conectar o detonador ao sistema de ignição do carro. Uma vez instalado o artefato, era muito fácil. Era só acioná-la que, da próxima vez que o carro fosse ligado, quem estivesse dentro do veículo viraria cinzas.

Para obter aquela vitória instantânea, fora preciso seguir o guerreiro Darius durante um ano, vigiando-o, estudando os seus hábitos. Então, dois dias antes, o Sr. X entrou furtivamente na concessionária BMW Greene Brothers, onde o vampiro deixara seu veículo para uma revisão. Instalou a bomba e, na noite anterior, ativara o detonador por meio de um transmissor de rádio, simplesmente passando ao lado do carro, sem chegar a se deter sequer um segundo.

O longo e concentrado esforço exigido para aquela eliminação não era algo que quisesse compartilhar. Desejava que os *redutores* acreditassem poder executar uma jogada tão perfeita em um instante. Imagem e percepção desempenhavam importantes papéis na criação de uma base de poder, e ele queria começar a construir sua credibilidade de comando imediatamente.

Depois de se desconectar, recostou-se na cadeira, tamborilando com os dedos. Desde que se unira à Sociedade, o objetivo havia sido reduzir o número de vampiros por meio da eliminação de civis. Esse continuaria sendo o objetivo primordial, lógico, mas sua primeira diretriz seria uma mudança estratégica. A chave para ganhar a guerra consistia em eliminar a Irmandade. Sem aqueles seis guerreiros, os civis ficariam à mercê dos *redutores*, completamente indefesos.

A tática não era nova. Havia sido tentada há gerações e descartada numerosas vezes por seus membros haverem se mostrado muito agressivos ou escorregadios demais para serem exterminados. Mas, com a morte de Darius, a Sociedade ganhava um novo impulso.

E tinham de agir de maneira diferente. Do jeito que as coisas estavam naquele momento, a Irmandade estava aniquilando centenas de *redutores* todos os anos, o que tornava necessário que as fileiras fossem recompostas com caçadores de vampiros novos e inexperientes. Os recrutas representavam um problema. Eram difíceis de encontrar, difíceis de introduzir na Sociedade e menos eficazes do que os membros veteranos.

A constante necessidade de buscar novos integrantes resultou num enfraquecimento crítico da Sociedade. Ao mesmo tempo que os centros de treinamento, como a Academia de Artes Marciais de Caldwell, serviam ao propósito de selecionar e recrutar humanos para engrossar as fileiras, também atraíam muita atenção. Evitar a interferência da polícia humana – e proteger-se contra ataques da Irmandade – requeria uma contínua vigilância e uma frequente recolocação. Mudar-se de um lugar para outro era um transtorno constante, mas de que outro modo poderiam se manter bem providos e evitar que os centros de operações da Sociedade fossem atacados de surpresa?

O Sr. X sacudiu a cabeça. Em algum momento iria necessitar de um segundo comandante, embora, por ora, preferisse agir sozinho.

Felizmente, nada do que havia pensado fazer era muito complicado. Não era mais do que estratégia militar básica. Organizar as forças, coordená-las, obter informação sobre o inimigo e avançar de forma lógica e disciplinada.

Naquela tarde, organizaria suas forças.

Com relação à coordenação, iria distribuir seu contingente em esquadrões, e insistiria para que os caçadores vampiros começassem a se reunir com ele regularmente, em pequenos grupos.

E quanto à informação? Se queriam exterminar a Irmandade, precisavam saber onde encontrar seus membros. Isso seria um pouco mais difícil, mas não impossível. Aqueles guerreiros eram cautelosos e desconfiados, sem relacionamentos fora do grupo, mas a população civil de vampiros havia de ter algum contato com eles. Afinal de contas, os membros da Irmandade precisavam se alimentar, e não podiam fazê-lo entre eles. Necessitavam de sangue feminino.

E as fêmeas, embora a maioria delas vivesse protegida como se fossem obras de arte, tinham irmãos e pais que podiam ser persuadidos para que falassem. Com o incentivo apropriado, os homens revelariam aonde iam suas mulheres e quem viam. Desse modo, descobririam a Irmandade.

Essa era a chave de sua estratégia geral. Um programa coordenado de captura e motivação, concentrado nos machos civis e nas raras fêmeas que porventura fossem encontradas desprotegidas, levaria, finalmente, à Irmandade. Seu plano tinha de ter êxito. Caso contrário, os membros da Irmandade sairiam de seu esconderijo com suas adagas em riste, furiosos por civis terem sido usados brutalmente; ou porque alguém podia dar com a língua nos dentes e seu esconderijo ser revelado.

O melhor seria averiguar onde os guerreiros passavam o dia. Eliminá-los enquanto brilhava o sol, quando eram mais vulneráveis, seria o curso de ação com maiores probabilidades de sucesso e, provavelmente, com o menor número de baixas para a Sociedade.

Matar vampiros civis era, basicamente, apenas um pouco mais difícil que aniquilar um humano normal. Sangravam se fossem cortados, seus corações deixavam de bater se fossem atingidos por um tiro e eles se queimavam se fossem expostos à luz do sol.

Entretanto, matar um membro da Irmandade era coisa muito diferente. Eles eram tremendamente fortes, muito bem treinados e suas feridas se curavam com uma rapidez espantosa. Formavam uma subespécie particular. Só se tinha uma oportunidade diante de um guerreiro daqueles; se não fosse certeira e mortífera, era o ponto final.

O Sr. X se levantou de sua mesa, parando um momento para observar seu reflexo na janela do escritório. Cabelo claro, pele clara, olhos claros. Antes de se unir à Sociedade, era ruivo. Agora, quase já não podia recordar sua aparência física primitiva.

Do futuro seu e da Sociedade, entretanto, formava uma imagem bastante nítida.

Trancou a porta e desceu o corredor de azulejos que conduzia à sala de treinamento principal. Esperou na entrada, inclinando levemente a cabeça para os estudantes que entravam para sua aula de jiu-jitsu. Aquele era o seu grupo favorito: um conjunto de jovens, entre dezoito e vinte e quatro anos, que se mostrava muito promissor. À medida que os rapazes vestidos com seus quimonos brancos entravam, fazendo uma pequena reverência e dirigindo-se a ele como *sensei*, o Sr. X ia avaliando um por um, observando-lhes a forma de mover os olhos e o corpo, adivinhando-lhes o temperamento.

Uma vez em fila e preparados para começar, continuou a examinar os estudantes, sempre interessado em encontrar potenciais recrutas para a Sociedade. Buscava a combinação exata entre força física, acuidade mental e ódio não canalizado.

Quando foi abordado para se juntar à *Sociedade Redutora* na década de 50, era um "rebelde sem causa" de dezessete anos num programa para delinquentes juvenis. No ano anterior, havia apunhalado seu pai no peito depois de uma briga na qual aquele filho-da-mãe o golpeara repetidas vezes na cabeça com uma garrafa de cerveja. Esperava tê-lo matado, mas, infelizmente o seu pai se recuperou e viveu tempo suficiente para voltar para casa e matar a mãe do Sr. X.

Mas, pelo menos, depois de fazê-lo, seu querido pai teve o bom senso de estourar os miolos com uma espingarda e deixá-los espalhados pela parede. O próprio Sr. X foi quem encontrou os corpos, quando passou em casa, pouco antes de ser preso e mandado para o reformatório.

Naquele dia, diante do cadáver de seu pai, o Sr. X aprendeu que gritar com os mortos não provocava a mais remota satisfação. Afinal de contas, nada pode ser tirado de quem já partiu.

Considerando quem o tinha criado, não causa surpresa o fato de que violência e ódio corressem pelo sangue do Sr. X. E matar vampiros era um das poucas satisfações socialmente aceitáveis que tinha encontrado para um instinto assassino como o seu. O exército era chato. Teria de acatar muitas normas e esperar até que se declarasse uma guerra para poder entrar em ação. E assassinatos em série era coisa em pequena escala.

A Sociedade era diferente. Tinha tudo o que sempre quis – recursos ilimitados. Chance de matar cada vez que o sol se punha. E, é claro, a oportunidade, tão importante, de formar a próxima geração.

Assim sendo, teve de vender sua alma para entrar. Isso não foi problema para ele. Depois do que o seu pai lhe fizera, não restara quase nada dela mesmo.

Em seu modo de ver as coisas, havia saído ganhando com o trato. Obtivera a garantia de permanecer jovem e sadio até o dia de sua morte. E que não se daria em função de uma falha biológica, como o câncer ou uma doença cardíaca: a sua integridade física estava em suas próprias mãos, em sua habilidade de se preservar.

Graças a Ômega, era fisicamente superior aos humanos, sua visão era perfeita e podia fazer o que mais gostava. A impotência o tinha incomodado um pouco a princípio, mas se acostumara. Quanto a não comer ou beber... bem, nunca fora guloso, então...

Além disso, fazer o sangue correr era melhor que comida ou sexo.

Quando a porta que conduzia à sala de treinamento se abriu bruscamente, virou a cabeça imediatamente. Era Billy Riddle, e estava com os olhos roxos e o nariz enfaixado.

O Sr. X arqueou uma sobrancelha.

– Não é seu dia livre, Riddle?

– Sim, *sensei* – Billy fez uma reverência. – Mas quis vir, mesmo assim.

– Esse é o meu garoto – o Sr. X passou um braço ao redor dos ombros do rapaz. – Gosto de seu senso de compromisso. Vou lhe dar uma incumbência... Quer indicar a eles o que fazer durante o aquecimento?

Billy curvou-se profundamente; suas costas largas ficaram quase paralelas ao chão.

– *Sensei*.

– Prossiga, então – deu-lhe um tapinha no ombro. – E não facilite as coisas para eles.

Billy ergueu a vista, seus olhos brilhavam.

O Sr. X assentiu.

– Alegro-me que tenha captado a ideia, garoto.

Quando Beth deixou seu edifício, franziu o cenho ao ver o carro de polícia estacionado do outro lado da rua. Jose saiu dele e caminhou em sua direção a passos largos.

– Soube do que aconteceu – seus olhos se demoraram nos lábios machucados da amiga.

– Como você está?

– Melhor.

– Vamos, levo você para o trabalho.

– Obrigada, mas prefiro caminhar – Jose fez um gesto como se quisesse se opor e ela estendeu a mão e tocou-lhe o antebraço. – Não quero que isso me aterrorize tanto que não possa continuar com minha vida. Em algum momento terei de passar por esse beco, e prefiro fazê-lo pela manhã, quando há luz suficiente.

Ele concordou.

– Está bem. Mas chamará um táxi à noite ou pedirá a um de nós que vá pegá-la.

– Jose...

– Bom saber que está de acordo – atravessou a rua de volta a seu carro.

– Ah, creio que ainda não saiba o que Butch O'Neal fez ontem à noite.

Hesitou antes de perguntar:

– O quê?

– Foi fazer uma visitinha àquele canalha. Acredito que tiveram de reconstruir o nariz do sujeito depois que o nosso bom detetive acabou com ele – Jose abriu a porta do veículo e se deixou cair sobre o assento.

– Iremos ter notícias suas ainda hoje?

– Sim, quero saber algo mais sobre a bomba de ontem à noite.

– Já imaginava. Logo mais a gente se vê, então.

Fez um aceno e arrancou com o carro.

Entretanto, por volta das três da tarde ela ainda não havia ido à delegacia. Todos na redação queriam ouvir sobre o sufoco que passara na noite anterior e Tony havia insistido que saíssem para um bom almoço. Depois que voltou, instalou-se e passou a tarde mascando chiclete e verificando seus e-mails.

Sabia que tinha trabalho a fazer, mas simplesmente não se encontrava com espírito para finalizar o artigo que estava escrevendo sobre as armas que a polícia encontrara. Não tinha um prazo definido para entregá-lo e, certamente, Dick não lhe daria a primeira página da seção local.

A única coisa que Dick lhe dava era trabalho editorial. Os dois últimos artigos que deixara em sua mesa haviam sido esboçados pelos meninos crescidos, e Dick queria que ela checasse os fatos. Seguir os mesmos critérios com os quais ele se familiarizara no *The New York Times*, sendo a obsessão pela precisão, de fato, uma de suas virtudes. Mas era uma pena que não levasse em conta a equidade dos sexos, nem lhe desse o devido crédito por seu trabalho suado. Não importava que o artigo houvesse sido todo revisado e reescrito por ela, só obtinha uma menção secundária no artigo assinado por um dos meninos crescidos.

Eram quase seis horas quando terminou de corrigir os artigos, e ao deixá-los sobre a mesa de Dick, pensou que não tinha vontade de passar pela delegacia. Butch havia tomado seu depoimento na noite anterior, e não havia mais nada que pudesse fazer a respeito do caso. E, sobretudo, não se sentia à vontade com a ideia de estar sob o mesmo teto que seu atacante, ainda que ele estivesse em uma cela.

Além disso, estava exausta.

– Beth!

Fez uma careta ao ouvir a voz de Dick.

– Agora não posso, vou à delegacia – disse-lhe por cima do ombro, pensando que a estratégia para evitá-lo não o manteria longe por muito tempo, mas, ao menos, não teria de lidar com ele naquela noite.

E realmente desejava saber mais sobre a bomba.

Saiu voando da redação e caminhou seis quarteirões. O edifício da delegacia era um exemplo típico da arquitetura dos anos 60. Dois andares, extravagante, moderno em sua época, muito cimento aparente e janelas estreitas. Envelhecia sem elegância alguma. Grossas faixas negras corriam por sua fachada como se sangrasse por alguma ferida no telhado, e seu interior também parecia decadente: o chão coberto com um sujo linóleo cinza esverdeado, paredes forradas com painéis imitando madeira e rodapés gastos pintados de marrom. Após quarenta anos, apesar da limpeza periódica, a sujeira mais persistente se entranhara nas fendas e fissuras, e jamais sairia dali, a menos que usasse uma lavadora de alta pressão ou uma escova. Talvez fosse necessário também uma ordem judicial de despejo.

Os policiais se mostraram muito amáveis com ela quando a viram. Sequer chegou a por os pés no edifício e rodearam-na. Depois de falar com eles ali mesmo, do lado de fora, e tentar conter as lágrimas, dirigiu-se à recepção e conversou um momento com os dois rapazes do balcão. Afora algumas poucas prisões por prostituição e tráfico de entorpecentes, o dia tinha sido tranquilo. Estava de saída quando Butch entrou pela porta dos fundos.

Vestia calça jeans, camisa de botões e levava uma jaqueta impermeável vermelha na mão. Observou como a correia do coldre atravessava-lhe os ombros largos, a oscilação de seus braços ao caminhar revelando a espaços o punho negro da pistola. Seu cabelo escuro estava úmido, como se acabasse de começar o dia. O que, levando-se em conta como estivera ocupado na noite anterior, provavelmente era verdade.

Caminhou direto até ela.

– Tem tempo para falar?

Ela assentiu.

– Sim, claro.

Entraram em uma das salas de interrogatório.

– Para sua informação, as câmaras e microfones estão desligados – disse.

– Não é assim que trabalha habitualmente?

Ele sorriu e se sentou à mesa. Cruzou as mãos.

– Achei que deveria saber que Billy Riddle saiu sob fiança. Foi solto de manhã cedo.

Ela também se sentou.

– É sério? Ele se chama Billy Riddle mesmo? Você está de gozação comigo.

Butch negou com a cabeça.

– Tem dezoito anos. Sem antecedentes de adulto, mas estive dando uma olhada em sua ficha juvenil e notei que andou muito ocupado: agressão sexual, perseguição, roubos menores. Seu pai é um figurão, e o garoto tem um tremendo advogado, mas conversei com a promotora. Vai pegar pesado na acusação, de modo que você não precise testemunhar.

– Farei o que tiver de ser feito.

– Boa menina – Butch limpou a garganta. – E como você está?

– Estou bem – não ia permitir que *Bonzão* bancasse o psicólogo. Havia algo na evidente rudeza de Butch O'Neal que fazia com que ela quisesse parecer mais forte. – Sobre aquela bomba, ouvi que talvez se trate de um explosivo plástico, com detonador por controle remoto. Parece um trabalho de profissionais.

– Já jantou?

Ela franziu a testa.

– Não.

E considerando o tanto que comera no almoço, talvez fosse melhor também pular o café-da-manhã seguinte.

Butch levantou-se.

– Bom. Estava indo agora para o Tullah's.

Foi até a porta e a segurou aberta para ela.

Beth não se moveu.

– Não vou jantar com você.

– Como quiser. Então, imagino que tampouco irá querer saber o que encontramos no beco junto ao carro.

A porta se fechou lentamente atrás dele.

Não cairia naquela conversa. Não cairia...

Beth saltou da cadeira e correu atrás dele.

Capítulo 8

Em seu imaculado quarto branco e creme, Marissa não se sentia confiante.

Sendo a companheira de Wrath, podia sentir sua dor e, por sua intensidade, sabia com certeza que devia ter perdido outro de seus Irmãos guerreiros.

Se tivessem uma relação normal, não haveria dúvida: correria para ele para tentar aliviar seu sofrimento. Falaria com ele e o abraçaria, choraria a seu lado. O acalentaria com o calor do próprio corpo.

Porque era isso que as companheiras faziam por seus homens. E o que também recebiam deles. Consultou o relógio Tiffany em sua mesinha de cabeceira.

Anoitecera, ele logo sairia de casa. Se quisesse alcançá-lo, teria de fazê-lo já.

Marissa hesitou, estava se iludindo. Não seria bem-vinda. Desejou que fosse mais fácil apoiá-lo, desejou saber o que ele precisava que pudesse lhe dar. Certa vez, há muito tempo, havia falado com Wellsie, a companheira de Tohrment, na esperança de que ela pudesse lhe dar algum conselho sobre o que fazer. Como se comportar. Como conseguir que Wrath a considerasse digna dele.

Afinal de contas, Wellsie tinha o que Marissa queria: um verdadeiro companheiro. Um macho que retornava para casa por ela; que ria, chorava e compartilhava sua vida e que a abraçava.

Um macho que permanecia ao seu lado durante as torturantes e, felizmente, raras ocasiões em que entrava no cio; que aliviava com seu corpo sua intensa ânsia pelo tempo que durasse o período de necessidade.

Wrath não fazia nada disso por ela – ou com ela. Especialmente a última parte. Nesse estado de coisas, Marissa tinha de procurar seu irmão em busca de alívio para suas necessidades. Havers procurava satisfazê-la, tranquilizando-a até que suas urgências passassem. Semelhante prática envergonhava a ambos.

Tinha esperado que Wellsie pudesse ajudá-la, mas a conversa fora um desastre. Os olhares de compaixão da outra fêmea e suas respostas cuidadosamente meditadas tinham desgastado as duas, acentuando tudo o que Marissa não possuía.

Como estava só!

Fechou os olhos, sentindo novamente a dor de Wrath.

Tinha de tentar chegar a ele, porque estava ferido. E que outro sentido havia em sua vida a não ser servi-lo?

Percebeu que Wrath se encontrava na mansão do Darius. Respirando fundo, desmaterializou-se.

Wrath afrouxou lentamente os joelhos e se ergueu, escutando suas vértebras voltarem à posição com um estalo. Espanou os diamantes de suas canelas.

Bateram à porta. Abriu-a, pensando ser Fritz.

Quando sentiu o cheiro do mar, apertou os lábios.

– O que a traz aqui, Marissa? – disse, sem se virar para olhá-la. Foi até o banheiro e se cobriu com uma toalha.

– Deixe-me lavá-lo, meu senhor – murmurou ela. – Eu cuidarei de suas feridas. Posso...

– Estou bem.

Sarava rápido. Ao final da noite, seus cortes mal seriam perceptíveis.

Wrath se dirigiu ao armário e examinou as roupas que estavam ali. Apanhou uma camisa negra de mangas compridas, uma calça de couro e... francamente, o que era aquilo? Ah, não, nem de brincadeira! Não ia lutar com aquela cueca. Por nada do mundo o surpreenderiam morto usando aquilo.

A primeira coisa que tinha de fazer era estabelecer contato com a filha de Darius. Sabia que o tempo estava se esgotando, porque a transição dela estava próxima. E, depois, tinha de contatar Vishous e Phury para saber o que tinham averiguado com base nos pertences do *redutor* morto.

Estava prestes a deixar cair a toalha para se vestir, quando percebeu que Marissa ainda estava no aposento. Olhou-a.

– Vá para casa, Marissa – disse.

Ela baixou a cabeça.

– Meu senhor, posso sentir sua dor...

– Estou perfeitamente bem.

Ela hesitou um instante. Depois, desapareceu em silêncio. Dez minutos mais tarde, Wrath subiu para a sala de estar.

– Fritz? – chamou em voz alta.

– Sim, amo? – o mordomo parecia grato por ter sido chamado.

– Por acaso tem à mão cigarros vermelhos?

– Claro.

Fritz atravessou a sala e voltou com uma caixa antiga de mogno. Abriu-lhe a tampa e inclinou-a para Wrath, que apanhou um par daquelas cigarrilhas feitas artesanalmente.

– Se gostar, providenciarei mais.

– Não se incomode. Isso é suficiente – Wrath habitualmente não gostava de se drogar, mas naquela noite estava disposto a passar dos limites.

– Deseja comer alguma coisa antes de sair?

Wrath balançou a cabeça negativamente.

– Talvez quando voltar? – a voz de Fritz sumiu quando fechou a tampa da caixa.

Wrath estava a ponto de mandar o velho mordomo pelos ares quando pensou em Darius. D. teria tratado Fritz melhor. – Está certo. Sim. Obrigado.

O mordomo estufou o peito, satisfeito em ter um propósito.

Pelo amor de Deus, parece estar sorrindo, pensou Wrath.

– Prepararei cordeiro, amo. Como prefere a carne?

– Quase crua.

– E lavarei sua roupa. Devo providenciar também roupas de couro novas?

– Não me... – Wrath calou-se. – Claro. Seria ótimo. E, ah, pode me conseguir umas cuecas boxer? Pretas, extragrandes.

– Com prazer.

Wrath se virou e caminhou em direção à porta.

Como é que acabara, de repente, com um empregado?

– Amo?

– Sim? – grunhiu.

– Tenha muito cuidado lá fora.

Wrath se deteve e olhou por cima do ombro. Fritz parecia embalar a caixa contra o peito.

Era tremendamente estranho ter alguém o esperando voltar para casa.

Saiu da mansão e desceu o longo caminho que ligava a porta principal à rua arborizada. Um relâmpago cortou o céu, antecipando a tempestade que ele farejara estar vindo do sul.

Onde diabos estaria a filha de Darius naquele momento? Tentaria primeiro no apartamento.

Wrath se materializou no pátio traseiro que já conhecia, espiou pela janela e devolveu o *ronrom* de boas-vindas com que o gato o saudou. Como ela não estava lá dentro, Wrath sentou-se à mesa de piquenique. Esperaria uma hora mais ou menos. Logo teria de ir ao encontro dos outros membros da Irmandade. Se fosse o caso, poderia retornar no final da noite, embora, considerando como as coisas haviam saído na primeira vez que a tinha visitado, imaginasse que despertá-la às quatro da manhã não seria a jogada mais inteligente.

Tirou os óculos escuros e esfregou o cavalete do nariz.

Como iria lhe explicar o que estava para acontecer e o que ela teria de fazer para sobreviver à mudança?

Teve o pressentimento de que não se mostraria muito feliz ao ser informada das novidades.

Wrath se lembrou de sua própria transição. Como fora caótica. Também não havia sido preparado, porque seus pais sempre quiseram protegê-lo, mas morreram antes de lhe contar o que aconteceria.

As lembranças lhe voltaram com terrível nitidez.

No final do século XVII, Londres era um lugar brutal, especialmente para alguém que estivesse sozinho no mundo. Seus pais haviam sido assassinados na sua frente dois anos antes, e ele havia fugido de seus semelhantes, pensando que sua covardia naquela noite dolorosa era uma vergonha que somente ele devia suportar.

Enquanto na sociedade dos vampiros fora cuidado e protegido como o futuro rei, descobrira que o mundo dos humanos era baseado, principalmente, na força física. Para alguém com a constituição que tinha antes de passar pela mudança, isso significava pertencer ao último nível da hierarquia social. Na ocasião, era esquelético, frágil e presa fácil para os meninos humanos em busca de diversão. No tempo que passou nos subúrbios de Londres, apanhou tanto que até se acostumou a ter sempre alguma parte do corpo que não funcionasse bem. Era-lhe habitual não poder dobrar uma perna porque tinham apedrejado seu joelho, ou ter um braço inutilizado porque deslocara o ombro ao ser arrastado amarrado a um cavalo.

Alimentou-se do lixo, sobrevivendo à beira da inanição, até que, finalmente, achou trabalho como empregado no estábulo de um comerciante. Wrath limpou ferraduras, selas e bridas até a pele das mãos rachar, mas, pelo menos, podia se alimentar. À guisa de cama, deitava-se na palha da parte superior do celeiro. Era mais macia do que o chão duro ao qual estava acostumado, embora nunca soubesse quando despertaria com um chute nas costelas por que algum cavalariço desejava se deitar com uma donzela ou duas.

Naquele tempo, ainda podia sair à luz do sol, e o amanhecer era a única coisa em sua miserável existência pela qual ansiava. Sentir o calor no rosto, inalar a doce bruma, deleitar-se com a luz: tais prazeres eram os únicos que lhe restavam, e os prezava bastante. Sua vista, debilitada desde o nascimento, já era ruim naquela época, porém, bem melhor do que agora. Ainda recordava com dolorosa clareza como era o sol.

Já trabalhava para o comerciante há quase um ano, quando o seu mundo virou de cabeça para baixo.

Na noite em que a transformação lhe sobreveio, encontrava-se em seu ninho de palha, completamente esgotado. Nos dias anteriores, havia se sentido adoentado e penara para desempenhar suas tarefas, embora isso não fosse novidade.

A dor, quando chegou, dilacerou seu corpo frágil, começando pelo abdômen e irradiando para as extremidades, chegando às pontas dos dedos das mãos, dos pés, de cada fio de cabelo. Nenhuma das fraturas e concussões que sofrera, nem as febres ou as surras eram páreo para aquilo. Dobrou-se sobre si mesmo, com os olhos arregalados de agonia e a respiração entrecortada. Estava convencido de que ia morrer e rezou para que tudo se consumasse o mais rápido possível. Tudo que queria era um pouco de paz e o fim daquele indizível sofrimento.

Então, a delgada silhueta de uma jovem loira apareceu diante dele.

Era um anjo enviado para levá-lo para o outro lado. Tinha certeza disso.

Como um patético destroço, suplicou-lhe misericórdia. Estendeu a mão para a aparição e, quando sentiu seu toque, soube que o fim estava próximo. Ao ouvi-la chamar seu nome, tentou sorrir em sinal de gratidão, mas seus lábios não obedeceram ao seu comando. Ela contou que era sua prometida, que tinha bebido um gole de seu sangue quando era criança a fim de que soubesse onde encontrá-lo quando chegasse o momento da transição. Disse que estava ali para salvá-lo.

Então, Marissa rasgou o próprio pulso com suas presas e o ofereceu a ele.

Bebeu desesperadamente, mas a dor não cessou. Apenas se modificou. Sentiu que as articulações se deformavam e os ossos se deslocavam com uma horrível sucessão de estalos. Seus músculos primeiro se retesaram e depois se romperam, e teve a sensação de que seu crânio iria explodir. À medida que seus olhos se salientavam, sua visão enfraquecia, até que só lhe restou o sentido da audição.

Sua respiração áspera e gutural feria sua garganta enquanto ele lutava para suportar tudo aquilo. A certa altura, finalmente, desmaiou, só para despertar, depois, para uma nova agonia. A luz solar que tanto amava começava a se infiltrar através das ranhuras das tábuas do celeiro em pálidos raios dourados. Um daqueles raios atingiu seu ombro, e o cheiro de carne queimada foi aterrorizante. Retirou o braço dali, olhando ao redor, tomado pelo pânico. Nada conseguia enxergar a não ser formas imprecisas. Cegado pela luz, tentou se levantar, mas caiu de cara sobre a palha. Seu corpo não parecia lhe pertencer. Precisou de duas tentativas antes de conseguir firmar-se sobre os pés, cambaleando como um potro recém-nascido.

Sabia que precisava se abrigar da luz do dia, e se arrastou até onde imaginou estar a escada. Contudo, calculou mal e caiu. Atordoado, acreditou poder chegar ao silo de grãos. Se conseguisse descer até lá, estaria a salvo na escuridão.

Tateou por todo o celeiro, chocando-se contra as caixas e tropeçando nas ferramentas agrícolas, tentando permanecer longe da luz e controlar ao mesmo tempo seus membros desgovernados. Quando se aproximava dos fundos do celeiro, bateu a cabeça contra uma viga sob a qual sempre passara facilmente. O sangue cobriu seus olhos.

Instantes depois, um dos cavalariços entrou e, não o reconhecendo, exigiu saber quem era ele. Wrath virou a cabeça em direção à voz familiar, buscando ajuda. Estendeu as mãos e começou a falar, mas não reconheceu a própria voz.

Logo em seguida, escutou o som de uma forquilha zunindo em sua direção num feroz ataque. Sua intenção fora apenas desviar o golpe, mas quando segurou o cabo e o empurrou, arremessou o cavalariço contra a porta de uma baia. O homem soltou um grito de pavor e fugiu correndo, certamente em busca de reforços.

Wrath finalmente encontrou o porão. Tirou dali dois enormes sacos de aveia e os colocou junto à porta para que ninguém pudesse entrar durante o dia. Exausto, dolorido, com o sangue escorrendo pelo rosto, arrastou-se para dentro e apoiou as costas nuas contra a parede. Dobrou os joelhos até o peito, consciente de que suas coxas eram quatro vezes maiores do que no dia anterior. Fechando os olhos, apoiou a face sobre os antebraços e estremeceu, lutando para não se desonrar chorando. Ficou acordado o dia todo, escutando os passos sobre sua cabeça, o ruído dos cascos dos cavalos, fiapos de conversas. Estava apavorado com a possibilidade de alguém abrir a porta e o descobrir ali. E alegre porque Marissa fora embora e não estava exposta ao perigo representado pelos humanos.

Retornando ao presente, Wrath escutou a filha de Darius entrar no apartamento. Uma luz foi acesa.

Beth atirou as chaves sobre a mesa do corredor. O rápido jantar com *Bonzão* havia sido surpreendentemente fácil. Ele lhe passara alguns detalhes sobre a bomba. Tinham achado uma Magnum modificada no beco. Butch mencionara também a estrela ninja que ela havia encontrado no chão. A perícia estava trabalhando nas armas, tentando obter impressões digitais, fibras ou qualquer outra evidência. A pistola não parecia oferecer muito, mas a estrela tinha sangue; estavam submetendo ambas à análise de DNA. Quanto à bomba, a polícia pensava que se tratava de um atentado relacionado à drogas. O BMW havia sido visto antes, estacionado no mesmo lugar atrás do clube. E o Screamer's era um lugar ideal para os traficantes, muito exclusivistas em relação aos seus territórios.

Espreguiçou-se e colocou um short. Era mais uma daquelas noites quentes, e, enquanto puxava o futon, desejou que o ar condicionado ainda funcionasse. Ligou o ventilador e serviu a ração úmida predileta de Boo, que, após esvaziar sua tigela, recomeçou seu ir e vir diante da porta corrediça.

– Não comece com isso novamente, ouviu?

Um relâmpago riscou o céu. Aproximou-se da porta de vidro e abriu-a, puxando a porta de tela e trancando-a. Deixaria aberta um instante só: ao menos uma vez o ar noturno cheirava bem. Nada de cheiro de lixo.

Mas que calor!

Foi para o banheiro. Após tirar as lentes de contato, escovar os dentes e lavar o rosto, molhou uma toalha na água fria e esfregou a nuca. Uns filetes de água escorreram por sua pele provocando calafrios que ela recebeu com prazer, enquanto voltava para a sala.

Franziu o semblante. Um perfume incomum enchia o ambiente – intenso, picante...

Encaminhou-se para a porta do pátio e farejou algumas vezes. Ao aspirar, sentiu que a tensão em seus ombros se aliviava.

Então, percebeu que Boo se sentara sobre as patas traseiras e ronronava como se estivesse dando boas-vindas a alguém conhecido.

Mas o que...

O homem que tinha visto em seu sonho estava do outro lado da porta de tela.

Beth deu um salto para trás e deixou cair a toalha úmida, mal escutando o som surdo que produziu quando chegou ao chão.

A porta de tela foi escancarada – apesar do fato de tê-la trancado.

E aquele maravilhoso perfume se intensificou quando ele entrou em sua casa.

Sentiu pânico, mas descobriu que não podia se mexer.

Como ele era colossal! Seu apartamento, que já lhe parecia tão pequeno, com a presença daquele gigante ficou parecendo uma caixa de fósforos. E seu traje de couro negro fazia com que aparentasse ser ainda maior do que era. Devia medir um metro e noventa e oito, dois metros.

Espere um instante.

O que estava fazendo? Tomando as medidas para lhe fazer um terno? Deveria estar correndo feito uma louca, tentando alcançar a outra porta.

Mas tudo que conseguia fazer era ficar parada ali, olhando para ele.

Usava uma jaqueta de motoqueiro, a despeito do calor, e suas longas pernas também estavam cobertas por couro. Calçava pesadas botas com ponteira de aço e se movia como um predador.

Beth esticou o pescoço para ver-lhe o rosto.

Caramba, ele era *lindo.*

Tinha o queixo bem delineado e forte, lábios carnudos, maçãs do rosto proeminentes. O cabelo, liso e negro, caía-lhe até os ombros, partindo do bico de viúva no alto da testa; no rosto, podia-se notar o sombreado de uma barba cerrada. Os óculos escuros que usava curvavam-se nas laterais ajustando-se perfeitamente à sua face e faziam com que parecesse um matador profissional.

Como se o aspecto geral ameaçador não entregasse de cara que era um assassino.

Fumava uma espécie de charuto fino e vermelho, no qual deu uma longa tragada, fazendo a ponta incandescente brilhar num tom alaranjado. Soltou uma baforada daquela fumaça fragrante que, ao alcançar as narinas de Beth, produziu em seu corpo um relaxamento ainda mais intenso.

Certamente estava ali para matá-la, pensou ela. Não sabia o que havia feito para merecer aquilo, mas, quando ele soltou outra baforada do que quer que estivesse fumando, quase nem sabia mais onde estava.

Seu corpo oscilava enquanto ele diminuía a distância entre os dois. Sentia-se aterrorizada com o que aconteceria quando estivesse junto a ela, mas notou que, absurdamente, Boo ronronava e se alisava nos tornozelos do homem.

Aquele gato era um traidor. Se por algum milagre ela sobrevivesse àquela noite, o bichano teria seus privilégios revogados, passaria a ser alimentado com ração seca ordinária para aprender uma lição.

Beth jogou o pescoço para trás quando seus olhos se encontraram com o olhar firme e selvagem do homem. Por causa dos óculos, não dava para ver a cor de seus olhos, mas a intensidade daquele olhar que a encarava chegava a queimar.

Foi então que algo verdadeiramente extraordinário aconteceu. Quando o estranho parou diante dela, Beth foi tomada por uma onda devastadora de apetite sexual, autêntico e espontâneo. Pela primeira vez na vida, sentia seu corpo ardente de desejo – ardente e úmido. Suas entranhas pulsavam por ele.

Química, pensou, como que anestesiada. Química pura, crua, animal.

Fosse o que fosse, a verdade é que ela o queria.

– Pensei que podíamos tentar de novo – disse ele.

Sua voz era grave, um profundo retumbar em seu sólido peito. Tinha um discreto sotaque, mas ela não conseguiu identificá-lo.

– Quem é você? – disse, com voz entrecortada.

– Estou aqui para levá-la.

A tontura a obrigou a se apoiar na parede.

– Levar-me? Aonde... – a confusão a fez calar-se. – Aonde irá me levar?

Até a ponte, onde poderia jogar seu corpo no rio?

A mão dele cruzou a distância entre seus corpos e segurou o queixo de Beth entre o indicador e o polegar, fazendo-a inclinar a cabeça para um lado.

– Irá matar-me rápido? – murmurou ela. – Ou devagar?

– Matar não. Proteger.

Então, curvou-se para frente e ela disse para si mesma que deveria oferecer resistência, apesar do que ele acabara de dizer. Precisava colocar em funcionamento seus braços e pernas. O problema era que, na verdade, não desejava empurrá-lo para longe dela. Aspirou fundo.

Que cheiro delicioso o dele! O de suor fresco e limpo. Um almíscar intenso e masculino. Aquela fumaça...

Os lábios do homem tocaram o seu pescoço e ela o escutou aspirar profundamente. O couro de sua jaqueta rangeu enquanto enchia de ar os pulmões e seu peito se expandia.

– Você está quase pronta – disse com brandura –, e vai acontecer logo.

Se o "vai acontecer" que ele mencionara tinha a ver com eles se despirem, ela estava completamente de acordo com o plano. Ah, devia ser desse jeito que as pessoas falavam querendo se referir ao sexo de forma poética. Não questionava a necessidade de tê-lo dentro de si. A única coisa que importava era que morreria se ele não tirasse as calças. Já.

Beth estendeu as mãos, curiosa por tocá-lo, porém, quando se afastou da parede, começou a cair. No que pareceu ser um único movimento, ele colocou o cigarro entre aqueles seus lábios cruéis e segurou-a com facilidade. Enquanto a erguia nos braços, ela se aconchegou nele, sem ao menos se incomodar em fingir certa resistência. Ele a carregou como se ela nada pesasse, atravessando todo o aposento em apenas duas passadas.

Quando a depositou sobre o futon, seu cabelo caiu-lhe sobre o rosto, e ela ergueu a mão para tocar as negras madeixas. Eram grossas e macias. Tocou-lhe a face com a palma da mão e, embora ele parecesse surpreso, não se afastou.

Tudo nele irradiava sexo! Da potência de seu corpo até a forma como se movia e o aroma de sua pele. Jamais conhecera um homem assim. E seu corpo tinha tanta consciência disso como sua mente.

– Beije-me – disse ela.

Ele se inclinou sobre ela; uma silenciosa ameaça.

Num impulso, as mãos da Beth o agarraram pelas lapelas da jaqueta, tentando aproximá-lo de sua boca.

Ele segurou os pulsos dela com uma única mão.

– Calma.

Calma? Não queria calma. Calma *não* fazia parte do plano.

Lutou para se soltar, mas, vendo que não conseguia, arqueou as costas. Seus seios se retesaram contra a camiseta e ela esfregou uma coxa contra a outra, antecipando como seria se o tivesse entre elas.

Se ao menos ele colocasse as mãos sobre ela...

– Caramba, não faça isso – murmurou ele.

Ela sorriu, deleitando-se com o súbito desejo estampado no rosto dele.

– Toque-me.

O estranho começou a balançar a cabeça, como se algo estivesse errado.

Ela abriu os lábios e gemeu de frustração.

– Levante a minha camiseta – arqueou-se de novo, oferecendo seu corpo, desejando saber se havia algo ainda mais quente em seu interior, algo que ele pudesse extrair com as mãos. – Faça.

Ele tirou a cigarrilha da boca. Suas sobrancelhas estavam unidas, e ela teve a vaga impressão de que deveria estar aterrorizada. Em vez disso, ergueu os joelhos e levantou os quadris do futon. Imaginou-o beijando a parte interna de suas coxas, encontrando seu sexo com a boca. Lambendo-a.

Outro gemido ardente escapou de sua boca.

Wrath estava pasmo.

E não era o tipo de vampiro que fica atônito com frequência.

Cacete.

Aquela mestiça humana era mais fogosa do que qualquer outra mulher que conhecera na vida. E olhe que já havia apagado verdadeiras fornalhas.

Era a fumaça vermelha. Tinha de ser isso. E devia estar afetando a ele também, porque estava mais do que disposto a possuí-la.

Olhou a cigarrilha.

Bem, aí estava uma explicação lógica muito boa, pensou. O problema era que aquela maldita substância era relaxante, não afrodisíaca.

Ela gemeu outra vez, ondulando seu corpo de forma sensual, com as pernas completamente abertas. O cheiro de sua excitação o atingiu com o impacto de um tiro. Poderia jurar que teria caído de joelhos se não estivesse sentado.

– Toque-me – sussurrou ela.

O sangue de Wrath pulsava em suas veias como se estivesse correndo desabaladamente, sua ereção latejava como se tivesse um coração só seu.

– Não vim aqui para isso – disse.

– Toque-me mesmo assim.

Ele sabia que devia dizer não. Não seria justo com ela. E precisavam conversar.

Talvez devesse retornar mais tarde.

Ela se arqueou, pressionando o corpo contra a mão com que ele segurava-lhe os pulsos. Quando seus seios estufaram a camiseta, ele teve de fechar os olhos.

Hora de ir embora. Realmente, era hora de...

Só que não conseguia ir, não sem ao menos provar um pouco daquilo.

Sim, mas seria um filho-da-mãe egoísta se encostasse um só dedo nela. Um maldito egoísta se tomasse o que ela estava oferecendo sob os efeitos da fumaça.

Praguejando, Wrath abriu os olhos.

Como estava frio! Frio até a medula. E ela tão quente. Quente o suficiente para derreter esse gelo, ao menos por um momento.

E para ele já se passara tanto tempo...

Apagou as luzes do aposento. Então, usou a mente para fechar a porta dos fundos, prender o gato no banheiro e fechar todos os trincos do apartamento.

Apoiou cuidadosamente a cigarrilha sobre a borda da mesa junto a eles e soltou-lhe os pulsos. As mãos dela agarraram sua jaqueta, tentando descê-la pelos ombros. Ele a arrancou de um golpe só, atirando-a longe e, quando ela atingiu o chão produzindo um som surdo, Beth gargalhou de satisfação. Em seguida, livrou-se do coldre com as adagas, mas o manteve ao alcance da mão, perto do futon.

Wrath se inclinou sobre ela. Sentiu-lhe o hálito doce e mentolado quando prendeu os lábios dela entre os seus. Ao sentir que ela estremecia de dor, soltou-os imediatamente. Franzindo o semblante, tocou-lhe o canto da boca.

– Deixa pra lá – disse ela, atraindo-o para si.

É claro que não deixaria pra lá. Que Deus tivesse piedade daquele humano que a tinha machucado. Wrath iria desmembrá-lo por completo e o deixaria para morrer sangrando na rua.

Depositou um beijo delicado sobre o machucado em processo de cura e, em seguida, deslizou a língua pelo pescoço dela. Dessa vez, quando ela estufou os seios em sua direção, ele deslizou a mão sob a fina camiseta e acariciou aquela pele macia e quente. Sua barriga era plana, e a mão dele espalmada cobria toda a distância entre os ossos dos quadris. Ansioso por conhecer o que faltava, tirou-lhe a camiseta e a jogou para o lado. Seu sutiã era clarinho, e ele percorreu as bordas da peça com a ponta dos dedos antes de encher as mãos com o volume de seus seios cremosos, sentindo-lhe as rijas pontas dos mamilos sob o macio cetim.

Wrath se descontrolou.

Desnudou as presas, deixou escapar um silvo e abriu o fecho frontal do sutiã a dentadas. A coisa logo cedeu e seus lábios foram em cheio para um dos mamilos, que logo envolveu com a boca. Enquanto sugava, deslocou o corpo e o estendeu sobre ela, caindo entre suas pernas. Ela acolheu seu peso com um suspiro gutural.

As mãos dela se enfiaram entre os dois corpos, buscando desabotoar-lhe a camisa, mas ele não teve paciência para esperar que ela o despisse. Ergueu-se e arrancou a roupa, fazendo os botões saltarem pelos ares e se espalharem pelo chão. Quando se inclinou novamente, os seios dela se encontraram com a parede pétrea de seu peito e ele sentiu que o corpo de Beth ondulava sob o dele.

Queria beijá-la outra vez na boca, mas estava excitado demais para conseguir ser delicado e suave; assim sendo, venerou-lhe os seios com a língua e, depois, continuou descendo pela barriga. Quando chegou à tira elástica de sua calcinha, deslizou-a pelas pernas longas e lisas.

Wrath sentiu que algo estourava em sua cabeça quando o cheiro dela o invadiu como uma onda de frescor. Já se encontrava perigosamente perto do orgasmo, com a ejaculação estrangulada em seu membro ereto e o corpo trêmulo com a urgência de possuí-la. Colocou a mão entre as coxas dela: estava tão úmida e quente que ele rugiu.

Por mais alucinado que estivesse, entretanto, precisava prová-la antes de penetrá-la.

Tirou os óculos escuros e os colocou junto à cigarrilha antes de cobrir de beijos os quadris e o topo das coxas dela. As mãos de Beth o agarravam pelo cabelo enquanto o direcionava, impaciente, para o local exato ao qual ele já estava indo.

Beijou sua pele mais tenra, atraindo-a para sua boca, e ela atingiu o clímax repetidas vezes até que ele não pôde mais se conter: recuou, livrou-se das calças o mais rápido que conseguiu e a cobriu com seu corpo de novo.

Ela envolveu os quadris dele com as pernas e ele chiou ao sentir-lhe o calor na extremidade do membro.

Usou o que lhe restava de forças para erguer a cabeça e olhá-la no rosto.

– Não pare – sussurrou ela. – Quero sentir você dentro de mim.

Wrath deixou cair a cabeça no perfumado ninho de seu pescoço. Devagar, recuou o quadril. A ponta de seu pênis ereto deslizou até a posição correta com perfeição, e ele mergulhou no corpo dela com uma poderosa arremetida.

Deixou escapar um suspiro de êxtase.

O paraíso; agora sabia como era o paraíso.

Capítulo 9

Em seu quarto, o Sr. X trocou de roupa: vestiu uma calça cargo e uma camisa de náilon, ambas negras. Sentia-se satisfeito pela forma como transcorrera a reunião com a Sociedade aquela tarde. Todos os *redutores* haviam comparecido. A maioria deles estava disposta a se submeter ao seu comando. Alguns poucos demonstraram que seriam problemáticos. E um número bem pequeno deles havia tentado bajulá-lo.

O que não os levaria a parte alguma.

Ao final da sessão, escolhera mais vinte e oito para permanecerem na área de Caldwell, com base no que sabia sobre sua reputação e na impressão que haviam causado ao conhecê-los pessoalmente. Dentre eles, doze eram mais capacitados, e os dividira em dois esquadrões principais. Os outros dezesseis foram distribuídos em quatro grupos secundários.

Nenhum deles gostou do novo arranjo. Estavam acostumados a trabalhar por conta própria, e os mais capacitados, em particular, ressentiram-se da obrigação de formarem um grupo. Era complicado. A vantagem da divisão em esquadrões consistia em poder atribuir a cada um deles diferentes partes da cidade, estabelecer cotas e fiscalizar seu desempenho mais de perto.

O restante havia sido enviado de volta a seus postos.

Agora que tinha as suas tropas formadas e com suas respectivas missões estabelecidas, seu foco seria dirigido na obtenção de informação. Já tinha uma ideia de como proceder, e a colocaria à prova naquela noite.

Antes de sair, jogou para cada um de seus pitbulls um quilo de carne crua picada. Gostava de mantê-los famintos, de modo que só os alimentava dia sim, dia não. Possuía aqueles cães, ambos machos, há dois anos, e os prendia em extremos opostos de sua casa, um na frente e o outro nos fundos. Era uma disposição lógica do ponto de vista defensivo, mas também o fazia por conveniência. Certa vez, deixara-os presos juntos e quase mataram um ao outro.

Apanhou sua bolsa, fechou a casa e atravessou o gramado. O rancho era um pesadelo arquitetônico dos anos 70, com uma fachada de falsos tijolos aparentes, que ele conservava feia propositalmente. Precisava se encaixar naquela vizinhança rural, e o preço das propriedades por ali não superaria os cem mil tão cedo.

Além disso, a casa não importava. O importante era a terra. Seus quatro hectares lhe garantiam privacidade. Na parte de trás também havia um velho celeiro rodeado de árvores. Convertera-o em sua oficina, e os carvalhos e bordos amorteciam os ruídos, o que era bem conveniente.

Afinal de contas, os gritos podiam ser ouvidos.

Examinou o chaveiro até que encontrou a chave certa. Como essa noite teria de trabalhar, deixaria na garagem sua única extravagância: o Hummer negro. Sua *minivan* Chrysler Town & Country, que já tinha quatro anos, era um disfarce bem melhor, e só levaria dez minutos para chegar até o centro da cidade.

O chamado Vale das Prostitutas de Caldwell era um trecho de três quarteirões mal-iluminados e cheios de lixo, perto da ponte. Naquela noite, o tráfico era intenso naquele corredor de depravação e ele parou sob um poste apagado para observar o movimento. Os carros percorriam a rua escura, parando de vez em quando para seus motoristas examinarem a "mercadoria" nas calçadas. O tórrido calor do verão facilitava a exibição das garotas, que rebolavam sobre seus saltos altíssimos, e o corpo coberto por roupas exíguas e fáceis de serem tiradas.

O Sr. X abriu a bolsa e tirou uma seringa hipodérmica cheia de heroína e uma faca de caça. Escondeu-as na porta do carro e baixou o vidro do lado do passageiro antes de se misturar ao fluxo de veículos.

Ele era só mais um dentre tantos, pensou. Mais um otário tentando se dar bem.

– Procura companhia? – escutou uma das prostitutas gritar.

– Quer montar? – disse outra, requebrando o traseiro.

Na segunda passada, encontrou o que estava procurando, uma loira de pernas longas e quadris largos.

Exatamente o tipo de prostituta que teria pagado se ainda tivesse um pênis funcional.

Mas iria curtir do mesmo jeito, pensou o Sr. X, pisando no freio. Matar o que já não podia ter tinha um sabor todo especial.

– Olá, querido – disse ela, aproximando-se. Colocou os antebraços sobre a porta do carro e se inclinou através da janela. Cheirava a chiclete de canela e perfume misturado com suor. – Como vai?

– Poderia estar melhor. Quanto me custará comprar um sorriso?

Ela observou o interior do carro, suas roupas.

– Por cinquenta lhe dou um trato legal. Do jeito que preferir.

– É muito – disse aquilo por dizer, só de farra. Ela era o que ele queria.

– Quarenta?

– Deixe-me ver suas tetas.

Ela as mostrou rapidamente.

Ele sorriu e destravou as portas para que entrasse.

– Qual é o seu nome?

– Cherry Pie. Mas pode me chamar como quiser.

O carro do Sr. X dobrou a esquina e foi até um lugar isolado, debaixo da ponte.

Atirou o dinheiro no chão, aos pés da prostituta, e quando ela se abaixou para recolhê-lo, introduziu-lhe a seringa na nuca e pressionou o êmbolo até o fim. Instantes depois, ela desabou como uma boneca de pano.

O Sr. X sorriu e a levou de volta para o banco do carro, onde a colocou sentada. Depois, jogou a seringa pela janela – ela caiu onde já havia várias outras – e colocou o veículo em marcha.

Em sua clínica clandestina, Havers ergueu a vista do microscópio, mas sua concentração foi quebrada por um sobressalto. O relógio do avô, num canto do laboratório, indicava que era hora do jantar, mas não queria parar de trabalhar. Voltou a fixar a vista no microscópio, perguntando-se se teria imaginado o que acabava de ver. Afinal de contas, o desespero podia estar afetando sua objetividade.

Mas não, as células sanguíneas estavam vivas.

Exalou um suspiro e estremeceu.

Sua raça estava quase livre.

Ele estava quase livre.

Finalmente, havia conseguido que o sangue armazenado ainda fosse aceitável.

Como médico, sempre encontrara dificuldades para operar pacientes ou para tratar de certas complicações no parto. As transfusões em tempo real de um vampiro para outro eram possíveis, mas como sua raça estava dispersa e seu número era pequeno, podia ser muito difícil encontrar doadores a tempo.

Durante séculos, quis montar um banco de sangue. O problema era que o sangue dos vampiros era muito variável, e seu armazenamento fora do corpo sempre fora impossível. O ar, essa cortina invisível que sustenta a vida, era uma das causas do problema; e nem eram necessárias muitas dessas moléculas para contaminar uma amostra. Com apenas uma ou duas, o plasma se desintegrava, deixando os glóbulos vermelhos e brancos sem defesa. Coisa que, evidentemente, não podia acontecer.

A princípio, não compreendia muito bem como se dava tal processo. No sangue havia oxigênio. Por essa razão, era vermelho ao sair dos pulmões. Aquela discrepância o tinha conduzido a algumas descobertas fascinantes sobre o funcionamento pulmonar dos vampiros, mas não o aproximara muito de seu objetivo.

Havia tentado extrair sangue e armazená-lo imediatamente em um recipiente hermético. Tal solução, a mais óbvia, não funcionou. A desintegração acontecia da mesma forma, só que em ritmo mais lento. Isso lhe sugeriu a existência de outro fator, algo inerente ao ambiente corporal que faltava quando o sangue era extraído do corpo. Tentou isolar amostras no calor e no frio, em suspensões salinas ou de plasma humano.

Nada conseguira a não ser frustração, mesmo com tantas experiências diferentes. Realizou mais testes e tentou diferentes abordagens. Tentou novamente. Abandonou o projeto. Retomou-o. Várias vezes.

Décadas se passaram; e mais décadas.

Então, uma tragédia pessoal lhe deu um motivo muito particular para buscar a solução do problema. Depois da morte de sua companheira e de seu filho durante o parto – cerca de dois anos antes –, tornou-se obcecado e recomeçou tudo do zero.

Sua própria necessidade de alimentação o havia incentivado.

Normalmente, só precisava beber a cada seis meses, porque sua linhagem era muito forte. Depois que sua bela Evangeline morreu, esperou o máximo de tempo que pôde, até que ficou de cama devido à dor da fome. Quando finalmente pediu ajuda, odiou-se por sua vontade de viver ser suficientemente forte a ponto de levá-lo a beber sangue de outra fêmea. E só se permitiu considerar a possibilidade de se alimentar porque estava convencido de que não seria a mesma coisa que fora com Evangeline. Certamente, não obteria prazer algum no sangue de outra e, sendo assim, não trairia sua memória.

Havia ajudado a tantos, que não foi difícil encontrar uma fêmea disposta a se oferecer. Escolheu, então, uma amiga que não tinha um par, e esperou que fosse capaz de guardar sua tristeza e humilhação para si próprio.

Aquilo se revelou um pesadelo. Havia se segurado por tanto tempo que, assim que sentiu o cheiro do sangue, o predador que havia nele veio à tona. Atacou sua amiga e bebeu com tanta voracidade que, depois, foi preciso suturar-lhe a ferida que lhe fez no pulso.

Por pouco não lhe arrancou a mão a dentadas.

Aquilo fez com que reconsiderasse a imagem que tinha de si mesmo. Sempre fora um cavalheiro, um erudito, alguém dedicado a curar. Um macho não subordinado aos desejos mais primitivos de sua raça.

Só que sempre estivera bem alimentado.

E a terrível verdade era que tinha se deleitado com o sabor daquele sangue. O suave e quente fluxo que desceu por sua garganta, e a força selvagem que lhe sobreveio.

Sentira prazer. E quisera mais.

A vergonha o fez sentir ânsia de vômito, e jurou que nunca mais beberia da veia de alguém.

Cumprira a promessa, embora se tornasse fraco, tão fraco que se concentrar era como tentar capturar uma nuvem. Sua inanição era a causa de uma constante dor no estômago. E seu corpo, ansioso por um sustento que os alimentos comuns não podiam lhe fornecer, canibalizou a si mesmo para se manter vivo. Perdeu tanto peso que suas roupas mais pareciam sacos de batata vazios amarrados em torno do corpo, e seu rosto se tornou uma máscara macilenta.

Mas o estado em que se encontrava havia-lhe mostrado o caminho.

A solução era óbvia.

Alimentar aquilo que tinha fome.

O processo hermético unido a uma quantidade suficiente de sangue humano *et voilà*: células sanguíneas vivas.

Por meio do microscópio, observou que as células dos vampiros, maiores e de forma mais irregular do que as dos humanos, consumiam lentamente o que lhes tinha dado. A contagem humana diminuía na amostra, e quando se extinguiu, estava disposto a apostar que a capacidade de crescimento do componente vampírico se reduziria até zerar.

Tudo que precisava fazer era conduzir um teste clínico. Extrairia meio litro de uma fêmea, misturaria com uma proporção adequada de sangue humano, e depois experimentaria, nele mesmo, a transfusão do preparado.

Se tudo saísse bem, estabeleceria um programa de doação e armazenamento. Seria possível salvar muitos pacientes. E aqueles que escolhessem renunciar à intimidade de beber poderiam viver sua vida em paz.

Havers ergueu a vista do microscópio, dando-se conta, subitamente, que estivera observando as células por vinte minutos. A salada do jantar já estaria na mesa, esperando por ele.

Tirou o jaleco e atravessou a clínica, parando para falar com alguns membros de sua equipe de enfermeiros e dois pacientes. As instalações eram bem amplas e ocultavam-se nas profundezas da terra sob sua mansão. Havia três salas de cirurgia, várias salas de exame e recuperação, o laboratório, seu escritório e uma sala de espera com acesso independente para a rua. Atendia perto de mil pacientes por ano e fazia visitas a domicílio para partos e outras emergências, segundo as necessidades.

Embora sua atividade estivesse diminuindo ultimamente, assim como a população de vampiros.

Comparados com os humanos, os vampiros tinham tremendas vantagens no que concerne à saúde. Seus corpos saravam rápido. Não eram sujeitos a doenças como câncer, diabetes ou aids. Mas se sofressem um acidente em plena luz do dia, estavam perdidos. Ninguém poderia socorrê-los. Os vampiros também morriam durante sua transição ou momentos depois. E a fertilidade representava outro terrível problema. Mesmo quando a concepção era bem-sucedida, as fêmeas frequentemente não sobreviviam ao parto, seja pelas hemorragias ou por pré-eclampsia. Natimortos eram coisa comum, e a mortalidade infantil ocorria em números muito além do aceitável.

Para os doentes, feridos ou moribundos, os médicos humanos não constituíam uma boa opção, embora as duas espécies compartilhassem uma anatomia semelhante. Se um médico humano chegasse a solicitar um exame de sangue a um vampiro, encontraria toda espécie de anomalias e acreditaria ter algo digno de publicar no *New England Journal of Medicine*. O melhor era evitar esse tipo de atenção.

Em certas ocasiões, entretanto, algum paciente acabava parando num hospital humano, um problema que aumentara desde o advento do 911 e a pronta resposta das ambulâncias. Se um vampiro ficasse ferido tão gravemente a ponto de perder a consciência longe de sua casa, corria o perigo de ser recolhido e levado a um pronto-socorro humano. Tirá-lo dali contra as ordens médicas sempre era uma luta.

Havers não era arrogante, mas sabia que era o melhor médico de sua espécie. Estudara Medicina na Universidade de Harvard duas vezes, uma no final dos anos de 1800 e, depois, na década de 1980. Em ambas as ocasiões, alegara nos formulários de matrícula ser inválido, e a universidade lhe permitiu concessões especiais. Não poderia assistir às conferências porque eram realizadas durante o dia, mas permitiram que seu criado tomasse notas e entregasse seus exames. Havers lia todos os textos, mantinha correspondência com os professores, e inclusive comparecia aos seminários e palestras programados no horário noturno.

Sempre fora fascinado pelo ambiente acadêmico.

Quando subiu para sua residência, não se surpreendeu ao constatar que Marissa não descera para comer, embora o jantar fosse servido pontualmente à uma da madrugada todas as noites.

Dirigiu-se aos aposentos da irmã.

– Marissa? – disse à porta, batendo suavemente uma vez. – Marissa, está na hora do jantar.

Havers meteu a cabeça na abertura da porta. A luz do corredor se infiltrou no aposento, riscando a escuridão com um facho dourado. As cortinas ainda cobriam as janelas, e ela ainda não acendera os abajures.

– Marissa, querida?

– Não tenho fome.

Havers cruzou a soleira. Distinguiu a cama com dossel e o pequeno volume que seu corpo formava debaixo das cobertas.

– Mas também não almoçou a noite passada. Nem jantou.

– Descerei mais tarde.

Fechou os olhos, concluindo que ela devia ter se alimentado de sangue na noite anterior. Cada vez que via Wrath, fechava-se em copas por dias seguidos.

Pensou nas células vivas em seu laboratório.

Wrath podia ser o rei de sua raça por nascimento e ter o sangue mais puro de todos, mas aquele guerreiro era um completo filho-da-mãe. Não parecia nem um pouco preocupado com o que estava fazendo a Marissa. Ou talvez nem mesmo soubesse como sua crueldade a afetava.

Era difícil decidir qual dos dois crimes era pior.

– Fiz um progresso importante – disse Havers, aproximando-se da cama e sentando-se na beirada. – Vou libertá-la.

– Do quê?

– Desse... assassino.

– Não fale assim dele.

Havers rangeu os dentes.

– Marissa...

– Não quero me libertar dele.

– Como pode dizer isso? Ele a trata sem respeito algum. Detesto pensar nesse bruto se alimentando de você num beco qualquer...

– Vamos para a casa de Darius. Ele tem um quarto lá.

A ideia de que ela estivesse exposta a outro dos guerreiros não o deixava mais tranquilo. Todos eram assustadores, e alguns deles eram francamente horripilantes.

Sabia que a Irmandade das Adagas Negras era um mal necessário para defender a raça, e devia se mostrar grato por sua proteção. No entanto, a única coisa que conseguia sentir em relação à existência deles era pavor. O fato de que o mundo fosse tão perigoso e os inimigos da raça tão poderosos para fazer imprescindível à existência de tais guerreiros era trágico.

– Não precisa fazer isso a você mesma.

Marissa virou-se na cama, dando-lhe as costas.

– Vá embora.

Havers apoiou as mãos nos joelhos e se levantou. Suas lembranças de Marissa antes que começasse a servir ao seu terrível rei eram muito tênues. Só conseguia se lembrar de algumas poucas cenas da irmã no passado, e temia que a alegre e sorridente jovem que ela fora um dia houvesse desaparecido para sempre.

E no que se convertera? Em uma sombra apática que vagava pela casa, sofrendo por um macho que a tratava com total falta de consideração.

– Espero que mude de ideia e desça para comer – disse Havers, com ternura. – Apreciaria muito a sua companhia.

Fechou a porta sem fazer barulho e dirigiu-se para a escadaria em curva. A mesa da sala de jantar estava disposta como gostava, com o serviço completo de porcelana, cristal e prata. Sentou-se à cabeceira da reluzente mesa, e uma de suas criadas apareceu para servi-lo de vinho.

Olhando para o prato diante de si, forçou um sorriso.

– Karolyn, essa salada está com um aspecto maravilhoso.

A criada fez uma reverência e seus olhos brilharam com o elogio.

– Hoje fui a uma granja especialmente para encontrar as verduras do seu agrado.

– Então, agradeço seu empenho – Havers pôs-se a cortar as delicadas folhas assim que ela saiu e o deixou a sós na bela sala.

Pensou na irmã, encolhida na cama.

Havers era médico por natureza e profissão, um macho que dedicara toda sua vida a servir os outros. Entretanto, se alguma vez Wrath ficasse ferido tão gravemente a ponto de necessitar de sua ajuda, iria se sentir tentado a deixar aquele monstro sangrar até a morte; ou a matá-lo na sala de cirurgia com uma "escorregadela" do bisturi.

Capítulo 10

Beth recuperou a consciência lentamente. Foi como vir à tona depois de um salto de trampolim realizado com perfeição. Uma aura de satisfação emanava de seu corpo ao emergir do nebuloso mundo dos sonhos.

Sentiu algo em sua testa.

Suas pálpebras se abriram. Longos dedos masculinos se moviam sobre o cavalete de seu nariz. Passaram para a bochecha e depois desceram para o queixo.

Da cozinha vinha luz suficiente para que pudesse distinguir os contornos do homem deitado ao seu lado.

Estava totalmente concentrado em explorar seu rosto. Tinha os olhos fechados, a sobrancelha franzida, as grossas pestanas apertadas contra as maçãs do rosto, altas e firmes. Estava ao seu lado e seus ombros gigantescos lhe bloqueavam a visão da porta de vidro.

Como era enorme! E maciço.

Seus antebraços eram do tamanho das coxas dela. Os músculos de seu abdômen, perfeitamente definidos, mais pareciam uma coleção de rolos de pintar paredes justapostos. Suas pernas eram grossas e musculosas. E seu sexo era tão grande e magnífico como o resto de seu corpo.

A primeira vez que ele se aproximou dela nu e teve oportunidade de tocá-lo, ficou impressionada. Não tinha um pelo sequer no torso, braços e pernas. Só pele lisa sobre músculos rijos.

Perguntou-se por que se depilava completamente, inclusive nas partes íntimas. Talvez se tratasse de um fisiculturista.

Mesmo assim, a razão disso lhe escapava.

A lembrança do que acontecera entre eles era um tanto imprecisa. Não podia recordar exatamente como havia entrado em seu apartamento, ou o que havia lhe dito. Mas tudo o que tinham feito na posição horizontal estava para lá de vívido.

O que fazia sentido, já que ele a fizera experimentar os primeiros orgasmos de sua vida.

As pontas dos dedos dele contornaram o seu queixo e subiram para os lábios. Acariciou-lhe o lábio inferior com o dedo polegar.

– Você é linda – sussurrou-lhe. Seu ligeiro sotaque tornava as palavras arrastadas, quase como se estivesse ronronando.

Bem, também faz sentido, pensou ela. Quando ele a tocava, sentia-se bela.

Ele posou a boca sobre a dela. Não que estivesse querendo algo: o beijo não era uma solicitação, aproximava-se mais de um agradecimento.

Em alguma parte do aposento, soou um celular. O toque não era o dela.

Ele se moveu tão rapidamente que ela levou um susto. Num instante estava ao seu lado, no outro, junto à sua jaqueta, atendendo a ligação.

– Sim? – a voz com que antes lhe dissera que era linda havia desaparecido. Agora ele grunhia.

Beth cobriu os seios com o lençol.

– Vamos nos reunir na casa de D. Preciso de dez minutos.

Desligou o telefone, guardou-o de volta na jaqueta e apanhou do chão sua calça. Aquilo a fez voltar, de certa forma, à realidade.

Deus do céu! De fato fizera sexo – maravilhoso, realmente extraordinário – com um completo estranho?

– Como é o seu nome? – perguntou-lhe.

Quando estava subindo a calça de couro negro, Beth teve uma magnífica visão de seu traseiro.

– Wrath – e ele dirigiu-se à mesa para recolher seus óculos escuros. Quando se sentou junto a ela, já os tinha colocado no rosto.

– Preciso ir. Talvez não possa voltar esta noite, mas tentarei.

Não queria que ele fosse embora. Gostava da sensação de seu corpo ocupando a maior parte de seu futon.

Estendeu a mão para ele, mas a retirou. Não queria parecer necessitada.

– Não, toque-me – disse ele, inclinando-se, franqueando-lhe totalmente o acesso ao seu corpo.

Ela colocou a palma da mão em seu peito. A pele dele era quente, seu coração batia de forma regular e compassada. Notou que tinha uma cicatriz redonda no peitoral esquerdo.

– Preciso saber uma coisa, Wrath – gostou de pronunciar aquele nome, embora o achasse estranho –, que diabos está fazendo aqui?

Ele sorriu um pouco, como se apreciasse aquele tom de suspeita.

– Estou aqui para cuidar de você, Elizabeth.

Bom, com toda certeza o tinha feito.

– Pode me chamar de Beth.

Ele inclinou a cabeça.

– Beth.

Ficou de pé e alcançou sua camisa. Percorreu com as mãos a parte da frente, como se procurasse os botões.

Não vai encontrar muitos, pensou ela. A maior parte deles estava espalhada pelo chão.

– Tem um cesto de lixo? – perguntou ele, como se acabasse de se dar conta da mesma coisa.

– Ali. No canto.

– Onde?

Ela se levantou, mantendo o lençol ao seu redor, e pegou a camisa. Jogá-la no lixo pareceu-lhe um desperdício.

Quando o olhou novamente, ele havia colocado o coldre negro sobre a pele nua, e nele viu duas adagas entrecruzadas sobre o peito, com o punho para baixo.

Curiosamente, ao olhar as armas, tranquilizou-se. A ideia de que houvesse uma explicação lógica para sua aparição era um alívio.

– Foi Butch?

– Butch?

– Que o enviou para me proteger?

Ele vestiu a jaqueta, cujo volume alargou-lhe os ombros ainda mais. O couro era tão escuro como seu cabelo e uma das lapelas tinha um bordado intrincado feito com linha igualmente negra.

– O homem que a atacou ontem à noite – disse ele – era um estranho?

– Sim – ela cruzou os braços em frente ao peito como se estivesse com frio.

– A polícia foi boa com você?

– Eles sempre são bons comigo.

– Disseram-lhe o nome dele?

Ela balançou a cabeça de maneira afirmativa.

– Sim, e mal acreditei quando soube. Quando Butch me disse, pensei que fosse brincadeira. Billy Riddle parece mais um personagem da Vila Sésamo que um estuprador, mas ficou claro que tinha um *modus operandi* e alguma prática...

Deteve-se. O rosto do Wrath tinha um aspecto tão feroz, que ela recuou um passo.

Jesus, se Butch era duro com os delinquentes, aquele tipo era duas vezes mais mortífero, pensou.

Mas, então, a expressão dele mudou, como se ocultasse suas emoções porque sabia que podiam assustá-la. Dirigiu-se ao banheiro e abriu a porta. Boo saltou para os seus braços, e um ronronar grave e rítmico ressoou no denso ar.

Só que, com toda certeza, não procedia de seu gato.

Aquela reverberação gutural vinha do próprio homem, enquanto sustentava seu bichano de estimação nos braços. Boo adorou aquela atenção, e ficou esfregando a cabeça contra a larga palma que o estava acariciando.

– Darei o número de meu celular para você, Beth. Deve me chamar caso se sinta ameaçada de alguma forma – colocou o gato no chão e ditou para ela os números. Fez com que ela os repetisse até memorizá-los.

– Se não vier esta noite, quero que vá pela manhã ao 816 da avenida Wallace. Eu explicarei tudo a você.

Então, simplesmente a olhou.

– Venha aqui – disse ele.

O corpo dela obedeceu antes que sua mente registrasse a ordem de mover-se.

Quando se aproximou, ele rodeou sua cintura com o braço e a apertou contra seu corpo musculoso. Com lábios quentes e famintos buscou os dela enquanto afundava a outra mão em seus cabelos. Através da calça de couro, ela pôde sentir que estava pronto para o sexo novamente.

E ela estava preparada para tê-lo.

Quando ele ergueu a cabeça, deslizou a mão preguiçosamente por sua clavícula.

– Isso não fazia parte do plano.

– Wrath é seu primeiro nome ou seu sobrenome?

– Ambos – beijou-a na lateral do pescoço, sugando-lhe a pele. Ela deixou a cabeça pender um pouco para trás, enquanto a língua dele percorria sua tenra garganta.

– Beth?

– Hum?

– Não se preocupe quanto ao tal de Billy Riddle. Terá o que merece.

Beijou-a rapidamente e depois saiu com pressa pela porta de vidro. Ela passou a mão no lugar onde ele a tinha chupado. A pele naquele ponto formigava.

Beth correu para a janela e levantou a persiana.

Ele já tinha ido.

Wrath se materializou na sala de estar de Darius.

Não esperava que a noite o levasse aonde o levou, e aquela circunstância adicional podia complicar ainda mais a situação.

Ela era a filha de Darius. Estava a ponto de ver seu mundo virar de cabeça para baixo. E, para piorar, havia sido vítima de um ataque sexual na noite anterior!

Se tivesse sido um cavalheiro, teria deixado-a em paz.

Sim, mas quando fora a última vez que se comportara à altura de sua linhagem?

Rhage apareceu na frente dele. O vampiro vestia um casaco negro longo por cima da roupa de couro e, sem dúvida, o contraste com sua beleza loira era impressionante. Era notório que aquele membro da Irmandade usava sua aparência de forma implacável com o sexo oposto e que, depois de uma noite de combate, sua maneira favorita de se acalmar era com uma fêmea. Ou duas.

Se sexo fosse comida, Rhage teria obesidade mórbida.

Mas não era apenas um rosto bonito. O guerreiro era o melhor combatente da Irmandade: o mais forte, o mais rápido, o mais seguro. Nascido com uma força física descomunal, preferia enfrentar os *redutores* com as mãos nuas, guardando as adagas só para o final. Afirmava que era a única maneira de conseguir um pouco de satisfação com o trabalho. Do contrário, os combates não duravam o suficiente.

De todos os Irmãos, Hollywood era o único do qual falavam, comentavam; os jovens machos da espécie, venerando-o, todos querendo imitá-lo. Mas isso era só porque o seu fã-clube via-lhe apenas a brilhante superfície e os movimentos elegantes.

Rhage era amaldiçoado – literalmente. Metera-se em problemas graves logo após sua transição. E a Virgem Escriba, a força mística da natureza que vigiava a espécie do *Fade*, havia lhe dado um castigo infernal. Duzentos anos de terapia de aversão que deslanchava sempre que perdia a calma.

O pobre filho-da-mãe era digno de pena.

– Como se sente esta noite? – perguntou Rhage.

Wrath fechou os olhos por um breve instante. Uma imprecisa imagem do corpo arqueado de Beth, captada quando ergueu a cabeça por entre as pernas abertas dela, invadiu-o. Enquanto se lembrava de como a saboreara, fechou os punhos, fazendo ranger seus nódulos.

Estou com fome, pensou.

– Estou pronto para entrar em ação – disse.

– Um momento. O que é isso? – perguntou Rhage.

– O que é isso o quê?

– Essa expressão em seu rosto. E onde está sua camisa?

– Cale-se.

– Será possível que... caraca! – Rhage soltou uma risadinha. – Andou se divertindo ontem à noite, não foi?

Beth não era diversão. De maneira alguma, e não só porque era a filha de Darius.

– Morreu o assunto, Rhage. Não estou de bom humor.

– Ouça, seria o último a criticar. Mas tenho de perguntar: ela valeu a pena? Porque não me parece muito relaxado, Irmão. Talvez eu possa ensinar a ela algumas coisinhas e depois fazer com que você a experimente outra vez.

Wrath empurrou Rhage lentamente contra a parede, quase derrubando, com os ombros do macho, um espelho pendurado.

– Ou você cala essa boca agora, ou arranco a sua cabeça. Você escolhe, Hollywood.

Era só brincadeira daquele membro da Irmandade, mas havia algo de profano em comparar sua experiência com Beth, mesmo que remotamente, com a vida sexual de Rhage.

E talvez Wrath começasse a se sentir um pouco possessivo.

– Fui claro? – disse, arrastando as palavras.

– Perfeitamente – sorriu o outro vampiro, os dentes brancos brilhando no lindo rosto. – Mas, acalme-se. Normalmente você não perde tempo com as fêmeas, e eu só estou contente em saber que deu uma saidinha, isso é tudo.

Wrath o soltou.

– Embora, francamente, ela não devesse ser tudo isso...

Wrath desembainhou uma adaga e a cravou na parede a milímetros do crânio de Rhage. E pensou que o ruído do aço ao atravessar o gesso soava bem.

– Parou por aqui. Entendeu?

O Irmão concordou devagar enquanto o punho da adaga vibrava ao lado de sua orelha.

– Ah, sim. Acredito que tudo ficou muito claro.

A voz de Tohrment diluiu a tensão:

– Ei, Rhage, andou fazendo besteira outra vez?

Wrath ficou quieto um instante mais, só para se certificar de que a mensagem fora compreendida. Depois, arrancou a faca da parede e deu um passo atrás, zanzando pela sala enquanto os outros membros da Irmandade chegavam.

Quando Vishous chegou, Wrath puxou o guerreiro de lado.

– Quero que me faça um favor.

– Fale.

– Um macho humano; Billy Riddle. Quero que use um pouco de sua magia cibernética com ele. Preciso saber onde vive.

V. coçou o cavanhaque.

– Está na cidade?

– Acredito que sim.

– Considere feito, meu senhor.

Quando todos estavam presentes, inclusive Zsadist, que lhes tinha dado a honra de ser pontual, Wrath começou a reunião.

– O que sabemos do celular de Strauss, V.?

Vishous tirou seu gorro dos Red Sox e passou a mão por seus cabelos escuros. Falou enquanto voltava a colocar o gorro:

– Nosso garoto gostava de confraternizar com tipos musculosos, aspirantes a militares, e fãs de Jackie Chan. Temos chamadas para a academia Gold's Gym, para um campo de *paintball* e para dois centros de artes marciais. Ah, e gostava de automóveis. Também havia uma oficina mecânica no registro.

– E chamadas pessoais?

– Poucas. Uma para uma linha fixa desligada há dois dias. As outras para celulares, impossíveis de rastrear, não locais. Tentei ligar para todos os números repetidamente, mas ninguém atendeu. Esses identificadores de chamadas são uma pedra no sapato.

– Procurou seus antecedentes na Internet?

– Sim. Típico delinquente juvenil com gosto por violência. Encaixa-se perfeitamente no perfil de um *redutor*.

– O que sabemos de sua casa? – Wrath olhou por cima do ombro para os gêmeos.

Phury olhou de esguelha para seu Irmão e, então, começou a falar:

– Apartamento de três cômodos sobre o rio. Morava só. Sem muitos pertences. Um par de armas debaixo da cama, algumas balas de prata e coletes à prova de balas. E uma coleção pornô que, obviamente, já não usava.

– Pegou sua urna?

– Sim. Guardei-a em minha casa, mas a levarei para a tumba esta noite.

– Bem – Wrath olhou para o grupo –, vamos nos separar. Preparem os apetrechos. Quero entrar nesses edifícios. Procuraremos seu centro de operações nessa região.

Dividiu os guerreiros em duplas, e ele ficou com Vishous. Disse aos gêmeos que fossem à Gold's Gym e ao campo de *paintball*. Tohr e Rhage se encarregariam das academias de artes marciais. Vishous e ele iriam dar uma olhada na oficina mecânica, e esperava que tivessem sorte.

Porque se alguém quisesse conectar uma bomba a um automóvel, não precisaria ter à mão um elevador hidráulico?

Antes que todos saíssem, Hollywood se aproximou, com uma seriedade que não lhe era habitual.

– Puxa, Wrath, você sabe que às vezes sou um pé-no-saco – disse Rhage. – A minha intenção não foi ofender. Não repetirei o erro.

Wrath sorriu. O problema com Rhage é que era muito impulsivo. O que explicava tanto sua fama de falar sem pensar quanto de ser viciado em sexo.

E o problema já era bastante grave quando só dependia dele. O que dizer, então, depois da maldição; quando bastava a chave psicótica ser acionada para a fera ganhar vida, rugindo.

– Falo sério, cara – disse o vampiro.

Wrath lhe deu um tapinha no ombro. Tudo somado, aquele filho-da-mãe era um ótimo sujeito.

– Perdoado e esquecido.

– Sinta-se à vontade para me dar um soco quando quiser.

– Pode ter certeza de que farei isso.

O Sr. X dirigiu até uma viela escura do centro da cidade, cujas extremidades desembocavam em duas ruas maiores. Depois de estacionar a *minivan* diante de uma caçamba de lixo, carregou Cherry Pie sobre o ombro e caminhou quase vinte metros. Ela gemeu um pouco ao quicar contra suas costas, como se não quisesse que o movimento perturbasse o êxtase causado pelas drogas.

Estendeu-a no chão, e ela não ofereceu resistência quando lhe cortou a garganta. Observou-a um momento, enquanto o sangue brilhante jorrava de seu pescoço. Na escuridão, parecia óleo de motor. Molhou a ponta de um dedo no líquido. Seu olfato detectou a presença de uma enfermidade, e ele se perguntou se ela saberia que tinha hepatite C em estágio avançado. No final das contas, estava lhe fazendo um favor, poupando-a de uma morte lenta e horrível.

Não que matá-la fosse incomodá-lo se, por acaso, tivesse saúde perfeita.

Limpou o dedo na barra da saia da mulher e, depois, dirigiu-se para uma pilha de escombros. Um colchão velho lhe serviria muito bem. Apoiando-o contra os tijolos, protegeu-se atrás dele, sem se importar com o fedor de suor que desprendia. Tirou sua arma de dardos e esperou.

O sangue fresco atraía os vampiros civis como corvos a um milharal.

Não deu outra: em pouco tempo, apareceu uma figura no final da viela. Olhou para a esquerda e para a direita e depois avançou rapidamente. O Sr. X sabia que quem se aproximava devia ser um vampiro. Cherry estava bem escondida na escuridão. Não podia atrair a atenção de ninguém, a não ser pelo cheiro sutil de seu sangue, algo que o olfato humano nunca poderia captar.

O macho jovem estava ávido para aplacar sua sede, e caiu sobre Cherry como se alguém houvesse preparado um banquete para ele. Ocupado em beber, foi pego de surpresa quando o primeiro dardo saiu da arma e o atingiu no ombro. Seu instinto imediato foi proteger sua comida, de modo que arrastou o corpo de Cherry para trás de umas latas de lixo amassadas.

Quando o segundo dardo o acertou, virou-se e saltou, olhos fixos no colchão.

O corpo do Sr. X retesou-se, mas o macho avançou de uma forma mais agressiva do que eficaz. Os movimentos de seu corpo eram ligeiramente desorganizados, o que sugeria que ainda estava aprendendo a controlar seus membros depois da transição.

Outros dois dardos não conseguiram detê-lo. Era evidente que o Demosedan, um tranquilizante para cavalos, não era suficiente para dar conta do serviço. Obrigado a lutar com o macho, o Sr. X o tirou de combate com facilidade, chutando-o violentamente na cabeça. O macho caiu no asfalto sujo soltando um uivo de dor.

A comoção chamou atenção.

Felizmente, foram dois outros *redutores* que apareceram, não algum humano curioso ou, o que seria ainda mais desagradável, a polícia. Os *redutores* se detiveram no final da viela e, depois de trocarem impressões entre eles por um instante, avançaram para investigar.

O Sr. X praguejou. Não estava preparado ainda para dizer quem era, ou o que estava fazendo. Necessitava elaborar melhor sua estratégia de como obter informação antes de implantá-la e atribuir missões aos *redutores*. Afinal de contas, um líder não deve mandar fazer o que não tenha feito antes pessoalmente, e bem.

Também havia uma questão de interesse próprio. Um dos caçadores de vampiros podia passar por cima de sua liderança e procurar Ômega diretamente, apresentando a estratégia como sendo de própria autoria, ou apontando as falhas iniciais. Ômega sempre recebia com interesse novos planos e iniciativas. E se tratando de lealdade, não a tinha com ninguém.

Além disso, a reação que Ômega podia ter em relação a um pequeno passo em falso era rápida e terrível – como aprendera o antigo superior do Sr. X três noites antes.

Extraiu os dardos do corpo. Teria preferido matar o vampiro, mas não tinha tempo suficiente. Deixando o macho ainda gemendo no chão, o Sr. X desceu correndo a viela, mantendo-se rente à parede. Depois, manteve os faróis da *minivan* apagados até se misturar ao tráfego.

Capítulo 11

O alarme do despertador de Beth disparou e ela se apressou em silenciá-lo. Não precisava dele. Acordara há uma hora, com a mente zumbindo como um cortador de grama. Com a aurora, toda a magia e o mistério da ardente noite se desvaneceram, e viu-se obrigada a encarar o que havia feito.

A noção de ter feito sexo sem proteção com um total estranho era mais eficaz para despertá-la do que um balde de água fria.

Onde estava com a cabeça? Jamais havia feito algo assim. Sempre fora muito cuidadosa. E ainda bem que tomava pílula anticoncepcional para regular seus esporádicos períodos, mas, quanto às outras implicações, seu estômago embrulhava só de pensar.

Quando o encontrasse de novo lhe perguntaria se estava saudável, e rezaria para ouvir a resposta que esperava. E também para que fosse sincera.

Talvez, se tivesse mais experiência naquela área, teria umas camisinhas guardadas. Mas, quando fora a última vez que havia dormido com alguém? Fazia muito tempo. Muito mais do que o prazo de validade de uma caixa de preservativos.

A quase inexistência de uma vida sexual se devia mais a seu desinteresse do que a qualquer tipo de barreira moral. Os homens, simplesmente, não ocupavam um lugar privilegiado em sua lista de prioridades. Encontravam-se em algum lugar entre uma limpeza dentária e a manutenção de seu carro. E ela já não tinha mais um carro.

Sempre se perguntava se havia algo errado com ela, especialmente quando via casais de mãos dadas na rua. A maioria das pessoas de sua idade saía com muita frequência, tentando encontrar alguém para casar. Mas ela não. Até agora, não havia sentido o desejo ardente de estar com um homem, e inclusive tinha pensado na possibilidade de ser lésbica. O problema era que também não se sentia atraída por mulheres.

Assim sendo, a noite anterior havia sido uma autêntica revelação.

Espreguiçou-se, sentindo uma deliciosa tensão nas coxas. Fechando os olhos, sentiu-o dentro dela, seu grosso membro avançando e recuando até o clímax, quando seu corpo estremeceu dentro dela com um poderoso arrebatamento, seus braços apertando-a contra ele.

Seu corpo se arqueou involuntariamente; a fantasia era suficientemente forte para sentir a região entre as pernas latejar. Os ecos daqueles orgasmos a fizeram morder o lábio.

Com um gemido, pôs-se de pé e foi até o banheiro. Quando viu a camisa que ele havia arrancado do peito para jogá-la no lixo, recolheu-a e aproximou-a do nariz. O tecido negro guardava o cheiro dele.

A sensação latejante se fez mais intensa.

Como ele e Butch haviam se conhecido?

Pertenceria também à polícia? Nunca o vira, mas não conhecia todo o pessoal da delegacia.

Drogas, pensou. Devia ser um policial da divisão de entorpecentes. Ou, talvez, um chefe da SWAT. Porque, sem dúvida, parecia um tipo durão que procurava problemas e fazia os marginais pagarem caro.

Sentindo-se como se tivesse dezesseis anos, deslizou a camisa para debaixo do travesseiro. Então, viu no chão o sutiã que ele havia arrancado dela. Santo Deus, a parte dianteira havia sido cortada com algum objeto afiado.

Que estranho.

Depois de uma rápida chuveirada e de um café da manhã ainda mais rápido – composto de duas bolachas de aveia, um punhado de cereais e uma caixinha de suco – encaminhou-se para a redação. Passara meia hora em sua mesa olhando o protetor de tela com o olhar perdido quando o telefone tocou. Era Jose.

– Tivemos outra noite ocupada – disse ele, bocejando.

– Outra bomba?

– Não. Um cadáver. Uma prostituta foi achada com o pescoço cortado entre a Terceira e a Trade. Se vier à delegacia, poderá ver as fotografias e ler os relatórios. Extraoficialmente, claro.

Apenas dois minutos após desligar o telefone, estava na rua. Decidiu passar na delegacia primeiro e, depois, no endereço na avenida Wallace.

Não podia negar que estava morrendo de vontade de ver seu visitante noturno mais uma vez.

Enquanto caminhava para a delegacia, ressentiu-se do impiedoso sol da manhã e procurou os óculos escuros na bolsa. Como não foram suficientes para abrandar a claridade, precisou colocar a mão sobre os olhos, à guisa de viseira. Foi um alívio entrar na delegacia fresca e escura.

Jose não estava em seu escritório, mas encontrou Butch, que saía do seu.

Ele sorriu para ela secamente, fazendo com que se formassem rugas em torno de seus olhos castanhos.

– Temos de deixar de nos encontrar assim.

– Ouvi dizer que vocês têm um novo caso.

– Não tenho dúvidas que ouviu.

– Algum comentário, detetive?

– Já fizemos uma declaração esta manhã.

– O que, sem dúvida, não esclareceu absolutamente nada. Ora, vamos, não pode acrescentar algumas palavras para mim?

– Não se for para ser publicado.

– E se for extraoficial?

Ele tirou um chiclete do bolso, abriu a embalagem metodicamente, dobrou a tira pálida na boca, e começou a mascá-lo. Ela se lembrava de já tê-lo visto fumando, porém, nos últimos tempos, não. O que, provavelmente, explicaria tantos chicletes, um atrás do outro.

– Extraoficialmente, O'Neal – ela disse. – Eu juro.

Ele balançou a cabeça concordando.

– Então, precisamos conversar a portas fechadas.

O escritório dele era aproximadamente do tamanho do cubículo onde ela trabalhava na redação, mas, pelo menos, tinha porta e janela. Entretanto, sua mobília não era tão boa como a dela. A mesa de madeira estava tão gasta que parecia ter sido utilizada como bancada de trabalho por um carpinteiro. Havia partes lascadas na superfície, e o verniz estava tão arranhado que absorvia a luz fluorescente como se estivesse sedento.

Jogou-lhe um arquivo antes de se sentar.

– Foi encontrada atrás de um monte de latas de lixo. A maior parte de seu sangue terminou na sarjeta, mas o médico-legista encontrou traços de heroína em seu organismo. Tivera relações sexuais aquela noite, mas isso não é precisamente uma novidade.

– Oh, meu Deus, é Mary – disse Beth, olhando uma horrenda fotografia e deixando-se cair sentada na cadeira.

– Vinte e um anos – Butch soltou um palavrão –, que maldito desperdício.

– Eu a conhecia.

– Da delegacia?

– De quando éramos crianças. Estivemos no mesmo lar adotivo durante certo tempo. Depois, encontrei-me com ela algumas vezes. Quase sempre aqui.

Mary Mulcahy havia sido uma bela menininha. Só havia estado no lar adotivo com Beth durante um ano, antes que a enviassem de volta para sua mãe biológica. Dois anos depois, retornou à custódia estatal, após ter sido deixada sozinha por uma semana, quando tinha sete anos. Dissera que quando a comida acabou, tudo que tinha para se alimentar era um pouco de farinha.

– Já tinha ouvido que você viveu em orfanatos – disse Butch, tornando-se pensativo enquanto a olhava. – Importa-se se eu perguntar por quê?

– O que você acha? Não tinha pais – fechou o arquivo e o deslizou pela mesa. – Encontraram alguma arma?

Os olhos dele se estreitaram, mas não de forma rude. Parecia estar decidindo se a deixaria mudar de assunto.

– Alguma arma? – insistiu ela.

– Outra estrela ninja. Tinha vestígios de sangue, mas não o dela.

Também encontramos resíduos pulverizados em dois lugares diferentes, como se alguém houvesse acendido sinais luminosos e os tivesse deixado no chão. Embora seja difícil imaginar que o assassino quisesse atrair a atenção para o corpo.

– Acredita que o que aconteceu com Mary e a bomba no carro tenham alguma relação?

Ele deu de ombros, bastante largos, por sinal.

– Talvez. Mas se alguém estivesse querendo se vingar do cafetão dela, teriam ido atrás de alguém mais importante na cadeia alimentar.

Beth fechou os olhos, lembrando-se de Mary aos cinco anos, com uma Barbie maltrapilha e decapitada debaixo do braço.

– Mas pode ser também – disse Butch – que isso seja só o começo de alguma coisa mais séria.

Ela ouviu quando a cadeira do policial deslizou para trás e ergueu a vista enquanto ele rodeava a mesa e se aproximava.

– Tem planos para o jantar esta noite? – perguntou ele.

– Jantar?

– Sim. Você e eu.

Bonzão a estava convidando para sair? De novo?

Beth se levantou, querendo ficar no mesmo nível que ele.

– Ah, sim... não, quero dizer, obrigado, mas não.

Embora não tivessem uma relação estritamente profissional, ela tinha outras coisas em mente, veja só... Manter sua agenda livre no caso de o homem de roupas de couro querer vê-la à noite, além daquela manhã também.

Que boba: uma boa transa e já pensava que havia algo entre eles? Tinha de ser realista.

Butch sorriu cinicamente.

– Um dia desses ainda descubro por que você não gosta de mim.

– Mas, eu gosto. Você não liga para a opinião dos outros e, embora não aprove seus métodos, não posso negar que gostei de você ter quebrado o nariz de Billy Riddle de novo.

As duras feições do rosto de Butch se suavizaram. Quando seus olhos a olharam fixamente, Beth pensou que era um desperdício não se sentir atraída por ele.

– E obrigada por enviar seu amigo ontem à noite – disse, pendurando a bolsa no ombro –, embora tenha de admitir que, a princípio, quase morri de medo.

Quer dizer, antes que aquele homem lhe mostrasse exatamente como fazer o melhor uso do corpo humano.

Butch franziu o semblante.

– Meu amigo?

– Você sabe. Aquele que parece um pesadelo gótico. Diga-me: ele é da divisão de entorpecentes, não é?

– De que diabos está falando? Eu não enviei ninguém para vê-la.

O sangue gelou em seu corpo.

E a crescente suspeita e alarme no rosto de Butch a impediram de tentar lhe refrescar a memória.

Dirigiu-se para a porta.

– Eu me enganei.

Butch a segurou pelo braço.

– Quem diabos esteve em seu apartamento ontem à noite?

Quem dera soubesse.

– Ninguém. Como disse, eu me enganei. Vejo você depois.

Apressou-se em atravessar o vestíbulo, com o coração disparado. Ao sair do prédio, fez uma careta quando o sol bateu em seu rosto.

Uma coisa era certa: por nada no mundo iria se encontrar com aquele homem naquela manhã, embora o 816 da avenida Wallace se localizasse na parte nobre da cidade e estivessem em plena luz do dia.

Por volta das quatro da tarde, Wrath estava a ponto de explodir. Não pudera retornar ao apartamento de Beth na noite anterior.

E ela não aparecera de manhã.

O fato de que não tivesse ido podia significar duas coisas: ou algo tinha ocorrido, ou o estava evitando.

Consultou o relógio braile com as pontas dos dedos. Faltava muito tempo ainda para o pôr-do-sol.

Malditos dias de verão. Longos demais. Longos de verdade.

Foi até o banheiro, passou uma água no rosto, e apoiou os braços sobre a bancada de mármore. À luz da vela colocada perto da pia, olhou-se fixamente, nada mais vendo do que uma mancha indistinta de cabelo negro, dois traços no lugar das sobrancelhas e o contorno de seu rosto.

Estava exausto. Não pregara os olhos o dia todo, e a noite anterior tinha sido como um choque de trens.

A não ser pela parte com Beth. Aquilo fora...

Praguejou e entregou os pontos.

Que diabos estava acontecendo com ele? Ter estado dentro daquela fêmea fora o pior de tudo o que havia suportado na noite anterior. Graças àquele pequeno e estupendo interlúdio, sua mente estava dispersa, seu corpo, em perpétuo estado de excitação, e seu humor, péssimo. Pelo menos, ao último já estava acostumado.

A noite anterior havia sido um desastre total.

Depois de deixarem a reunião da Irmandade, Vishous e ele foram ao outro lado da cidade dar uma olhada na oficina mecânica. Estava muito bem trancada, e, depois de examinarem o exterior e forçarem a entrada, haviam chegado à conclusão de que já não era usada como centro de operações. Para começo de conversa, a decrépita construção era muito pequena, e não encontraram sequer um porão escondido. Além disso, o bairro não serviria a tais propósitos. Perto dali, havia duas lanchonetes abertas 24 horas, e uma delas era frequentada por policiais. Estariam muito expostos.

Vishous e ele estavam voltando para a casa de Darius, com direito a uma rápida parada no Screamer's para satisfazer o desejo de V. de tomar uma dose de uísque Grey Goose, quando encontraram um problema.

A partir daí, as coisas só pioraram.

Em uma viela, um vampiro civil se encontrava gravemente ferido, com dois *redutores* junto a ele dispostos a terminar o trabalho. Matar os *redutores* levou algum tempo, porque ambos eram experientes. Quando a luta terminou, o outro vampiro já estava morto.

Haviam se divertido cruelmente com o macho jovem, seu corpo mais parecia uma almofada de alfinetes coberto de punhaladas pouco profundas. A julgar pelos arranhões nos joelhos e a sujeira nas palmas das mãos, havia tentado fugir várias vezes, arrastando-se. Havia sangue humano fresco ao redor de sua boca e o cheiro daquele sangue também pairava no ar, mas não puderam ficar para examinar a fêmea que o jovem havia mordido. Tinham companhia.

Imediatamente após os *redutores* mortos se desintegrarem, ouviu-se o som estridente das sirenes da polícia, o que significava que alguém chamara o 911 ao escutar a briga ou ver os flashes de luz. Só tiveram tempo de colocar o cadáver no carro de Vishous e partir a toda velocidade.

Na casa de Darius, V. examinou o corpo. Na carteira do macho havia uma tira de papel com caracteres no antigo idioma. Nome, endereço, idade; sua transição ocorrera há apenas seis meses. Como era jovem!

Uma hora antes do amanhecer, levaram o corpo até os arrabaldes da cidade, para uma bela casa situada no bosque. Um casal de vampiros idosos atendeu à porta, e seu patente terror ao encontrar do outro lado dois guerreiros deixou Wrath muito aborrecido. Quando confirmaram que tinham um filho, Vishous retornou ao automóvel e recolheu os restos. O pai saiu correndo em direção ao filho morto e o tomou dos braços de Vishous, enquanto Wrath segurava a mãe, que desmaiara.

O fato de que aquela morte houvesse sido vingada tranquilizara um pouco o pai. Mas não parecia ser suficiente, não para Wrath.

Queria ver todos os *redutores* mortos antes de finalmente descansar.

Wrath fechou os olhos, escutando a batida do Álbum Negro de Jay-Z, tentando esquecer os acontecimentos da noite anterior.

Uma batida ritmada na porta sobrepujou a música, e ele abriu a porta com a força da mente.

– O que aconteceu, Fritz?

O mordomo entrou com uma bandeja de prata.

– Tomei a liberdade de lhe preparar algo para comer, amo.

Fritz depositou a bandeja na mesa diante do sofá. Quando ergueu a tampa da travessa, Wrath sentiu o cheiro de frango e ervas finas.

Então, deu-se conta de que estava faminto.

Foi até o sofá, sentou-se, e pegou um pesado garfo de prata. E observou a baixela.

– Cara, Darius curtia mesmo coisas caras, não é?

– Oh, sim, amo. Só o melhor para meu *princeps*.

O mordomo aguardou enquanto Wrath se concentrava em separar a carne dos ossos usando os talheres. Boas maneiras não eram o seu forte, e ele acabou segurando com os dedos a coxa de frango.

– O frango está do seu agrado, amo?

Wrath assentiu enquanto mastigava.

– Você é um cozinheiro muito bom.

– Alegro-me muito que tenha decidido ficar aqui.

– Não por muito tempo. Mas, não se preocupe, terá de quem cuidar – Wrath afundou o garfo em algo que parecia ser purê de batata. Era arroz, que se esparramou de seu prato. Praguejou enquanto tentava reunir uma parte com o dedo indicador. – E será muito mais fácil conviver com ela do que comigo.

– Prefiro cuidar do senhor. E amo, não prepararei arroz outra vez. Também me certificarei de, agora em diante, cortar a carne para o senhor. Não pensei nisso.

Wrath limpou a boca com um guardanapo de linho.

– Fritz, não perca seu tempo tentando me agradar.

O ancião deixou escapar uma leve risadinha.

– Darius tinha muita razão a seu respeito, amo.

– Por acaso ele dizia que sou um miserável filho-da-mãe? Sim, ele era muito perspicaz, isso é certo – Wrath caçou um pedaço de brócolis com o garfo. Diabos, ele odiava comer, especialmente com alguém olhando.

– Nunca consegui entender por que desejava tanto que eu viesse ficar aqui. Ninguém pode ficar tão desesperado por companhia a esse ponto.

– Era por sua causa.

Wrath entrecerrou os olhos atrás dos óculos escuros.

– Sério?

– Preocupava-se pelo senhor ser tão solitário. Vivendo sozinho, sem uma verdadeira companheira, sem um criado. Costumava dizer que seu isolamento era um castigo autoinfligido.

– Bem, não é – a voz de Wrath cortou o suave tom do mordomo –, e se quiser continuar aqui, deverá guardar suas teorias psicanalíticas para si, estamos conversados?

Fritz estremeceu como se tivesse levado um soco. Fez uma reverência e começou a se retirar do quarto.

– Minhas desculpas, amo. Foi grosseiro e inadequado de minha parte dirigir-me ao senhor como fiz.

A porta se fechou silenciosamente.

Wrath se recostou no sofá, segurando o garfo de Darius na mão.

Caramba! Aquele maldito criado tinha a capacidade de enlouquecer um santo. E ele não era solitário, nunca fora. A vingança era uma ótima companhia.

O Sr. X observava dois alunos lutarem. Tinham mais ou menos a mesma altura, dezoito anos e constituição física robusta, mas ele sabia quem iria vencer.

Como esperava, um deles deu um chute lateral rápido e forte, derrubando o oponente no tatame.

O Sr. X ordenou a finalização do combate, nada mais disse enquanto o vencedor estendia a mão e ajudava o perdedor a se levantar. Manifestações de cortesia eram irritantes, e sentiu vontade de castigar a ambos.

A primeira regra da Sociedade era clara: aquele a quem derrubar no chão, deve ser chutado até que deixe de se mover. Simples assim.

Embora aquela fosse uma aula, não o mundo real. E os pais que permitiam que seus filhos chafurdassem em violência certamente teriam algo a dizer se suas preciosas crianças chegassem em casa prontos para serem enterrados.

Quando os dois alunos se inclinaram diante dele, o rosto do perdedor estava intensamente vermelho, e não só por causa do exercício. O Sr. X deixou que a classe o olhasse, sabendo que a vergonha e a confusão eram partes importantes do processo corretivo.

Cumprimentou com a cabeça o vencedor.

– Bom trabalho; entretanto, na próxima vez, derrube-o mais rápido, está certo? – virou-se para o perdedor e olhou-o da cabeça aos pés, notando a respiração entrecortada e o tremor nas pernas.

– Já sabe o que fazer.

O perdedor piscou rapidamente enquanto caminhava para a parede de cristal que dava para o vestíbulo. Como lhe tinha sido ordenado, parou diante dos painéis transparentes, com a cabeça erguida para que todos os que entravam no edifício pudessem ver seu rosto. Se enxugasse as lágrimas que lhe escorriam pelas bochechas, teria de repetir o castigo durante a próxima sessão.

O Sr. X separou a classe e começou a lhes indicar os exercícios. Observou-os, corrigindo posturas e posições dos braços, mas sua mente estava longe.

A noite anterior não saíra conforme o planejado. Ao contrário, ficara bem longe disso.

Quando voltou para casa, soube pela frequência da polícia quando o corpo da prostituta foi achado, pouco depois das três da madrugada. Não havia menção alguma ao vampiro. Talvez os *redutores* o tivessem levado dali para se divertirem com ele.

Era uma pena que as coisas não tivessem saído como esperava, e desejava repetir a experiência. Usar como isca uma fêmea humana assassinada recentemente, dera certo. Mas os dardos tranquilizantes tinham de ser melhor calibrados. Havia começado com uma dose relativamente baixa. Não queria matar o civil antes de lhe extrair informação. Mas ficara claro que tinha de aumentar a quantidade da droga.

Naquela noite, entretanto, estaria ocupado.

O Sr. X dirigiu o olhar para o perdedor.

Teria de se dedicar ao recrutamento. As fileiras precisavam ser recompostas devido à perda daquele recruta novo, duas noites antes.

Séculos atrás, quando havia um número muito maior de vampiros, a Sociedade contava com centenas de membros, espalhados por todo o continente europeu e também nos novos assentamentos da América do Norte. Entretanto, agora que a população de vampiros havia sido reduzida, o mesmo acontecera com a Sociedade. Era uma questão de praticidade. Um *redutor* entediado e inativo não era coisa conveniente. Escolhidos especificamente por seu apetite para a violência, seus impulsos assassinos não podiam simplesmente ser congelados por falta de alvos suficientes. Fora preciso exterminar alguns deles por matarem outros *redutores* competindo por superioridade, uma resposta agressiva que tendia a acontecer se havia pouco trabalho. Ou, pior ainda: começavam a matar seres humanos por esporte.

Se o primeiro problema era uma desgraça, uma inconveniência, o segundo era inaceitável. Não que Ômega se preocupasse com as baixas humanas. Ao contrário. Mas agir com discrição, mover-se entre as sombras, matar rapidamente e voltar para a obscuridade eram os princípios dos caçadores de vampiros. Chamar a atenção dos humanos era ruim, e nada mexia mais com o *Homo sapiens* do que um punhado de pessoas mortas.

Essa era também uma das razões pelas quais o recrutamento de novos membros podia ser complicado. Tendiam a ter mais ódio do que objetivos. Um período de adaptação era de vital importância, para que a natureza secreta da guerra travada desde tempos imemoriais entre os vampiros e a Sociedade pudesse ser preservada.

Mesmo assim, as fileiras precisavam de reposição.

Olhou de novo para o perdedor e sorriu, aguardando com ansiedade o cair da noite.

Pouco antes das sete, o Sr. X dirigiu até os subúrbios, onde não teve dificuldade para localizar o número 3.461 da rua Pillar. Estacionou o Hummer e esperou, matando o tempo memorizando os detalhes da casa. Arquitetura típica da região central dos Estados Unidos. Uma construção maciça situada no centro de um pequeno terreno com uma única árvore grande. Os vizinhos estavam próximos o bastante para lerem os dizeres das caixas de cereal das crianças pela manhã e os rótulos das latas de cerveja dos adultos à noite.

Uma vida simples e feliz. Pelo menos, vista de fora.

A porta de tela se abriu, e o perdedor da aula daquela tarde saltou para fora como se estivesse abandonando um barco que afundava. Logo em seguida, surgiu a mãe, que se deteve um pouco no primeiro degrau e olhou o veículo estacionado diante da casa como se fosse uma bomba prestes a explodir.

O Sr. X baixou o vidro da janela e acenou. Após um instante, ela devolveu a saudação.

O perdedor entrou no Hummer, e seus olhos brilharam de cobiça ao examinar os bancos de couro e os indicadores do painel.

– Boa noite – disse o Sr. X enquanto pressionava o acelerador.

O garoto fez um movimento desajeitado e inclinou a cabeça.

– *Sensei.*

O Sr. X sorriu.

– Alegro-me que estivesse disponível.

– Sim, bem, minha mãe é um pé-no-saco – o perdedor estava tentando aparentar frieza, acentuando as palavras de desprezo.

– Não deveria falar dela desse modo.

O garoto sentiu-se confuso momentaneamente, obrigado a reconsiderar sua intenção de aparentar ser durão.

– Ah, quer que eu volte para casa às onze. É dia de semana, e tenho de trabalhar pela manhã.

– Vamos nos certificar de obedecer, então.

– Aonde vamos?

– Ao outro lado da cidade. Há alguém que quero que conheça.

Um pouco mais tarde, o Sr. X enveredou com o carro por um longo caminho que serpenteava entre árvores e esculturas de mármore de aspecto antigo. Havia também arbustos ornamentais, que lembravam figuras decorativas em cima de um bolo de marzipã verde: um camelo, um elefante, um urso. A poda havia sido realizada por um profissional, os animais representados não geravam dúvidas.

Por falar em manutenção, pensou o Sr. X.

– Uau! – o perdedor virava a cabeça de um lado para o outro. – O que é isso? Um parque? Veja aquilo! É um leão. Sabe? Acho que quero ser veterinário. Seria muito legal. Sabe? Salvar animais.

O garoto estava no veículo há menos de vinte minutos, e o Sr. X já não o aguentava mais. E não só porque dissesse, constantemente, "sabe?". Aquele tipo era como nata no leite: um inconveniente que dava vontade de cuspir.

Ao saírem de uma curva, uma grande mansão de tijolos foi avistada.

Billy Riddle estava do lado de fora, apoiado contra uma coluna branca. Sua calça jeans estava ligeiramente caída na cintura, revelando a tira elástica de sua cueca, e brincava com um chaveiro na mão, fazendo-o girar. Endireitou-se quando viu o Hummer, e sorriu, retesando a atadura no nariz.

O perdedor voltou para sua posição inicial no banco do carro.

Billy se dirigiu para a porta dianteira do passageiro, movendo com facilidade seu corpo musculoso. Quando viu o garoto sentado ali, franziu o semblante, cravando nele um olhar feroz. O perdedor soltou o cinto de segurança e procurou a maçaneta.

– Não – disse o Sr. X – Billy se sentará atrás de você.

O jovem voltou a se recostar no assento, mordendo o lábio.

Ao perceber que o perdedor não saiu do lugar, Billy abriu com um puxão a porta de trás e entrou. Procurou os olhos do Sr. X no espelho retrovisor, e a hostilidade se transformou em respeito.

– *Sensei.*

– Olá, Billy, como vai?

– Bem.

– Que bom, muito bem. Faça o favor de suspender a calça.

Billy ajeitou a cintura do jeans enquanto seus olhos se moviam para a nuca do perdedor. Parecia que tinha vontade de abrir um buraco nela e, a julgar por seus dedos crispados, o perdedor tinha consciência disso.

O Sr. X sorriu.

Química é tudo, pensou.

Capítulo 12

Beth se recostou na cadeira, espreguiçando os braços. A tela de seu computador brilhava.

A Internet era mesmo uma mão-na-roda!

De acordo com o resultado da busca que havia efetuado, o número 816 da avenida Wallace pertencia a um homem chamado Fritz Perlmutter. Havia comprado a propriedade em 1978 por pouco mais de 200 mil dólares. Quando procurou no Google o sobrenome Perlmutter, encontrou várias pessoas com a inicial F, mas nenhuma delas vivia em Caldwell. Após checar alguns bancos de dados oficiais e não encontrar nada que valesse a pena, pediu a Tony que empregasse seu talento hacker.

Descobriu que Fritz era um cidadão de bem, obediente às leis. Seu nome era limpo. Nunca tivera problemas com o imposto de renda ou com a polícia. Nunca se casara. Era cliente preferencial do banco local, o que significava que tinha muito dinheiro. Isso foi tudo o que Tony pôde apurar.

Fazendo cálculos, concluiu que o senhor Perlmutter devia ter cerca de setenta anos.

Por que diabos alguém como ele estaria envolvido com seu bandoleiro noturno?

Talvez o endereço fosse falso.

Oh, não diga! Um tipo vestido de couro negro armado até os dentes dando informação falsa? Quem diria?

Mesmo assim, o número 816 da Wallace e Fritz Perlmutter eram tudo que tinha.

Repassando os arquivos do *Correio de Caldwell*, encontrara algumas referências sobre a casa. A mansão constava do registro nacional de lugares históricos como um extraordinário exemplo do estilo federal, e havia algumas histórias e matérias sobre as obras que se realizaram nela imediatamente depois que o senhor Perlmutter a adquiriu. Evidentemente, a associação histórica local havia tentado durante anos visitar a casa para ver o que fora alterado, mas o senhor Perlmutter havia negado todas as solicitações. Nas cartas ao editor, a irada frustração que mostravam os amantes da história se misturava com uma aprovação a contragosto pela perfeição das restaurações efetuadas na fachada.

Enquanto relia uma das matérias, Beth mastigou um antiácido, reduzindo-o a um pó que lhe preencheu os espaços dos molares. O estômago voltara a incomodar e ela estava faminta – grande combinação.

Talvez a causa disso fosse frustração. Basicamente, estava na estaca zero.

E o número de celular que o homem lhe havia dado? Impossível de rastrear.

Diante daquele vazio de informação, encontrava-se ainda mais decidida do que antes a se manter afastada da avenida Wallace. E sentia uma vaga necessidade de se confessar.

Consultou o relógio. Eram quase sete.

Como estava com fome, decidiu comer. Melhor pular a parte da ave-maria e buscar alimento para o físico, não para o espírito.

Inclinando-se, espiou além do painel que separava seu cubículo dos outros. Tony já fora embora.

A verdade é que não queria ficar sozinha.

Seguindo um absurdo impulso, pegou o telefone e ligou para a delegacia.

– Ricky? É Beth. O detetive O'Neal está por aí? Bem, obrigada. Não, nenhum recado. Não, eu... Por favor, não o contate. Não é nada importante.

Na mesma. *Bonzão* não era realmente a companhia descomplicada que estava procurando.

Ficou olhando seu relógio de pulso, hipnotizada pelo movimento do ponteiro dos segundos. A noite se estendia à sua frente como uma corrida de obstáculos: tinha de ser capaz de suportar e vencer aquelas horas.

De preferência, bem rápido.

Talvez comer qualquer coisa e depois ver um filme. Algo para adiar a volta para casa. Pensando bem, provavelmente seria mais sensato passar a noite em um hotel. No caso de o homem voltar a procurá-la.

Acabara de desligar o computador quando seu telefone tocou. Mal chegou a soar duas vezes e ela já o atendeu.

– Soube que você estava me procurando.

Pensou que a voz de Butch O'Neal era áspera como um caminho de pedrinhas – no bom sentido.

– Hum. Sim – jogou o cabelo para trás, por cima dos ombros. – Ainda está livre para jantar?

Sua risada retumbou profundamente.

– Passo aí no jornal em quinze minutos.

Desligou antes que ela pudesse fazer algum comentário indiferente, tirando a importância daquela saída.

Depois que o sol se pôs, Wrath entrou na cozinha, levando a bandeja de prata com os restos de sua refeição. Ali, como no resto da casa, tudo era da melhor qualidade. Eletrodomésticos de aço inoxidável, armários por toda volta, bancada de granito e muitas janelas.

Iluminada demais.

Fritz estava na pia, esfregando alguma coisa. Olhou por cima do ombro.

– Amo, não havia necessidade de trazer isso.

– Havia sim.

Wrath colocou a bandeja sobre a bancada e se apoiou nos braços.

Fritz fechou a torneira.

– Deseja alguma coisa?

Bom, para começar, gostaria de não ser tão estúpido.

– Fritz, seu trabalho aqui é estável. Queria que soubesse.

– Obrigado, amo – a voz do mordomo era muito tranquila. – Não sei o que faria se não tivesse alguém a quem cuidar. E considero este lugar como meu lar.

– E é. Durante o tempo que quiser.

Wrath se virou e dirigiu-se para a porta. Estava quase fora da cozinha quando ouviu Fritz dizer:

– Este também é seu lar, amo.

Ele sacudiu a cabeça.

– Já tenho um lugar para dormir. Não preciso de outro.

Wrath entrou no vestíbulo, sentindo-se particularmente feroz. Esperava que Beth estivesse viva e bem. Do contrário, Deus tivesse piedade de quem lhe tivesse feito mal.

E se havia decidido evitá-lo? Isso não importava. O corpo dela estava prestes a precisar de algo que só ele podia lhe proporcionar. Então, mais cedo ou mais tarde, teria de procurá-lo, ou morreria.

Pensou na pele macia de seu pescoço. Recordou a sensação de sua língua acariciando-lhe a veia que saía do coração.

Suas presas se alongaram como se ela estivesse ali na sua frente. Como se pudesse cravar seus dentes nela e beber.

Wrath fechou os olhos quando seu corpo começou a se agitar. Seu estômago, embora cheio de alimento, converteu-se em um dolorido poço sem fundo.

Tentou se lembrar quando fora a última vez que se alimentara. Havia sido há tanto tempo assim?

Obrigou-se a se acalmar, a se controlar. Era como tentar reduzir a velocidade de um trem com um freio de mão, mas, finalmente, uma refrescante corrente de sensatez substituiu os violentos impulsos de sua ânsia por sangue.

Quando voltou para a realidade, sentia-se irrequieto, seus instintos clamavam por satisfação.

Aquela fêmea era perigosa para ele. Se o afetava daquela forma sem ao menos estar por perto, podia perfeitamente ser sua *perdição*.

Seu detonador, por assim dizê-lo. Sua via expressa para a autodestruição.

Wrath passou a mão pelo cabelo. Que maldita ironia que a desejasse como a nenhuma outra fêmea.

Mas, talvez, não fosse ironia alguma. Talvez fosse precisamente assim que a *perdição* operasse. A atração pelo que podia aniquilá-lo facilitava a destruição.

Afinal de contas, que tipo de diversão haveria se nos fosse possível controlar com facilidade a "granada de mão" que trazemos em nosso interior?

Diabos. Precisava tirar Beth de sua responsabilidade, e rápido. Assim que passasse pela transição, iria destiná-la a um macho apropriado – um civil.

Involuntariamente, veio-lhe à mente a imagem do corpo ensanguentado do jovem macho abatido na noite anterior.

Como diabos podia um civil ser capaz de mantê-la a salvo?

Não tinha resposta para isso. Mas, que outra opção existia? Não podia ficar com ela.

Talvez pudesse entregá-la a um dos membros da Irmandade.

Sim, e a quem do grupo haveria de escolher? Rhage? Ela seria apenas mais uma em seu harém; ou pior ainda, talvez ele a confundisse com uma refeição! V., com todos seus problemas?

Zsadist?

Acreditava, de fato, que poderia suportar que um de seus guerreiros se deitasse com ela?

Não mesmo.

Como estava exausto!

Vishous se materializou diante dele. Naquela noite, estava sem o gorro do Red Sox, e Wrath pôde distinguir tenuemente as complexas marcas ao redor de seu olho esquerdo.

– Encontrei o tal do Billy Riddle – V. acendeu um de seus charutos, sustentando-o firmemente com seus dedos enluvados. Ao expelir a fumaça, a fragrância de tabaco turco perfumou o ar. – Foi detido há quarenta e oito horas por agressão sexual. Mora com o pai, que é um senador.

– Que currículo...

– Pois é. Tomei a liberdade de fazer algumas investigações. O rapaz aprontou quando era menor de idade e tudo foi abafado: violência, agressões sexuais. Imagine o estrago para a imagem pública do papai agora que seu rebento fez dezoito anos: tudo que Billy fizer daqui para frente ficará na sua ficha.

– Tem seu endereço?

– Sim – Vishous riu de orelha a orelha. – Vai dar uma lição no cara?

– Você leu meu pensamento.

– Então, vamos.

Wrath sacudiu a cabeça.

– Mais tarde, eu me encontro aqui com você e os outros Irmãos. Mas, antes, preciso resolver um assunto.

Pôde sentir que os olhos de V. se aguçavam, o perspicaz intelecto do vampiro tirava conclusões. Entre os membros da Irmandade, Vishous era o cérebro mais privilegiado, mas pagara caro por isso.

Wrath tinha seus próprios demônios, que não eram nada fáceis, mas não gostaria de estar no lugar de Vishous. Prever o futuro era um fardo terrível.

V. deu uma tragada no charuto e soltou a fumaça lentamente.

– Ontem à noite sonhei com você.

Wrath ficou tenso. Já esperava algo assim.

– Não me conte, Irmão. Sério, não quero saber.

O vampiro concordou.

– Só quero que se lembre de uma coisa, falou?

– Diga.

– Dois guardiões torturados combaterão entre si.

Capítulo 13

– O jantar foi ótimo – disse Beth quando Butch parou diante de seu edifício.

Ele concordou plenamente. Ela era inteligente, divertida e linda. E se ele passava dos limites, sempre o colocava no lugar dele com delicadeza.

Também era incrivelmente sensual.

Estacionou o carro junto à calçada, mas não desligou o motor. Imaginou que se girasse a chave na ignição pareceria que desejava ser convidado para entrar.

E era exatamente o que desejava, é claro. Mas não queria que ela se sentisse sem jeito caso não desejasse a mesma coisa.

Não é que ele estava se tornando um bom menino?

– Parece surpresa por ter se divertido – disse ele.

– Tenho de reconhecer que estou um pouco, sim.

Butch correu os olhos sobre ela, começando pelos joelhos, que apareciam ligeiramente abaixo da barra da saia. Sob a tênue iluminação do painel, podia distinguir a adorável silhueta de seu corpo, seu longo e delicioso pescoço, seus lábios absolutamente perfeitos. Queria beijá-la ali mesmo, sob aquela suave luz, no assento dianteiro de seu carro de patrulha disfarçado, como se fossem dois adolescentes.

E também queria acompanhá-la ao interior de seu apartamento. E não sair de lá até a manhã seguinte.

– Obrigada – disse ela, lançando-lhe um sorriso e estendendo a mão para abrir a porta.

– Espere.

Moveu-se rápido para que ela não tivesse tempo de pensar e tampouco ele. Segurou-lhe o rosto com as mãos e a beijou.

Wrath se materializou no pátio traseiro do apartamento de Beth e sentiu toda a pele pinicar.

Ela estava por perto, mas as luzes de seu apartamento estavam apagadas. Seguindo um palpite, contornou o edifício. Havia um *sedan* comum estacionado em frente dele. Ela estava no interior do veículo.

Wrath se dirigiu até a calçada e, como se estivesse apenas passeando entre as sombras, passou ao lado do carro.

Parou de chofre.

Seus olhos inúteis funcionaram suficientemente bem para lhe indicar que um sujeito a tinha entre os braços. Como se o potente desejo sexual do macho humano não o tivesse delatado.

Pelo amor de Deus, podia cheirar a luxúria daquele filho-da-mãe através dos vidros e do aço do *sedan*.

Wrath deu um passo para frente. Seu primeiro instinto foi arrancar a porta do carro e matar o desgraçado que estava colocando as mãos em cima dela, tirá-lo dali e rasgar-lhe a garganta.

Mas, no último segundo, conteve-se e fez força para retornar à escuridão.

Filho-da-mãe. Via tudo vermelho, de tão alterado que estava.

Que outro macho estivesse beijando aqueles lábios, sentindo seu corpo sob suas mãos...

Um rosnado gutural vibrou através de seu peito e saiu pela boca.

Ela é minha.

Praguejou. Em que universo paralelo estava vivendo? Ela era sua responsabilidade temporária, não sua *companheira*. Podia estar com quem quisesse. Onde quisesse. Quando quisesse.

Mas, a ideia de que ela pudesse realmente gostar do que aquele cara estava fazendo, que pudesse preferir o sabor daquele beijo humano, era suficiente para fazer suas têmporas latejarem.

Bem-vindo ao maravilhoso mundo do ciúme, pensou. *Pelo preço de sua entrada, ganhe também uma maldita dor de cabeça, um desejo quase irresistível de cometer um assassinato, e um complexo de inferioridade.*

Oba.

Como estava louco para recuperar sua vida! No segundo em que ela concluísse sua transição, ele partiria da cidade. E fingiria que nunca havia conhecido a filha de Darius.

Butch O'Neal sabia beijar.

Seus lábios eram firmes, mas deliciosamente macios. Sem entrar de sola, mas suficientemente enfático para lhe mostrar que estava pronto para levá-la para cama e não brincaria em serviço.

E cheirava muito gostoso de perto, um misto de loção pós-barba e roupa recém-lavada. Colocou as mãos em torno dos ombros dele. Eram largos e fortes sob suas palmas, e seu corpo arqueava-se todo para ela. Era pura energia reprimida, e naquele instante desejou sentir-se atraída por ele. Sinceramente.

Só que não conseguia sentir aquele doce arrebatamento do desespero, aquela fome selvagem que havia sentido na noite anterior com... Que hora para pensar em outro homem!

Quando Butch se separou dela, havia certa melancolia em seus olhos.

– Não está rolando para você, não é?

Ela deu uma risadinha. Aquele era o *Bonzão* que conhecia. Franco e direto, como sempre.

– Beija muito bem, O'Neal, não resta dúvida. Então, não se trata de falta de técnica.

Ele retornou ao seu lugar e sacudiu a cabeça.

– Muito obrigado por isso.

Mas não parecia terrivelmente ferido.

E, pensando melhor naquilo tudo, estava contente por não ter havido faíscas da parte dela. Se tivesse gostado dele, se tivesse querido ficar com ele, acabaria magoada. Tinha certeza disso. Em dez anos, se durasse tanto, ele teria sucumbido ao estresse, ao horror e à tristeza que seu trabalho acarretava. Aquilo já começara a devorá-lo vivo. A cada ano a ferida se aprofundava mais, e ninguém – ninguém mesmo – conseguiria salvá-lo.

– Não precisa exagerar, Randall – disse ele –, já é bastante ruim saber que não deixo você ligada. Mas esse ar de compaixão em seu rosto me tira do sério.

– Sinto muito – sorriu para ele.

– Posso lhe fazer uma pergunta?

– Claro.

– Qual é a sua em relação aos homens? Você... você gosta deles? Quer dizer, de nós, os homens?

Ela riu, pensando no que havia feito na noite anterior com aquele estranho. O questionamento sobre sua inclinação sexual já fora respondida categoricamente.

– Sim, curto homens.

– Alguém machucou você? Sabe, no sentido de magoá-la?

Beth negou com a cabeça.

– É algo que prefiro manter em segredo.

Ele baixou a vista para o volante, percorrendo a circunferência com a mão.

– Definitivamente, é uma pena. Porque você é maravilhosa. Sério – pigarreou, como se estivesse se sentindo desconfortável.

Um sentimental. Quem diria, no fundo, *Bonzão* não passava de um sentimental.

Num impulso, inclinou-se e beijou-o na bochecha.

– Você também é fantástico.

– Tá, sei – lançou-lhe seu característico sorriso zombeteiro –, agora, trate de entrar. É tarde.

Butch observou-a contornar o carro, passando diante dos faróis acesos, o cabelo balançando sobre os ombros.

Era realmente maravilhosa, pensou. Uma mulher e tanto.

E, cara, era lógico que ela conhecia a sina dele. Aquele olhar triste de agora há pouco significava que sabia que estava fadado a uma morte precoce.

De modo que era até bom que não houvesse química da parte dela. Do contrário, poderia tentar fazê-la se apaixonar por ele só para não ficar sozinho naquele inferno.

Moveu a alavanca de marchas, mas manteve o pé no freio enquanto ela subia a escada até o vestíbulo. Estava com a mão na porta e acenava para ele, quando algo se moveu entre as sombras ao lado do edifício.

Desligou o veículo rapidamente.

Havia um homem vestido de negro dirigindo-se ao pátio traseiro.

Butch saiu do carro e correu para lá silenciosamente.

Capítulo 14

Wrath estava concentrado unicamente em chegar até Beth. Por isso, não percebeu que o homem o seguia até que houvesse atravessado metade do pátio.

– Polícia! Alto!

Então, ouviu claramente o som familiar da arma sendo engatilhada em sua direção.

– Coloque as mãos onde eu possa vê-las!

Wrath sentiu o cheiro do homem e sorriu. A luxúria fora substituída por agressividade, e o desejo de lutar era tão forte como havia sido antes o desejo sexual. O cara estava com a corda toda.

– Eu disse mãos para cima!

Wrath parou e procurou na jaqueta uma de suas estrelas. Tira ou não, eliminaria aquele humano com um bom corte na artéria.

Mas, então, Beth abriu a porta corrediça.

Ele a farejou no ato, sentindo seu pênis enrijecer instantaneamente.

– As mãos!

– O que está acontecendo? – quis saber Beth.

– Volte para dentro – bradou o humano. – As mãos, cretino! Ou abrirei um buraco na sua cabeça!

A essa altura, o policial se encontrava a poucos metros de distância e se aproximava rapidamente. Wrath ergueu as palmas das mãos. Não iria matar na frente de Beth. Além disso, aquela pistola estaria colada nele em questão de três segundos. E nem ele seria capaz de sobreviver a um disparo à queima-roupa.

– O'Neal...

– Beth, quer sair daqui, caramba?

Uma pesada mão segurou com força o ombro de Wrath. Ele deixou que o tira o empurrasse contra o edifício.

– Quer me dizer o que está fazendo perambulando por aqui? – ordenou o humano.

– Saí para passear – disse Wrath –, e você?

O policial agarrou primeiro um braço de Wrath e depois o outro, e os puxou para trás. Algemou-o rapidamente. O cara tinha muita prática com aqueles aros metálicos.

Wrath olhou para Beth. Pelo que conseguia ver, tinha, diante do peito, os braços cruzados com força. O medo espessava o ar à sua volta, convertendo-o em um manto que a cobria da cabeça aos pés.

Que beleza de situação, pensou. Ela estava morrendo de medo dele novamente.

– Não olhe para ela – disse o policial, empurrando o rosto do Wrath para a parede.

– Como se chama?

– Wrath – respondeu Beth –, disse-me que se chamava Wrath.

O humano praticamente rosnou para ela:

– Você tem algum problema de audição, doçura? Fora daqui!

– Também quero saber quem ele é.

– Darei a porra de um relatório por telefone amanhã pela manhã, valeu?

Wrath grunhiu. Não podia negar que fazê-la entrar era uma ideia excelente, mas não gostava da forma como o policial estava falando com ela.

O humano revistou os bolsos da jaqueta de Wrath e começou a confiscar-lhe as armas: três estrelas ninja, uma navalha automática, uma pistola, uma corrente.

– Pela madrugada! – murmurou o policial, enquanto deixava cair os elos de aço no chão, com o restante das armas. – Tem alguma identificação? Ou não deixou espaço suficiente para levar uma carteira, considerando que carrega cerca quinze quilos de armas escondidas?

Quando o policial encontrou um grosso maço de dinheiro, praguejou novamente.

– Vou encontrar drogas também, ou já vendeu tudo hoje?

Wrath deixou-se virar. Enquanto suas duas adagas eram tiradas do coldre, encarou o policial, pensando como iria ser gostoso rasgar aquele pescoço grosso com os dentes. Inclinou-se para frente, primeiro a cabeça; não pôde evitá-lo.

– O'Neal, cuidado! – disse Beth, como se houvesse lido a mente dele.

O policial pressionou o cano da pistola contra o pescoço do Wrath.

– Então, qual é o seu nome?

– Está me prendendo?

– Isso mesmo.

– Por quê?

– Deixe-me pensar. Invasão, posse de armas. Tem licença para portá-las? Aposto que não. Ah, e graças a essas estrelas de arremesso, também estou pensando em homicídio. Sim, acredito que isso é tudo.

– Homicídio? – sussurrou Beth.

– Seu nome? – exigiu saber o policial, olhando-o fixo.

Wrath sorriu ligeiramente.

– Você deve ser clarividente.

– Como é que é?

– Em relação ao homicídio – Wrath sorriu de novo, enquanto baixava o tom de voz. – Já viu um saco para cadáveres pelo lado de dentro, policial?

Cólera, pura e espumante, transbordou do policial.

– Não me ameace.

– Não é uma ameaça.

O gancho de esquerda chegou pelo ar tão rápido como uma bola de beisebol, e Wrath nada fez para evitá-lo. O grosso punho do policial o atingiu no queixo, balançando-lhe a cabeça para trás. A dor explodiu por todo o seu rosto.

– Butch! Pare!

Beth correu para eles, como se quisesse colocar-se entre ambos, mas o policial a manteve afastada segurando-a por um braço.

– Caramba, você é um pé-no-saco, heim?! Quer se machucar? – disse o humano, empurrando-a.

Wrath cuspiu sangue.

– Ele tem razão. Volte para dentro.

Porque a coisa estava ficando feia.

Para começar, ele não gostava do policial, devido à cena no carro que surpreendera um pouco antes. Mas se o cara se dirigisse a Beth outra vez naquele tom de voz, Wrath daria liberdade a todos os dentes do policial. E, *depois*, mataria aquele filho-da-mãe.

– Anda, Beth – disse ele.

– Cale-se! – gritou-lhe o policial.

– Vai me bater outra vez se não o fizer?

O policial o encarou, possesso.

– Não, vou atirar em você.

– Por mim, tudo bem. Eu gosto de feridas de bala – Wrath baixou o tom de sua voz. – Só que não na frente dela.

– Vá se danar.

Mas o policial cobriu as armas e o dinheiro jogando sua jaqueta sobre eles. Em seguida, agarrou Wrath pelo braço e começou a caminhar.

Beth sentiu uma espécie de náusea quando viu Butch arrastando Wrath.

O ódio entre os dois homens era quase palpável, de tão evidente. Embora Wrath estivesse algemado e sob a mira de uma pistola, ela não tinha muita certeza de que Butch estivesse em segurança. Tinha a sensação de que Wrath estava se deixando prender.

Mas Butch também deve ter consciência disso, pensou. *Do contrário, teria guardado sua arma em vez de pressioná-la na têmpora do prisioneiro.*

Sabia que Butch era duro com os criminosos, mas será que era louco o suficiente para matar um deles?

A julgar pela mortífera expressão em seu rosto, chegou à conclusão de que a resposta para tal questionamento era um sonoro *sim*. E talvez até saísse impune. Quem vive de forma perigosa acaba tendo um fim violento, a ferro mata, a ferro morre, e estava claro que Wrath não era um pacato cidadão, obediente às leis. Quem ficaria surpreso se fosse encontrado com uma bala na cabeça num beco qualquer, ou flutuando de barriga para baixo no rio?

Obedecendo a um impulso, ela correu e contornou o edifício.

Butch se dirigia para o carro como se levasse uma carga instável, e ela se apressou para alcançá-los.

– Espere. Preciso fazer uma pergunta a ele.

– Quer saber que número calça ou algo assim? – respondeu o policial, impaciente.

– Quarenta e seis – disse Wrath, devagar.

– Vou me lembrar disso no Natal, palhaço.

Beth bloqueou-lhes o caminho de tal forma que, ou eles paravam, ou passavam por cima dela. Encarou Wrath.

– Por que me procurou?

Poderia jurar que o olhar dele se suavizou por trás dos óculos escuros.

– Não queria que as coisas saíssem desse jeito.

Butch a empurrou com dureza.

– Tenho uma ideia. Por que você não me deixa fazer meu trabalho?

– *Não a toque* – rosnou Wrath.

– Sim, claro, vou fazer o que você mandar.

Butch o forçou a andar com um safanão.

Quando chegaram ao carro, o detetive abriu a porta de trás e empurrou para baixo o imponente corpo de Wrath.

– Quem é você? – gritou ela.

Wrath olhou para ela, com o corpo perfeitamente imóvel, apesar da pressão exercida nele por Butch.

– Seu pai me enviou – disse claramente. E, depois, sentou-se no banco traseiro.

Beth ficou sem ar.

Teve a vaga noção de que Butch bateu a porta e correu para o assento do motorista.

– Espere! – exclamou ela.

Mas o carro se colocou em movimento, deixando marcas de pneus no asfalto.

Capítulo 15

Pelo rádio, Butch pediu à central que enviasse alguém imediatamente ao pátio traseiro do edifício de Beth para recolher as armas e o dinheiro que deixara ocultos sob sua jaqueta. Enquanto dirigia, ficava com um olho na rua, outro no retrovisor. O suspeito também o olhava fixamente, com um sorrisinho no rosto mau. *Caraca, aquele cara era enorme!* Ocupava quase o banco traseiro inteiro e mantinha a cabeça meio abaixada para não bater no teto quando passavam por cima de algum buraco.

Butch mal via a hora de tirá-lo logo do carro. Menos de cinco minutos depois, saiu da rua Trade para entrar no estacionamento da delegacia e parou o veículo o mais próximo possível da entrada dos fundos. Desceu e abriu a porta traseira.

– Não me cause problemas, ouviu? – disse, agarrando o cara pelo braço.

O homem saiu do carro. Butch o empurrou.

Mas o suspeito começou a caminhar para trás, afastando-se da delegacia.

– Caminho errado.

O policial se deteve com firmeza, afundando os calcanhares no pavimento, e o empurrou outra vez com força.

Mas, de nada adiantou. O suspeito continuou avançando, arrastando Butch com ele.

– Acha que não vou atirar em você? – perguntou o detetive, pegando a arma.

De repente, a coisa toda mudou.

Butch nunca tinha visto alguém se mover tão rápido. Em um segundo, o sujeito tinha os braços presos atrás das costas; no outro, as algemas estavam no chão.

E, com total economia de movimentos, Butch foi desarmado, imobilizado com um braço em torno do pescoço e arrastado para as sombras.

A escuridão os engoliu. Enquanto Butch lutava para escapar, deu-se conta de que estavam no beco situado entre a delegacia e o edifício de escritórios vizinho. Era muito estreito, porém comprido. Não havia iluminação. Também não havia janelas.

Quando Butch foi virado e empurrado contra a parede de tijolos, o pouco ar que restara em seus pulmões escapou imediatamente. De maneira inconcebível, o homem o levantou do chão sustentando-o pelo pescoço com apenas uma mão.

– Não devia se intrometer, policial – rosnou o homem em tom grave, com um leve sotaque – Devia seguir seu caminho e deixar que ela venha comigo.

Butch tentava em vão se livrar daquele aperto férreo. Enquanto a enorme mão se mantinha fechada ao redor de sua garganta, sua vida se esvaía. Engasgou, desesperado por ar. Sua visão embaçou. Estava a ponto de perder a consciência.

Sabia, sem sombra de dúvidas, que não havia como escapar daquela situação. Deixaria o beco dentro de um saco. Exatamente como o homem lhe prometera.

Um minuto mais tarde, parou de resistir; seus braços caíram inertes e ficaram pendurados. Queria lutar. Vontade tinha para isso, mas não as forças.

E quanto à morte? Por ele, tudo bem, iria morrer cumprindo seu dever, embora bobamente, por não ter pedido reforços. Mesmo assim, era melhor e mais rápido do que acabar em uma cama de hospital com alguma enfermidade lenta e horrível. E mais honroso do que se suicidar com um tiro. Possibilidade que Butch já contemplara mais de uma vez.

Com seu último fôlego, esforçou-se para olhar o rosto do homem. A expressão dele era de absoluto controle.

Esse cara já fez isso antes, pensou Butch. *E está acostumado a matar.*

Meu Deus, Beth!

O que um homem como aquele faria a Beth?

Wrath sentiu que o corpo do policial se relaxava. Ainda estava vivo, mas não por muito tempo.

A ausência total de medo naquele humano era algo notável. O tira se exasperara por ter sido surpreendido, e se defendera de maneira admirável, mas, em nenhum momento sentira medo. E agora que se aproximava do fim, estava resignado. Talvez, até aliviado.

Maldição. Wrath podia se imaginar sentindo-se da mesma forma.

Que pena matar alguém capaz de morrer como um guerreiro. Sem medo nem hesitação. Havia muitos poucos machos como aquele, tanto vampiros como humanos.

A boca do policial começou a se mover. Estava tentando falar. Wrath se inclinou.

– Não... a... machuque.

O vampiro surpreendeu a si mesmo respondendo:

– Estou aqui para salvá-la.

– Não! – uma voz se ouviu na entrada do beco.

Wrath virou a cabeça. Beth corria para eles.

– Solte-o!

Afrouxou o apertão na garganta do policial. Não iria matá-lo na frente dela. Seu desejo de que ela confiasse nele era maior do que a vontade de despachar aquele cara ao encontro do Criador.

Enquanto Beth parava com uma derrapagem, Wrath abriu a mão, e o humano caiu no chão. Uma respiração ofegante misturada a penosos engasgos soou entre as sombras.

Beth ajoelhou-se ao lado do policial e olhou para cima.

– Você quase o matou!

Wrath praguejou, sabendo que precisava sair imediatamente. Logo apareceriam outros policiais.

Olhou para o outro lado do beco.

– Aonde pensa que vai? – na voz de Beth transparecia toda a raiva que sentia.

– Quer que fique aqui para me prenderem de novo?

– Merece ser jogado numa cela!

Com esforço, o policial tentou se levantar, mas as pernas não o sustentavam. Mesmo assim, afastou as mãos de Beth quando ela quis ampará-lo.

Wrath precisava encontrar um canto escuro para poder se desmaterializar. Se Beth ficara tão impressionada pelo fato de que quase havia matado alguém, executar o número de desaparecimento na frente dela acabaria por aterrorizá-la por completo.

Virou-se e começou a se afastar. Não gostava da ideia de se separar dela, mas que outra coisa podia fazer? Se atirassem o matariam, e quem cuidaria dela? E não podia permitir que o prendessem. As celas tinham barras de aço, o que significava que quando amanhecesse não poderia se desmaterializar para se salvar. Diante de tais opções, se um bando de policiais tentasse prendê-lo naquele momento, teria de matá-los.

E, então, o que ela pensaria dele?

– Pare! – ela gritou.

Ele prosseguiu, e logo ouviu as passadas de Beth ressoando atrás de si, quando ela se aproximou correndo.

Olhou-a, frustrado com o modo como as coisas tinham se saído. Graças ao que fizera com seu amigo, ela estava com medo dele, e isso atrapalharia ainda mais sua responsabilidade de cuidar dela. Duvidava que houvesse tempo suficiente para conquistar-lhe novamente a confiança, de modo a querer segui-lo de boa vontade. O que significava que teria de recorrer à força quando a transição chegasse. E isso não seria divertido para nenhum dos dois.

Quando lhe sentiu o cheiro, soube que a hora da mudança se aproximava perigosamente.

Talvez devesse levá-la com ele naquele instante mesmo.

Wrath olhou em volta. Não podia jogá-la em cima do ombro ali mesmo, a poucos metros da delegacia. Muito menos na frente daquele maldito policial.

Não, teria de retornar pouco antes do amanhecer para raptá-la. E prendê-la no quarto de Darius, se preciso fosse. Era isso ou deixá-la morrer.

– Por que mentiu? – gritou Beth – Não conheceu meu pai.

– Sim, conheci.

– Mentiroso – disparou ela – Não passa de um assassino e de um mentiroso.

– Pelo menos, você acertou a primeira parte.

Os olhos dela se arregalaram, o horror refletido em seu rosto.

– Aquelas estrelas ninja... em seus bolsos. Você matou a Mary. Não foi?

Ele franziu o semblante.

– Nunca matei uma mulher.

– Então, também tenho razão quanto à segunda parte.

Wrath olhou para o policial, que ainda não se recuperara por completo, mas logo o faria.

Que droga, pensou. E se o tempo de Beth se esgotasse antes do amanhecer? O que aconteceria se fugisse e ele não pudesse encontrá-la?

Baixou o tom de voz:

– Anda sentindo muita fome ultimamente, não é?

Ela deu um passo para trás, sobressaltada.

– O quê?

– Fome, mas não ganhou peso. E está cansada. Muito cansada. Também sente ardência nos olhos, especialmente durante o dia, não? – inclinou-se para frente – Olha a carne crua e se pergunta que sabor terá. Seus dentes, os superiores dianteiros, doem. Assim como as articulações. E sua pele parece-lhe mais justa a cada dia.

Beth piscou, com a boca aberta.

Atrás dela, o policial tentou se levantar, cambaleou, e caiu sentado no chão, novamente. Wrath falou mais rápido:

– Sente que não se enquadra, não é? Como se todos os outros se movessem a uma velocidade diferente, mais lenta. Acredita que é anormal, diferente, isolada. Irrequieta. Sente que algo está para acontecer, algo monumental, mas não sabe o que é, nem como evitar. Fica acordada, pois teme seus sonhos; sente-se perdida em locais conhecidos – fez uma pausa – Sentia pouco ou nenhum impulso sexual, mas os homens a consideram incrivelmente atraente. Os orgasmos que teve ontem à noite foram os primeiros que experimentou.

Era tudo o que conseguia se lembrar sobre sua existência no mundo humano antes da própria transição.

Ela o olhava estupefata.

– Se quiser saber que diabos está acontecendo a você, precisa vir comigo, neste instante. Está a ponto de adoecer, Beth. E sou o único que pode ajudá-la.

Ela deu um passo para trás. Olhou para o policial, que parecia estar refletindo sobre as vantagens de permanecer deitado.

Wrath levantou as mãos.

– Não lhe farei mal algum. Prometo. Se quisesse matá-la, podia tê-lo feito ontem à noite, de dez maneiras diferentes, certo?

Ela virou a cabeça para ele, e Wrath fechou os olhos enquanto sentia que ela estava se lembrando exatamente do que ele lhe havia feito. O perfume de seu desejo saturou-lhe docemente o olfato antes de cessar de repente.

– Esteve prestes a matar Butch agora há pouco.

Na verdade, não estava muito seguro disso. Um bom oponente era coisa difícil de encontrar.

– Não matei.

– Poderia ter feito.

– Isso realmente importa? Ele ainda está respirando.

– Só porque eu cheguei.

Wrath grunhiu, e jogou a melhor carta que tinha:

– Levarei você à casa de seu pai.

Ela arregalou os olhos de surpresa e depois os apertou, desconfiada.

Voltou a olhar para o policial. Já havia se levantado e se apoiava na parede com a mão, com a cabeça pendendo, como se fosse muito pesada para o pescoço.

– Meu pai, hum? – sua voz estava encharcada de desconfiança. Mas também havia nela suficiente curiosidade, de modo que Wrath soube que a tinha ganhado.

– Estamos perdendo tempo aqui, Beth.

Houve um longo silêncio.

O policial erguera a cabeça e olhava para o beco.

Dentro de pouco tempo, iria tentar novamente efetuar a prisão. Sua determinação era visível.

– Estou indo – disse Wrath – Venha comigo.

Ela fechou o punho com força sobre a bolsa.

– Que fique bem claro: não confio em você.

Ele concordou.

– Por que deveria?

– E aqueles orgasmos não foram os primeiros.

– Então, por que ficou tão surpresa ao senti-los? – disse ele, com brandura.

– Rápido – murmurou ela, dando as costas para o policial – Podemos conseguir um táxi na Trade. Não pedi para o que me trouxe aqui esperar.

Capítulo 16

Enquanto corria pelo beco, Beth sabia que estava arriscando a vida. Havia o sério risco de que estivesse sendo enganada – por um assassino.

Mas como ele sabia tudo o que ela estava sentindo?

Antes de dobrar a esquina, virou-se para olhar Butch. Tinha uma mão estendida como se quisesse alcançá-la. Não pôde ver-lhe o rosto por causa da escuridão, mas seu desesperado desejo atravessou a distância que os separava. Ela hesitou, perdendo o ritmo de seus passos.

Wrath a agarrou pelo braço.

– Beth, vamos.

Que Deus a ajudasse, pois começara a correr de novo.

No instante em que saíram na Trade, acenou para um táxi que passava. Por sorte, ele parou. Entraram apressados, e Wrath deu um endereço que ficava a dois quarteirões de distância da avenida Wallace. Obviamente, uma manobra para despistar.

Deve fazer isso com frequência, pensou ela.

Quando o táxi arrancou, sentiu o olhar de Wrath pousado nela.

– Aquele policial – perguntou ele – significa algo para você?

Ela tirou o celular da bolsa e chamou o número da delegacia.

– Fiz uma pergunta – disse Wrath, com rispidez.

– Vá para o inferno – ao escutar a voz do Ricky, respirou fundo.

– Jose está por aí?

Não levou mais de um minuto para o encontrarem, e quando finalizou a chamada já estava de saída para ir procurar Butch. Jose não fizera muitas perguntas, mas ela sabia que viriam depois. Como iria explicar por que havia fugido com o suspeito?

Isso fazia dela uma cúmplice, não?

Beth guardou o celular na bolsa. Suas mãos tremiam e se sentia um pouco zonza. Também tinha dificuldade para recobrar o fôlego, embora o táxi tivesse ar condicionado. Abriu o vidro. Uma brisa quente e úmida agitou-lhe os cabelos.

O que havia feito com seu corpo na noite anterior, e com sua vida naquele momento?

O que faltava fazer? Colocar fogo em seu apartamento?

Odiava o fato de que Wrath colocara diante dela a única isca a qual não poderia deixar de seguir. Estava claro que era um criminoso. Isso a aterrorizava, e também que ele soubesse que lhe dera os primeiros orgasmos de sua vida, mas, mesmo assim, seu corpo se acendia de desejo só de pensar em como ele a beijara.

– Pode parar aqui – disse Wrath ao motorista, dez minutos mais tarde.

Beth pagou com uma nota de vinte dólares, pensando que tinham sorte por ela ter algum dinheiro consigo. O de Wrath, aquele enorme maço de notas, encontrava-se no chão de seu pátio traseiro, então, ele não tinha como pagar o trajeto.

Ainda não podia acreditar que estava indo para a casa daquele homem.

O táxi se afastou, e eles seguiram caminhando pela calçada perfeita de um bairro bem-cuidado e luxuoso. A mudança de cenário era absurda. Da violência naquele beco aos extensos gramados e canteiros de flores.

Podia apostar que as pessoas que viviam naquelas casas jamais haviam fugido da polícia.

Virou a cabeça para olhar Wrath, que caminhava uns poucos passos atrás dela. Examinava os arredores como se temesse algum ataque-surpresa, embora Beth não fizesse ideia de como era capaz de enxergar qualquer coisa com aqueles óculos escuros. Não entendia por que sempre estava com eles. Além de atrapalharem sua visão, facilitavam a sua identificação por serem muito característicos. Se alguém tivesse de descrevê-lo, seria capaz de fazê-lo de forma acurada em questão de segundos.

Embora seu longo cabelo negro e a enorme estatura já dessem conta do serviço.

Voltou a olhar para frente. As passadas ritmadas das botas dele atrás de si soavam como punhos fechados atingindo uma porta maciça.

– Então... o que me diz sobre o policial? – perguntou Wrath, com um tom de intimidade na voz grave. – É seu amante?

Beth por pouco não gargalhou. Meus Deus, parecia estar com ciúmes.

– Não vou responder a isso.

– Por quê?

– Porque não preciso. Não o conheço, não devo nada a você.

– Passou a me conhecer bem ontem à noite – disse ele, um tanto baixo. – E eu, a conhecer você *muito* bem.

Não vamos começar com isso agora, pensou ela, sentindo-se instantaneamente úmida entre as pernas. Por Deus, as coisas que aquele homem podia fazer com a língua.

Cruzou os braços diante do peito e ficou olhando uma casa em estilo colonial bem conservada. Luzes brilhavam através de várias das janelas, dando-lhe um ar convidativo e, de certo modo, familiar. Talvez porque a ideia de um lar acolhedor seja universal. E universalmente atraente.

Sentia vontade de passar uma semana inteira em uma delas.

– Ontem à noite foi um engano – disse.

– Não foi isso que me pareceu.

– Pois pareceu errado. Aliás, você *todo* parece errado.

Aproximou-se dela antes mesmo que lhe percebesse o movimento. Num instante, estava caminhando; no outro, estava entre seus braços. Uma de suas mãos a sustentou pela base da nuca. A outra pressionou seus quadris contra ele. Pôde sentir seu membro rijo.

Fechou os olhos. Cada centímetro de sua pele se encheu de vida, sua temperatura subiu. Odiava reagir assim a ele, mas, assim como o homem, não podia se controlar.

Esperou que sua boca descesse até a dela, mas ele não a beijou. Seus lábios deslizaram até sua orelha.

– Não confie em mim. Não goste de mim. Não me importo. Mas nunca *minta* para mim – inspirou o ar com força, como se fosse aspirá-la junto. – Posso sentir que exala sexo neste momento. Poderia deitá-la nesta calçada e meter-me por baixo de sua saia num piscar de olhos. E você não resistiria a mim, não é?

Não, provavelmente não o faria.

Porque era uma *idiota*. E, evidentemente, desejava morrer.

Os lábios dele roçaram o seu pescoço. Depois, passeou a língua ligeiramente sobre sua pele.

– Agora, podemos ser civilizados e esperarmos até chegar em casa. Ou podemos fazer aqui mesmo. De qualquer forma, estou louco para estar dentro de você outra vez, e sei que você não irá dizer não.

Beth segurou Wrath pelos ombros, através da jaqueta de couro. Devia afastá-lo, mas não o fez. Atraiu-o para ela, arqueando os seios contra o peito dele.

O macho deixou escapar um som alucinado, mistura de gemido de satisfação e profunda súplica.

Aha!, pensou ela, recuperando parte de suas forças.

Interrompeu o contato deles com uma sinistra satisfação.

– A única coisa que torna essa terrível situação remotamente tolerável é o fato de que você me deseja mais.

Ergueu o queixo com um movimento brusco e começou a caminhar. Podia sentir os olhos dele sobre seu corpo ao segui-la, como se a estivesse tocando com as mãos.

– Tem razão – disse ele –, mataria para tê-la.

Beth deu meia-volta, apontando-lhe o dedo.

– Então foi isso. Viu Butch e eu nos beijando no carro. Não é?

Wrath arqueou uma sobrancelha. Sorriu tenso, mas não respondeu.

– Por isso o atacou?

– Só resisti à prisão.

– Sim, foi o que pareceu – murmurou ela. – Então, foi isso? Você o viu me beijar?

Wrath cruzou a distância entre seus corpos, com ar ameaçador.

– Sim, vi. E *odiei* que a tocasse. Saber disso a excita? Quer me provocar dizendo que ele é melhor amante do que eu? Seria uma mentira, mas me doeria do mesmo jeito.

– Por que se importa tanto? – quis saber ela. – Você e eu passamos uma noite juntos. Sequer isso! Só algumas poucas horas.

O homem cerrou o maxilar. Ela soube que estava rangendo os dentes a julgar pelo movimento das maçãs do rosto. E alegrou-se por ele estar usando os óculos escuros. Tinha a impressão de que seu olhar a teria matado de medo.

Quando um carro passou pela rua, lembrou-se de que ele era um fugitivo da polícia e, tecnicamente, ela também. Que diabos estavam fazendo, discutindo na calçada... como namorados?

– Olhe, Wrath, não estou a fim de ser presa esta noite – alguma vez imaginou que tais palavras fossem sair de sua boca? – É melhor prosseguirmos, antes que alguém nos encontre.

Virou-se, mas ele a segurou firmemente pelo braço.

– Ainda não sabe – disse num tom lúgubre –, mas você é *minha*.

Por um segundo, ela oscilou em direção a ele.

Mas, depois, sacudiu a cabeça. Levou as mãos ao rosto, tentando apagar a visão dele de sua frente.

Sentia-se marcada de morte. Contudo, a coisa mais louca era que, na verdade, não se importava. Porque ela também o desejava.

O que fazia dela uma maluca de carteirinha.

Por Deus, precisava repassar novamente os últimos dois dias. Quem dera pudesse voltar atrás apenas quarenta e oito horas, e estar novamente sentada à sua mesa na redação, aturando Dick representar seu número habitual de chefe babão.

Faria duas coisas de maneira diferente. Em primeiro lugar, chamaria um táxi em vez de ir a pé para casa e, assim, jamais encontraria Billy Riddle. Em segundo, no instante em que entrasse no seu apartamento, meteria umas roupas na mala e passaria a noite em um hotel.

Dessa forma, quando aquele traficante conquistador trajando couro fosse procurá-la, não a encontraria.

Só queria a sua vidinha chata e patética de volta. O que soava tremendamente ridículo, pois, não fazia muito tempo, havia pensado que sair dela era a única maneira de se salvar.

– Beth – sua voz perdera sua mordacidade –, olhe para mim.

Ela sacudiu a cabeça, mas sentiu que ele lhe tirava as mãos dos olhos.

– Você vai ficar bem.

– Sim, claro. É provável que, neste momento, esteja a caminho minha ordem de prisão. Estou andando por aí no escuro com um tipo como você. Tudo isso está acontecendo porque estou desesperada para conhecer os meus pais mortos, e sou capaz de colocar minha vida em perigo diante da *remota* possibilidade de saber algo sobre eles. Deixe eu lhe dizer uma coisa: há uma distância muito grande entre a situação em que me encontro agora e eu estar "bem".

A ponta de um dedo dele acariciou-lhe a face.

– Não vou lhe fazer mal. Tampouco deixarei que alguém o faça.

Ela esfregou a testa, perguntando-se se algum dia voltaria a se sentir normal novamente.

– Quem dera que você jamais houvesse aparecido em minha porta. Quem dera eu jamais ter visto o seu rosto.

Ele deixou cair a mão.

– Estamos quase lá – disse ele, laconicamente.

Butch desistiu de tentar se levantar e desabou no chão.

Permaneceu sentado um momento, tentando simplesmente respirar. Sentia-se incapaz de se mover.

Não só pela dor de cabeça que sentia, nem porque sentisse as pernas fracas.

Estava envergonhado.

Que um homem mais forte o houvesse vencido, não era problema; embora, com toda certeza, seu ego houvesse sido nocauteado. Não, era a consciência de que havia cometido um engano e colocara em perigo a vida de uma jovem. Quando chamou a delegacia para que recolhessem as armas, deveria ter mandado também que dois policiais o esperassem na porta da delegacia. Sabia que o suspeito era especialmente perigoso, mas estava seguro de poder controlá-lo sozinho.

E não pudera coisa nenhuma. Quase se danara. E, ainda por cima, Beth se encontrava agora na companhia de um assassino.

O que poderia lhe acontecer, só Deus sabia.

Butch fechou os olhos e apoiou o queixo sobre os joelhos. A garganta o incomodava terrivelmente, mas o que o preocupava de verdade era sua cabeça. Não estava bem. Seus pensamentos eram incoerentes, os processos cognitivos haviam ido para o espaço. Talvez houvesse sido privado de oxigênio tempo suficiente para lhe fritar o cérebro.

Tentou recuperar a concentração, mas só conseguiu mergulhar mais fundo na névoa.

Além disso, devido ao seu lado masoquista tão terrivelmente oportunista, o passado voltou a atormentá-lo.

Da desordenada confusão de imagens que se amontoavam em sua mente, uma lhe arrancou lágrimas dos olhos: uma jovem, de pouco mais de quinze anos, entrando em um carro desconhecido. Acenando-lhe pela janela enquanto desaparecia rua abaixo.

Sua irmã mais velha, Janie.

Seu corpo foi encontrado na manhã seguinte, no bosque atrás do campo de beisebol. Havia sido estuprada, espancada e estrangulada. Não necessariamente nessa ordem.

Depois disso, Butch deixou de dormir a noite inteira. Duas décadas mais tarde, ainda não conseguia fazê-lo.

Pensou em Beth, olhando para trás enquanto fugia com o suspeito. Seu desaparecimento em companhia daquele sujeito foi a única coisa que fez com que o policial se levantasse e arrastasse seu corpo em direção à delegacia.

– O'Neal! – Jose chegou ofegante pelo beco. – O que aconteceu com você?

– Precisamos emitir uma ordem de busca e captura – aquela era a sua voz? Soava rouca, como se tivesse ido a um jogo de futebol e gritado durante duas horas. – Homem branco, um metro e noventa e oito. Trajando couro negro, óculos escuros, cabelo negro na altura dos ombros – Butch estendeu a mão, buscando apoiar-se na parede.

– O suspeito não está armado. Mas, apenas porque eu o desarmei. Certamente conseguirá novas armas antes de uma hora.

Ao dar um passo adiante, cambaleou.

– Meu Jesus! – Jose segurou-lhe o braço, sustentando-o.

Butch ainda tentou não se apoiar nele, mas precisava de ajuda. Não podia mover as pernas corretamente.

– E uma mulher branca – sua voz falhou –, um metro e setenta e cinco, cabelos negros e longos. Está usando blusa azul e saia branca – fez uma pausa –, Beth.

– Eu sei. Foi ela que ligou – o rosto do Jose ficou tenso. – Não lhe pedi detalhes. Pelo tom de sua voz, deu para notar que não daria nenhum.

Os joelhos de Butch vacilaram.

– Opa, detetive – Jose o amparou. – Vamos devagar.

No instante em que atravessaram a porta dos fundos da delegacia, Butch começou a ziguezaguear.

– Tenho de ir atrás dela.

– Descanse um pouco nesse banco.

– Não...

Foi só Jose afrouxar seu apoio, e Butch desabou como um piano.

Metade dos homens da delegacia o acudiu. A onda de insígnias e uniformes azul-escuro o fez sentir-se patético.

– Estou bem – disse rispidamente, mas precisou colocar a cabeça entre os joelhos.

Como pôde permitir que aquilo acontecesse? Se Beth aparecesse morta pela manhã...

– Detetive? – Jose agachou-se, colocando o rosto na linha de visão de Butch – Já chamamos uma ambulância.

– Não há necessidade. A ordem já foi expedida?

– Sim. Ricky está cuidando disso neste momento.

Butch ergueu a cabeça. Lentamente.

– Cara, o que aconteceu com seu pescoço? – sussurrou Jose.

– Usaram-no para me levantar do chão – engoliu em seco algumas vezes. – Recolheram as armas no endereço que passei?

– Sim. As armas e o dinheiro. Quem diabos é esse cara?

– Não faço a mínima ideia.

Capítulo 17

Wrath subiu a escada da frente da casa de Darius. A porta se abriu, antes mesmo que tocasse a maçaneta de bronze.

Fritz estava do outro lado.

– Amo, não sabia que estava...

O criado gelou quando viu Beth.

Sim, você sabe quem ela é, pensou Wrath. *Mas vamos com calma*. Do jeito que as coisas estavam, ela já estava bastante assustada.

– Fritz, quero que conheça Beth Randall – o mordomo continuou ali parado, olhando-a. – Vai nos deixar entrar?

Fritz fez uma profunda reverência e inclinou a cabeça.

– É claro, amo. Srta. Randall, é uma honra conhecê-la pessoalmente.

Beth pareceu desconcertada, mas deu um jeito de sorrir quando o criado endireitou o corpo e afastou-se da passagem.

Quando ela estendeu a mão para cumprimentá-lo, Fritz engoliu em seco e olhou para Wrath solicitando permissão.

– Vá em frente – murmurou Wrath, enquanto fechava a porta da frente. Nunca pudera entender as rígidas tradições dos criados.

Fritz tomou-lhe a mão entre as suas, reverentemente, e baixou a testa até tocá-las. Com um arrebatamento comedido, pronunciou algumas palavras no antigo idioma.

Beth, é lógico, estava atônita. Mas não tinha como saber que, ao lhe oferecer a mão, tinha-lhe concedido a mais elevada honra de sua espécie. Como filha de um *princeps*, pertencia à mais alta aristocracia em seu mundo.

Fritz ficaria radiante por dias.

– Estaremos em meu quarto – disse Wrath quando o contato se desfez.

O criado vacilou.

– Amo, Rhage está aqui. Teve um... pequeno acidente.

Wrath praguejou.

– Onde ele está?

– No banheiro do andar de baixo.

– Agulha e linha?

– Lá dentro, com ele.

– Quem é Rhage? – perguntou Beth, ao cruzarem o vestíbulo.

Wrath parou do lado de fora da sala de estar.

– Espere aqui.

Mas ela o seguiu quando se pôs a caminhar.

Ele se virou, apontando para a porta da sala.

– Não foi um pedido.

– Não vou esperar em parte alguma.

– Caramba, faça o que eu digo.

– Não – a palavra foi pronunciada sem alteração. Desafiava-o com total tranquilidade e intencionalmente.

Como se ele nada mais fosse do que um obstáculo no caminho, como um tapete.

– Ai, meu saco... Está bem, perca a vontade de jantar, se prefere.

Enquanto se dirigia irritado até o banheiro, pôde farejar o sangue já do vestíbulo. Era grave, e desejou que Beth não estivesse tão ansiosa por constatar aquilo com os próprios olhos.

Abriu a porta, e Rhage ergueu a vista. O braço do vampiro encontrava-se apoiado sobre a pia. Havia sangue por toda parte, uma piscina escura no chão e outra menor sobre a bancada.

– Rhage, o que aconteceu?

– Fui fatiado como um presunto. Um *redutor* me apanhou de jeito, atingiu uma veia e chegou até o osso. Estou furado que nem peneira.

Em uma imagem pouco nítida, Wrath captou o movimento da mão de Rhage baixando até seu ombro e subindo no ar. Baixando até seu ombro e subindo no ar.

– Acabou com ele?

– Claro que sim, caramba.

– Oh... meu... Deus... – disse Beth – Oh, meu Deus! Ele está costurando...?

– Ei, quem é essa gracinha? – disse Rhage, fazendo uma pausa na sutura.

Houve um murmúrio estrangulado e Wrath se moveu, tapando a visão de Beth com o próprio corpo.

– Precisa de ajuda? – perguntou, embora ele e o outro membro da Irmandade soubessem que não tinha condições. Não conseguia enxergar bem para costurar suas próprias feridas, quanto mais as de outro. O fato de ter que depender dos Irmãos ou de Fritz para se tratar era uma fraqueza que desprezava.

– Não, valeu – riu Rhage. – Eu me viro muito bem com agulha e linha, como sabe por experiência própria. Agora: quem é a sua amiga?

– Beth Randall, esse é Rhage. Um sócio meu. Rhage, essa é Beth, e ela não sai com astros de cinema, entendeu?

– Alto e claro – Rhage se inclinou para um lado, tentando espiar por trás de Wrath. – Prazer em conhecê-la, Beth.

– Tem certeza de que não quer ir a um hospital? – disse ela, debilmente.

– Não. Parece pior do que é. Quando dá para usar o intestino grosso como cinturão, aí sim é preciso procurar ajuda profissional.

Um som rouco saiu da boca de Beth.

– Eu a levarei para baixo – disse Wrath.

– Oh, sim, por favor – murmurou ela –, adoraria ir... para baixo.

Colocou o braço ao redor dela, e soube o quanto estava abalada pela forma como se aconchegou ao seu corpo. Sentiu-se tão bem ao constatar que ela buscara o seu apoio ao se sentir fraquejar.

Bem demais, na verdade.

– Vai ficar bem? – disse Wrath ao Irmão.

– Perfeitamente. Irei assim que terminar isso. Preciso recolher três urnas.

– Boa sorte.

– Teriam sido mais se esse pequeno presente não tivesse caído de paraquedas. Não me admira que você aprecie tanto essas estrelas ninja – Rhage deu uma volta com a mão, como se estivesse atando um nó. – Você deve saber que Tohr e os gêmeos estão... – apanhou uma tesoura da bancada e cortou o fio – continuando nosso trabalho de ontem à noite. Devem retornar em poucas horas com informações, tal como pediu.

– Diga-lhes para baterem na porta antes.

Rhage assentiu com a cabeça, e teve o bom senso de não fazer comentário algum.

Enquanto Wrath conduzia Beth pelo vestíbulo, encontrou-se de repente acariciando-lhe o ombro, as costas. Então, agarrou-a pela cintura, afundando seus dedos naquela pele macia. Ela se aconchegou nele, a cabeça descansando sobre seu peitoral, enquanto caminhavam juntos.

Muito confortável. Muito íntimo, pensou ele. Bom demais para ser verdade.

Em todo caso, apertou-a contra si.

E mesmo enquanto o fazia, desejou poder retirar o que lhe havia dito na calçada. Sobre ela ser dele.

Porque não era verdade. Não queria tomá-la como sua companheira. Enchera-se de ciúmes, imaginando as mãos do policial sobre ela. Que droga não ter acabado com aquele humano. Aquelas palavras saíram-lhe sem querer.

Ah, *diabos*. A fêmea fizera alguma coisa com o seu cérebro. De algum modo, havia conseguido fazer com que perdesse seu sólido autocontrole e entrasse em contato com o maldito psicopata que havia nele.

Um contato que queria evitar.

Afinal de contas, ataques de insanidade eram a especialidade de Rhage.

E os Irmãos não precisavam de mais um louco com pavio curto no grupo.

Beth fechou os olhos e se inclinou contra Wrath, tentando bloquear a visão daquele corte aberto que acabava de ver. O esforço era como tapar a luz do sol com as mãos. Alguns fragmentos daquela horrível visão continuavam aparecendo. O sangue vermelho brilhante, o músculo rosa escuro exposto, a chocante brancura do osso. E a agulha. Perfurando a pele e fazendo o fio negro atravessar a carne...

Abriu os olhos.

Era menos ruim assim.

Não importava o que o homem houvesse dito. Não se tratava de um arranhãozinho de nada. Precisava ir a um hospital. E teria tentado convencê-lo com mais determinação, se não estivesse ocupada tentando manter a comida tailandesa dentro do estômago.

Além disso, aquele sujeito parecia muito competente na tarefa de se remendar.

Também era tremendamente bonito. Embora o enorme talho atraísse sua atenção, não pôde deixar de reparar seu rosto e corpo perfeitos. Cabelo loiro curto, olhos azuis brilhantes, rosto cinematográfico. Vestia-se da mesma forma que Wrath – calça de couro negro e botas pesadas –, mas havia tirado a camisa. Os músculos do tórax estavam ressaltados pela iluminação do teto: uma impressionante exibição de força. E a tatuagem multicolorida de um dragão que lhe cobria as costas era realmente admirável.

Mas era claro que Wrath não se associaria a nenhum paspalho de aspecto afeminado.

Traficantes de drogas. Parecia evidente que eram traficantes de drogas. Pistolas, armas brancas, enormes quantidades de dinheiro em espécie. E quem mais se envolveria em uma luta de facas e depois bancaria o médico em si mesmo?

Lembrou que o homem exibia no peito a mesma cicatriz de formato circular que Wrath.

Pensou que deviam pertencer a uma gangue. Ou à máfia.

De repente, precisou de espaço, e Wrath a soltou no momento em que adentravam um aposento de cor amarelo-limão. As passadas dela desaceleraram. O lugar parecia um museu ou algo que poderia aparecer na *Architectural Digest*. Cortinas pesadas e claras emolduravam as amplas janelas, finas pinturas a óleo reluziam nas paredes, obras de arte estavam dispostas com requintado gosto. Baixou a vista para o tapete. Devia custar mais do que seu apartamento.

Talvez não traficassem só crack, êxtase ou heroína, pensou ela. Podiam estar também no mercado negro de antiguidades.

Seria uma combinação surpreendente, daquelas que não se ouve falar todos os dias.

– É bonito – murmurou, tocando com o dedo uma caixa antiga. – Muito bonito.

Ao não obter resposta, olhou para Wrath. Estava parado na sala com os braços cruzados sobre o peito, alerta, apesar de se encontrar em sua própria casa.

Mas, então, quando relaxava?, pensou ela.

– Sempre foi colecionador? – perguntou-lhe, tentando ganhar tempo para se acalmar. Aproximou-se de uma pintura da Escola do Rio Hudson. Meu Deus, era um Thomas Cole. Provavelmente, valia centenas de milhares de dólares. – Isso é uma beleza.

Olhou de relance sobre o ombro. Ele estava concentrado nela, sem prestar atenção à pintura. E em seu rosto não se via uma expressão de orgulho ou senso de propriedade.

O que não era a forma típica de se comportar de alguém que tem suas coisas admiradas por outro.

– Esta casa não é sua – disse ela.

– Seu pai vivia aqui.

Sim, claro.

Mas, que diabos. Já tinha chegado até ali. Não custava nada continuar com aquele jogo.

– Então, parece que tinha muito dinheiro. Como ganhava a vida?

Wrath cruzou o aposento em direção a um magnífico retrato de corpo inteiro de alguém que parecia um rei.

– Venha comigo.

– O quê? Quer que eu atravesse essa parede...?

Ele pressionou uma mola de um lado do quadro, e este girou para fora sobre seu eixo, revelando um escuro corredor.

– Oh! – exclamou ela.

Ele fez um gesto com a mão.

– Você primeiro.

Beth se aproximou com cuidado. A luz das lanternas de gás brilhava fracamente sobre a pedra negra. Ela se inclinou para frente e viu uns degraus que desapareciam em uma curva muito mais abaixo.

– O que há lá embaixo?

– Um lugar onde poderemos conversar.

– Por que não ficamos aqui em cima?

– Porque você vai querer fazer isso em particular. E é muito provável que meus Irmãos cheguem em breve.

– Seus Irmãos?

– Sim.

– Quantos são?

– Cinco, agora. Mas fique tranquila. Vá em frente. Nada de ruim acontecerá a você lá embaixo, eu prometo.

Aham. Claro.

No entanto, colocou o pé sobre a beirada dourada da moldura e adentrou a escuridão.

Capítulo 18

Beth respirou fundo e, hesitante, estendeu as mãos para as paredes de pedra. O ar não cheirava a mofo; ali também não havia uma umidade pegajosa ou algo do gênero; simplesmente estava muito escuro. Desceu pelos degraus lentamente, avaliando o caminho. As lanternas pareciam vagalumes, iluminando mais a si mesmos do que a escada.

Então, chegou ao final. À direita, havia uma porta aberta, e ali percebeu o cálido resplendor de um candelabro. O aposento era igual ao corredor: paredes negras, fracamente iluminado, mas limpo. A luz das velas tremia ligeiramente. Perguntou-se, ao colocar sua bolsa sobre a mesa de centro, se Wrath dormia ali.

Pelo menos, o tamanho da cama era proporcional a ele.

E aquilo eram lençóis negros de cetim?

Supôs que ele já levara muitas mulheres àquela sua toca. E não era preciso ser um gênio para imaginar o que acontecia uma vez que fechava a porta.

Ouviu correr o ferrolho e seu coração disparou.

– Então, conte-me sobre o meu pai – disse rápido.

Wrath passou por ela e tirou a jaqueta. Por baixo dela vestia uma camiseta sem mangas, e ela não pôde ignorar a ostensiva robustez de seus braços enquanto seus bíceps e tríceps se retesavam ao largar a jaqueta em um canto. Viu-lhe de relance as tatuagens nos antebraços quando ele tirou dos ombros o coldre vazio, sem as adagas.

Foi ao banheiro e ela escutou a água correr. Quando retornou, secava o rosto com uma toalha. Colocou os óculos escuros antes de olhar para ela.

– Seu pai, Darius, era muito valoroso – Wrath atirou a toalha para o banheiro, de maneira despreocupada, e caminhou para o sofá. Sentou-se inclinado para frente, com os cotovelos apoiados nos joelhos. – Era um aristocrata no antigo país antes de se converter em guerreiro. Ele é... ele *era* meu amigo. Meu Irmão no trabalho que faço.

Irmão. Continuava usando essa palavra.

Eram da Máfia. Não restava dúvida.

Wrath sorriu para si, como se recordasse de alguma coisa agradável.

– D. tinha muitas habilidades. Era rápido com os pés, tinha uma inteligência brilhante, era bom com uma faca. Mas, além disso, era culto. Um cavalheiro refinado. Falava oito idiomas. Estudou de tudo, desde religiões até história da arte e filosofia. Podia falar durante horas sobre Wall Street e, logo em seguida, explicar por que o teto da Capela Sistina é, na realidade, uma obra maneirista e não do Renascimento.

Wrath se recostou, apoiando o poderoso braço no encosto do sofá. Deixou os joelhos caírem para os lados, coxas afastadas.

Parecia muito à vontade enquanto puxava para trás o longo cabelo negro. Tremendamente sensual.

– Darius nunca perdia a calma, por mais feias que as coisas ficassem. Sempre se concentrava no trabalho que estava fazendo até terminá-lo. Morreu contando com o mais profundo respeito de seus Irmãos.

Wrath realmente parecia sentir falta de seu pai. Ou quem quer que fosse o homem que estivesse usando com o propósito de...

O que ele pretendia exatamente?, ela se perguntou. *O que ganharia inventando todo esse lixo?*

Bom, ela estava no seu quarto, não?

– E Fritz me disse que a amava profundamente.

Beth franziu os lábios.

– Supondo que eu acredite nessas coisas, fico imaginando: se meu pai me amava tanto, por que nunca se incomodou em se apresentar a mim?

– É complicado.

– Sim, realmente é complicado chegar para a própria filha, estender-lhe a mão e dizer seu nome. É realmente dificílimo – atravessou todo o quarto, só para encontrar-se, de repente, junto à cama. Imediatamente, saiu de onde estava, caminhando a esmo pelo aposento. – E que conversa é essa de guerreiros? Ele também pertencia à máfia?

– Máfia? Não somos da máfia, Beth.

– Então, são apenas assassinos mercenários e traficantes de drogas? Hum... Pensando bem, talvez a diversificação seja uma boa estratégia de negócios. E precisam ter muita grana para manter uma casa como esta e enchê-la de obras de arte que deveriam estar no Metropolitan.

– Darius herdou seu dinheiro e era muito bom em administrá-lo – Wrath inclinou a cabeça para trás, como se estivesse olhando para a casa acima deles.

– Como filha dele, agora tudo isso pertence a você.

Ela estreitou os olhos.

– Ah, verdade?

Ele assentiu.

Que mentiroso, pensou ela.

– Então, onde está o testamento? Onde está o executor testamenteiro com os documentos para eu assinar? Espere, o inventário ainda está aberto. Há trinta anos – esfregou os olhos doloridos. – Sabe de uma coisa, Wrath? Não tem de mentir para me levar para cama. Por mais que me envergonhe admitir, só o que precisa fazer é pedir.

Suspirou fundo, cheia de tristeza. Até então não se dera conta de que uma pequena parte dela havia acreditado que obteria algumas respostas. Finalmente.

Mas, claro, o desespero pode fazer de tolo qualquer um.

– Escute, vou embora. Isso foi apenas...

Num abrir e fechar de olhos, Wrath colocou-se na frente dela.

– Não posso deixá-la ir.

O medo se apoderou de seu coração, mas não deixou que isso transparecesse.

– Não pode é me *forçar* a ficar.

As mãos dele seguraram seu rosto. Beth retrocedeu bruscamente, mas ele não a soltou.

Acariciou-lhe a bochecha com a ponta do polegar. Toda vez que ele chegava perto dela, ficava sem palavras, e tinha acontecido novamente. Sentiu seu corpo oscilar na direção dele.

– Não estou mentindo para você – disse ele –, seu pai me enviou para buscar você porque vai necessitar de minha ajuda. Confie em mim.

Ela se afastou com determinação.

– Não quero escutar essa palavra em seus lábios.

Ali estava ele, um criminoso que quase matara um policial diante de seus olhos, esperando que acreditasse no que ela sabia ser falso; enquanto acariciava sua face como um amante.

Devia achar que era uma perfeita idiota.

– Escute, vi meus registros – sua voz não tremeu – Minha certidão de nascimento diz "pai desconhecido", mas havia uma nota num arquivo. Minha mãe disse a uma enfermeira na sala de parto que ele havia falecido. Não pôde dar seu nome porque naquele instante entrou em choque devido a uma hemorragia e morreu.

– Sinto muito, mas não foi o que aconteceu.

– Sente muito. É, aposto que sim.

– Não estou brincando com você...

– É obvio que sim! Meu Deus, não sei como pude acreditar que iria ter informações sobre meus pais, mesmo que em segunda-mão... – encarou-o com desgosto. – Como você é cruel.

Ele soltou um palavrão, frustrado.

– Não sei o que fazer para que você acredite em mim.

– Não se dê ao trabalho de tentar. Você não tem credibilidade alguma – apanhou sua bolsa. – Que diabos, talvez seja melhor assim. Talvez eu prefira ele morto a saber que era um criminoso. Ou que vivíamos na mesma cidade e ele nunca veio me ver, que sequer sentiu curiosidade em saber como eu era.

– Ele sabia – a voz de Wrath soava muito perto outra vez. – Ele a conhecia.

Ela se virou. Ele estava tão próximo que a intimidou com seu tamanho.

Beth deu um salto para trás.

– Pare já com isso.

– Ele a conhecia.

– Pare de dizer isso!

– *Seu pai a conhecia* – gritou Wrath.

– Então, por que não me queria? – gritou ela por sua vez.

Wrath fez uma careta.

– Queria. Vigiava você. Durante toda sua vida esteve perto de você.

Ela fechou os olhos, mantendo os braços em torno do próprio corpo. Não podia acreditar que sentisse a tentação de cair na conversa dele de novo.

– Beth, olhe para mim. Por favor.

Ela abriu as pálpebras.

– Dê-me a sua mão – disse Wrath –, dê-me.

Ao não obter resposta, ele a pegou e colocou sobre o próprio peito, sobre o coração.

– Por minha honra. Não menti para você.

Ficou completamente quieto, como se quisesse lhe dar a chance de ler cada matiz de seu rosto e de seu corpo.

Seria possível que fosse verdade?, Beth se perguntou.

– Ele a amava, Beth.

Não acredite nisso. Não acredite em nada. Não...

– Então, por que não me procurou? – sussurrou.

– Esperava que não tivesse de conhecê-lo. Que não tivesse de viver o tipo de vida que ele vivia – Wrath a olhou fixamente. – Mas não teve tempo.

Houve um longo silêncio.

– O que era meu pai? – perguntou em voz baixa.

– O mesmo que eu.

Então, Wrath abriu a boca.

Presas. Ele tinha presas.

Ela ficou arrepiada de pavor. Empurrou-o com força.

– Seu filho-da-mãe!

– Escute-me, Beth...

– Para me dizer que é um maldito vampiro? – riu dele, empurrando seu peito com as mãos. – Seu anormal maldito! Seu anormal... filho-da-mãe! Se quer representar suas fantasias, vai procurar sua turma.

– Seu pai...

Deu-lhe uma bofetada, com força. Bem na face.

– *Não* se atreva. Sequer tente – sua mão ficou dolorida com o tapa que aplicou nele e, por isso, esfregou-a contra a barriga. Queria chorar. Porque se sentia ferida. Porque tinha tentado feri-lo também, e ele não parecia afetado com a sua bofetada.

– Meu Deus, você quase me fez acreditar, quase – gemeu. – Mas teve de exagerar e mostrar esses dentes falsos.

– São reais. Olhe-os mais de perto.

Muitas velas se acenderam sozinhas pelo quarto.

Ela perdeu o fôlego. De repente, teve a sensação de que nada era o que aparentava ser. Já não havia regras. A realidade deslizava para uma dimensão diferente.

Atravessou o quarto correndo.

Ele a alcançou na porta, mas ela se abaixou, como se estivesse rezando uma oração para mantê-lo afastado.

– Não se aproxime – agarrou a maçaneta e empurrou com todo o peso de seu corpo. A porta não se moveu.

O pânico corria por suas veias como se fosse gasolina.

– Beth...

– Deixe-me sair! – a maçaneta da porta cortou-lhe as palmas das mãos enquanto se esforçava para girá-la.

Quando a mão dele posou sobre seu ombro, gritou:

– Não me toque!

Afastou-se dele com um salto. Deu voltas frenéticas ao redor do aposento. Wrath a seguiu, aproximando-se lenta e inexoravelmente.

– Eu a ajudarei.

– Deixe-me em paz!

Esquivou-se com um rápido movimento e voltou a correr para a porta. Dessa vez, ela se abriu mesmo antes que houvesse tocado a maçaneta.

Como se ele o tivesse desejado.

Olhou para ele com horror.

– Isso não é real.

Subiu a escada a toda velocidade, tropeçou apenas uma vez. Quando tentou forçar a mola do quadro, quebrou-se uma unha, mas finalmente o abriu. Atravessou correndo a sala de estar, saiu precipitadamente da casa e...

Wrath estava ali, parado no gramado diante da casa.

Beth deteve-se no ato.

O terror se apoderou de seu corpo, o medo e a incredulidade lhe oprimiram o coração. Sentiu-se à beira da loucura.

– Não! – tratou de fugir de novo, correndo em qualquer direção, desde que fosse para longe dele.

Ouviu-o atrás dela e tratou de aumentar a velocidade. Correu até ficar sem fôlego, até que a exaustão a cegou e suas coxas latejavam de dor. Não podia mais continuar, e ele ainda estava atrás dela.

Caiu sobre a grama, soluçando.

Encolhendo-se, como se estivesse se defendendo de golpes, chorou.

Quando ele a levantou, não resistiu.

Para quê? Se aquilo era um sonho, acabaria despertando. E se fosse verdade...

Ele precisaria explicar muito mais coisas do que acabara de fazer.

Enquanto Wrath carregava Beth em seus braços de volta ao aposento, percebeu o medo e a confusão que emanavam dela como ondas de angústia. Depositou-a sobre a cama e cobriu-a com um lençol. Depois, caminhou até o sofá e sentou-se, pensando que ela apreciaria um pouco de espaço.

Passado um tempo, ela se virou, e Wrath sentiu seus olhos fixos nele.

– Estou esperando acordar, que o alarme do despertador soe – disse, com voz rouca –, mas isso não vai acontecer, não é?

Ele sacudiu a cabeça negativamente.

– Como é possível? Como...? – pigarreou. – Vampiros?

– Somos apenas uma espécie diferente.

– Sanguessugas. Assassinos.

– Melhor chamar de minoria perseguida. Era a razão pela qual seu pai esperava que não sofresse a mudança.

– Mudança?

Ele assentiu sombriamente.

– Oh, meu Deus – levou a mão à boca como se fosse vomitar. – Não me diga que vou...

Uma onda de pânico partiu dela, invadindo o aposento, criando uma brisa que o atingiu como uma fria rajada. Não podia suportar sua angústia e queria fazer algo para aliviá-la. Só que a compaixão não se encontrava entre suas virtudes.

Se ao menos houvesse algo contra o qual pudesse lutar para ajudá-la...

Bem, naquele momento, não havia nada. Nada mesmo. A verdade não era um alvo que pudesse eliminar. E tampouco era sua inimiga, apesar de feri-la. Apenas... era.

Pôs-se de pé e se aproximou da cama. Ao ver que não fugia, sentou-se. As lágrimas que escorriam por sua face cheiravam como as chuvas da primavera.

– O que vai ser de mim? – murmurou.

O desespero em sua voz sugeria que falava com Deus e não com ele. Mesmo assim, ele respondeu.

– Sua mudança está muito próxima. Chega para todos nós por volta de nosso vigésimo quinto aniversário. Ensinarei você a se cuidar. E o que deve fazer.

– Santo Deus...

– Quando terminar, precisará beber.

Ela engasgou e se levantou de um salto.

– Não vou *matar* ninguém!

– As coisas não são assim. Necessita do sangue de um vampiro macho. Isso é tudo.

– Isso é tudo – repetiu ela, com desânimo.

– Os humanos não são nossas vítimas. Isso é lenda.

– Nunca matou um... humano?

– Não para beber dele – respondeu, esquivando-se. – Há alguns vampiros que fazem isso, mas a força não dura muito. Para não adoecer, temos que nos alimentar de nossa própria raça.

– Você fala como se isso fosse muito normal.

– E é.

Ela caiu em silêncio. E, então, pareceu dar-se conta da situação.

– Você deixará que eu...

– Beberá de mim. Quando chegar o momento.

Ela deixou escapar um som estrangulado, como se quisesse gritar, mas uma ânsia de vômito a impediu.

– Beth, sei que é difícil...

– Não sabe.

– ... porque também passei por isso.

Olhou para ele.

– Também soube assim, de repente?

Não o estava desafiando. Na realidade, só esperava ter algo em comum com alguém. Qualquer um.

– Sabia quem eram meus pais – disse ele –, mas haviam falecido quando chegou minha transição. Eu estava só e não sabia o que esperar. Por isso, compreendo sua confusão.

Beth desabou sobre os travesseiros.

– Minha mãe também era vampira?

– Ela era humana, pelo que Darius me contou. Sabe-se de vampiros que procriam com humanos, embora seja muito raro que a criança sobreviva.

– Posso deter a mudança? Posso evitar que isso ocorra?

Ele sacudiu a cabeça negativamente.

– Dói?

– Irá sentir...

– Eu não... machucarei você?

Wrath dissimulou a surpresa. Ninguém se preocupava com ele. Tanto vampiros como humanos o temiam. Sua raça o venerava, mas jamais alguém se preocupara com ele. Não sabia como lidar com esse sentimento.

– Não. Não me machucará.

– Poderia matá-lo?

– Não a deixarei fazê-lo.

– Promete? – disse ela com aflição, sentando-se de novo e agarrando o braço dele.

Não podia acreditar que estivesse jurando proteger a si mesmo. A pedido dela.

– Prometo – estendeu a mão para cobrir as dela, mas se deteve antes de tocá-la.

– Quando ocorrerá?

– Não posso dizer com certeza, mas em breve.

Ela o soltou, recostando-se nos travesseiros. Depois, enroscou-se de lado, dando-lhe as costas.

– Talvez eu acorde – murmurou –, talvez eu ainda acorde.

Capítulo 19

Butch bebeu seu primeiro uísque escocês de um só gole – grande erro. Tinha a garganta inflamada e sentiu como se tivesse dado um beijo de língua numa labareda. Assim que deixou de tossir, pediu outro a Abby.

– Vamos encontrá-la – disse Jose, depositando a caneca de cerveja no balcão.

O outro detetive não estava pegando pesado na bebida, já que tinha um lar e uma família esperando por ele. Butch, ao contrário, era livre para fazer o que quisesse.

Jose brincava com a caneca, fazendo-a girar em círculos sobre o balcão.

– Não deve se culpar, detetive.

Butch riu e engoliu a segunda dose.

– É verdade. Há uma lista enorme de pessoas que estavam no meu carro com o suspeito – ergueu um dedo para chamar a atenção de Abby. – Meu copo está vazio.

– Não por muito tempo – ela veio rebolando, trazendo a garrafa de uísque, e sorriu para ele, enquanto enchia seu copo.

Jose se revirou em seu tamborete, pois não aprovava a velocidade com que Butch esvaziava seu copo e o esforço para não admoestá-lo o estava deixando irrequieto.

Quando Abby saiu dali para atender outro cliente, Butch se virou para olhar Jose.

– Esta noite vou ficar num estado lamentável. Não deveria ficar por perto.

Jose meteu alguns amendoins na boca.

– Não vou deixar você aqui.

– Pego um táxi para voltar para casa.

– Não. Ficarei com você até cair de tanto beber. Depois, eu o arrastarei de volta ao seu apartamento. Verei você vomitar durante uma hora e o meterei na cama. Antes de ir, deixarei a cafeteira preparada e uma aspirina ao lado do açucareiro.

– Não tenho açucareiro.

– Então, junto ao saco de açúcar.

Butch sorriu.

– Você daria uma excelente esposa, Jose.

– Isso é o que me diz a minha.

Ficaram em silêncio até que Abby encheu o quarto copo.

– As estrelas ninja que tirei daquele suspeito – disse Butch –, em que pé estamos quanto a elas?

– São iguais às que encontramos no carro-bomba e junto ao corpo de Cherry: tufões. É como são chamadas. Quase cem gramas de aço inoxidável de boa qualidade. Dez centímetros de diâmetro. Peso central removível. Dá para comprar pela Internet por uns doze dólares cada, ou nas academias de artes marciais. E não, não tinham impressões.

– E quanto às outras armas?

– Um extraordinário jogo de facas. Os meninos do laboratório ficaram fascinados com elas. Liga metálica, dureza de diamante, delicadamente feitas à mão. Fabricante inidentificável. A pistola era uma Beretta padrão nove milímetros, modelo 92G-SD. Muito bem cuidada e, evidentemente, com o número de série apagado. As balas, sim, que são estranhas. Nunca havia visto algo assim. Ocas, cheias de um líquido que ainda estão analisando. Os meninos acham que é só água. Mas, por que alguém faria uma coisa dessas?

– Você está me gozando.

– Negativo.

– E não há impressões digitais.

– Não.

– Em nenhum dos objetos.

– Não – Jose esvaziou a tigela de amendoins e fez um gesto com a mão para chamar a atenção de Abby e pedir mais. – Esse suspeito é hábil. Trabalha limpo. Um verdadeiro profissional. Quer apostar que já está indo para algum lugar ao norte de Nova York? Não parece ser de Caldwell.

– Diga-me que, enquanto eu perdia tempo sendo examinado pelos médicos, checamos os dados com a polícia de Nova York.

Abby serviu mais amendoins e uísque.

– A balística está analisando a arma, para ver se possui algum traço pouco comum – disse Jose, sem alterar a voz. – Estamos investigando a origem do dinheiro. À primeira hora da manhã passaremos o que tivermos apurado para os rapazes de Nova York, mas não será muito.

Butch praguejou enquanto via a tigela ser enchida.

– Se algo acontecer a Beth... – não terminou a frase.

– Nós a encontraremos – Jose fez uma pausa –, e que Deus tenha piedade dele se lhe fizer algum mal.

Sim, Butch iria atrás do sujeito pessoalmente.

– Que Deus o ajude – jurou, esvaziando seu copo para nova dose.

Wrath estava exausto quando sentou no sofá e esperou que Beth falasse novamente. Sentia-se como se seu corpo estivesse afundando em si, os ossos fracos sob a carga de pele e músculos.

Ao relembrar a cena no beco da delegacia, lamentou que não tivesse apagado a memória do policial. O que significava que aquele homem estaria à sua procura com uma descrição precisa.

Droga. Ficara tão envolvido naquele maldito drama que havia se esquecido de se proteger.

Estava ficando descuidado. O que era perigoso.

– Como soube dos orgasmos? – perguntou Beth, de repente.

Ele ficou rígido, assim como o seu pênis, só de escutar a palavra sair de seus lábios.

Remexendo o corpo para conseguir mais espaço em sua calça, perguntou-se se podia evitar responder a tal pergunta. Naquele momento, não queria falar sobre o sexo da noite anterior. Não enquanto ela estivesse na cama. Tão perto.

Pensou em sua pele: macia, lisa, quente.

– Como sabia? – insistiu ela.

– É verdade, não é?

– Sim – sussurrou ela – Foi diferente com você porque é... é um... Diabos, sequer consigo pronunciar essa palavra.

–Talvez – juntou as palmas das mãos, entrelaçando os dedos com força –, não sei.

Porque para ele também havia sido diferente, mesmo que, tecnicamente, ela ainda fosse humana.

– Ele não é meu amante. Butch, o policial, não é.

Wrath respirou aliviado.

– Fico feliz.

– Por isso, se voltar a vê-lo, não o mate.

– Está bem.

Houve uma longa pausa. Então, ele a ouviu se revirando na cama. Os lençóis de cetim rangiam suavemente quando ela se mexia.

Imaginou suas coxas esfregando-se uma na outra, e depois se viu abrindo-as com as mãos. Separando-as com a cabeça. Abrindo caminho a beijos até o local onde desejava estar tão desesperadamente... Engoliu em seco, sentindo sua pele se esticar.

– Wrath?

– Sim?

– Na realidade, não pretendia se deitar comigo ontem à noite, não é?

As difusas imagens que percebia dela o obrigaram a fechar os olhos.

– É verdade.

– Então, por que o fez?

Como poderia não tê-lo feito?, pensou ele, apertando as mandíbulas. Não conseguia deixá-la sozinha.

– Wrath?

– Porque tive de fazê-lo – respondeu ele, espreguiçando os braços, tentando se acalmar. Seu coração saltava dentro do peito, seus instintos despertavam, como se estivesse se preparando para uma batalha. Podia escutar o ar deixando os lábios dela, seu coração batendo, seu sangue circulando.

– Por quê? – sussurrou ela.

Tinha de ir embora. Devia deixá-la sozinha.

– Diga-me a razão.

– Você me fez perceber como sou frio.

Os lençóis rangeram de novo.

– Gostei de aquecê-lo – disse ela, com voz rouca –, e de senti-lo.

Um atroz desejo contorceu-lhe as vísceras, produzindo-lhe uma espécie de cãibra na barriga.

Wrath prendeu a respiração. Esperou para ver se aquela mortificante sensação passava, mas ela só fez aumentar.

Merda, aquela depravada necessidade não era só de sexo. Era de sangue; o dela.

Ficou de pé rapidamente e tentou estabelecer uma distância maior entre eles. Sem sombra de dúvida, precisava ir embora dali. Percorrer as ruas. Lutar.

E precisava se alimentar.

– Escute, tenho de ir. Mas quero que durma aqui.

– Não vá.

– Preciso.

– Por quê?

Abriu a boca, suas presas latejavam à medida que se alongavam.

E seus dentes não eram as únicas coisas que estavam pedindo para serem usadas. Seu membro tinha já uma ereção tão rígida contra a braguilha que chegava a doer. Sentia-se torturado pelas duas necessidades: sexo e sangue.

Ambas coisas dela.

– Está fugindo? – sussurrou Beth. Era, principalmente, uma pergunta. Mas havia nela também um tom de provocação.

– Cuidado, Beth.

– Por quê?

– Estou a ponto de estourar.

Ela saltou da cama e se aproximou dele. Colocou uma mão sobre seu peito, bem em cima do coração, e rodeou-lhe a cintura com a outra.

Ele chiou quando o corpo dela colou ao seu.

Pelo menos, o desejo sexual se sobrepôs à sua outra fome.

– Vai me dizer não? – perguntou ela.

– Não quero me aproveitar de você – disse ele, rangendo os dentes. – Teve emoções demais por uma noite.

Ela apertou os ombros.

– Estou com raiva, assustada, confusa. Quero que você faça amor comigo até que não sinta mais nada, até ficar anestesiada. Na verdade, eu é que estaria usando você – olhou para baixo. – Puxa, isso soou mal.

Que nada! Estava mais do que disposto a se deixar usar por ela daquela maneira.

Levantou-lhe o queixo com a ponta do dedo indicador. Embora seu magnífico cheiro lhe dissesse exatamente que o corpo dela necessitava do seu, desejou poder ver-lhe o rosto com nitidez.

– Não vá – sussurrou ela.

Ele não desejava fazê-lo, mas sua ânsia de sangue a colocava em perigo. Precisava estar forte para a mudança. E ele tinha sede suficiente para deixá-la seca.

A mão de Beth deslizou para baixo até encontrar seu pênis rijo.

O corpo dele estremeceu bruscamente e a violência de sua respiração quebrou o silêncio no aposento.

– Você me deseja – disse ela – e quero que me possua.

Esfregou a palma da mão sobre o seu pênis, e ele sentiu a fricção de forma dolorosamente clara através do couro de sua calça, justa como uma segunda pele.

Só sexo. Podia fazê-lo. Podia aguentar o desejo de sangue, sabia que sim. Mas estava disposto a apostar a vida dela à mercê de seu autocontrole?

– Não diga que não, Wrath.

Então, ela ficou na ponta dos pés e pressionou os lábios contra os seus.

Jogo finalizado, pensou ele, puxando-a para si.

Meteu a língua dentro de sua boca enquanto a segurava pelos quadris e colocava o membro em sua mão. O gemido de satisfação que ela deixou escapar aumentou ainda mais sua ereção, e quando as unhas dela se cravaram em suas costas, adorou as pequenas pontadas de dor porque significavam que ela estava tão ansiosa quanto ele.

Deitou-a sobre a cama, debaixo dele, e em uma fração de segundo, levantou-lhe a saia e rasgou a calcinha com feroz impaciência. A blusa e o sutiã não tiveram melhor tratamento. Não haveria de faltar tempo para delicadezas. Agora, tratava-se tão-somente de sexo.

Enquanto sugava-lhe os seios, ela não foi nada delicada ao lhe arrancar a camisa do peito. Ele a largou apenas o tempo suficiente para abrir o zíper e liberar o seu membro. Depois, prendeu com o antebraço um de seus joelhos, levantou-lhe a perna, e invadiu o seu corpo.

Escutou-a soltar um gemido baixo pela vigorosa penetração, e sua quente umidade o envolveu, estremecendo num orgasmo. Ele ficou imóvel, absorvendo a sensação de seu êxtase, sentindo suas entranhas latejarem.

Foi dominado por um instinto de posse.

Horrorizado, deu-se conta de que queria marcá-la. Marcá-la como sua. Queria espalhar aquele cheiro especial sobre todo o seu corpo para que nenhum outro macho se aproximasse. Para que soubessem a quem ela pertencia. Para que temessem as repercussões de querer possuí-la.

Mas sabia que não tinha o direito de fazer isso. Ela não lhe pertencia.

Sentiu o corpo imobilizar-se sob ele, e olhou para baixo.

– Wrath? – sussurrou ela. – Wrath, o que há de errado?

Ele fez menção de se afastar, mas ela lhe tomou o rosto nas mãos.

– Você está bem?

A preocupação com ele, patente em sua voz, foi o que desencadeou tudo.

Com um assombroso acesso, seu corpo escapou ao controle da mente. Antes que pudesse pensar em suas ações, antes que pudesse parar, sustentou-se com os braços e arremeteu contra ela, retirando-se e penetrando-a com força, sem parar. A cabeceira da cama batia na parede no ritmo de suas estocadas, e ela se agarrou aos seus pulsos, tentando se manter no lugar.

Um som profundo invadiu o aposento, tornando-se cada vez mais forte, até que se deu conta de que o grunhido vinha dele mesmo. Quando um calor febril irrompeu por toda sua pele, seu olfato registrou a misteriosa fragrância da posse.

Já não conseguia se controlar.

Seus lábios deixaram os dentes à mostra, enquanto seus músculos se contorciam e seus quadris se chocavam contra ela. Empapado de suor, com a cabeça girando, alucinado, sem fôlego, tomou tudo o que ela lhe oferecia. Tomou e exigiu mais, transformando-se em um animal, enquanto o mesmo também acontecia com ela, até serem reduzidos à mais pura selvageria.

Gozou violentamente, enchendo-a, bombeando em seu interior, seu orgasmo se prolongando e prolongando até que se deu conta de que ela atingia seu clímax ao mesmo tempo que ele, e os dois se agarraram um ao outro como que para se salvarem das esmagadoras ondas de paixão.

Foi a união mais perfeita que já experimentara.

Então, tudo se transformou num pesadelo.

Quando o último estremecimento deixou seu corpo e passou para o dela, no momento em que se encontrava, afinal, esgotado, o equilíbrio entre seus desejos se perdeu. Sua ânsia por sangue veio à tona em um arrebatamento perverso e urgente, tão poderoso como havia sido a luxúria.

Revelou os dentes e buscou seu pescoço, a veia deliciosamente próxima à superfície de sua pele clara. Suas presas estavam prestes a se cravarem ali profundamente, tinha a garganta seca com a sede por ela, e suas entranhas sentiam os espasmos de uma inanição que lhe chegava à alma, quando se afastou de repente, horrorizado com o que estava a ponto de fazer.

Separou-se dela, arrastando-se pela cama até cair sentado no chão.

– Wrath? – alarmada, ela o chamou.

– Não!

Sua sede de sangue era forte demais, não podia negar o instinto. Se ela se aproximasse muito...

Gemeu, tentando engolir saliva. Sentia a garganta áspera como uma lixa. Seu corpo se cobriu de suor novamente, mas, dessa vez, era doentio.

– O que aconteceu? O que foi que eu fiz?

Wrath se arrastou para trás, com o corpo doendo e a pele ardendo. O cheiro do sexo dela funcionava como um chicote contra seu autocontrole.

– Beth, deixe-me a sós. Tenho de...

Mas ela continuava a se aproximar. O corpo dele se chocou contra o sofá.

– Afaste-se de mim, caramba! – mostrou-lhe as presas e praticamente rosnou. – Se chegar mais perto irei mordê-la, entendeu?

Ela parou imediatamente. O terror nublava o ar em volta deles, mas, então, ela sacudiu a cabeça.

– Você não me faria mal – disse com uma convicção que o impressionou de tão perigosamente ingênua que era.

Esforçou-se para falar.

– Vista-se. Suba. Peça ao Fritz que a leve em casa. Enviarei alguém para protegê-la.

Agora estava ofegante, a dor lhe rasgava o estômago, quase tão violenta como na primeira noite de sua transição. Nunca necessitara tanto de Marissa.

Mas o que será que estava acontecendo com ele?

– Não quero ir.

– Precisa. Enviarei alguém para mantê-la em segurança até que eu possa me encontrar com você novamente.

As coxas dele tremiam, os músculos tensos lutavam contra a ânsia que lhe torturava o corpo. Sua mente e suas necessidades físicas travavam uma luta de morte. E ele sabia quem iria vencer se ela não se afastasse dele naquele instante.

– Beth, *por favor*. Isso dói. E não sei por quanto tempo mais conseguirei me dominar.

Ela hesitou. Então, começou a se vestir apressadamente. Dirigiu-se à porta, mas, antes de cruzá-la, virou-se para olhar para ele.

– Vá embora.

E foi o que ela fez.

Capítulo 20

Passava um pouco das nove quando o Sr. X chegou ao McDonald's.

– Alegro-me que ambos tenham gostado do filme. E tenho em mente outro programa ainda para esta noite, embora tenhamos de ser rápidos. Um de vocês tem de voltar para casa às onze.

Billy praguejou baixinho, e eles pararam diante do menu iluminado. Pediu o mesmo lanche que o perdedor, só que em dobro. O perdedor se ofereceu para pagar a própria parte.

– Não se preocupe. Hoje é por minha conta – disse o Sr. X. – Só não derrame nada.

Enquanto Billy comia e o perdedor brincava com sua comida, o Sr. X os levou de carro à Zona de Guerra. O campo de tiros de raio laser era o ponto de encontro preferido dos menores de dezoito anos, pois seu interior escuro era perfeito para ocultar tanto a acne como a patética luxúria adolescente. A ampla construção de um só andar estava lotada aquela noite, cheia de adolescentes agitados que tentavam impressionar as entediadas garotas, arrumadas demais para um programa daqueles.

O Sr. X conseguiu três pistolas e uns coletes adaptados como alvos de tiro, e entregou um para cada rapaz. Billy estava preparado para começar em menos de um minuto, e sua arma descansava em sua mão comodamente, como se fosse uma extensão de seu braço.

O Sr. X observou o perdedor, que ainda estava tentando ajustar as tiras do colete sobre os ombros. O jovem pareceu-lhe patético, o lábio inferior pendente, enquanto os dedos se atrapalhavam com as presilhas de plástico. Billy também o observava, como um caçador examinando a sua presa.

– Pensei que podíamos fazer uma competição amistosa – disse o Sr. X quando, finalmente, cruzaram a porta giratória. – Para vermos qual de vocês consegue acertar o outro mais vezes.

Ao entrar no campo de jogo, os olhos do Sr. X rapidamente se adaptaram à aveludada escuridão e aos flashes de néon provenientes dos outros jogadores. O espaço era suficientemente grande para os trinta jovens que dançavam ao redor dos obstáculos, rindo e gritando enquanto disparavam raios de luz.

– Vamos nos separar – disse o Sr. X.

Enquanto o perdedor piscava como um míope, Billy se afastou, movendo-se com a agilidade de um animal. Após um momento, o sensor no peito do perdedor acendeu. O menino olhou para baixo como se não soubesse o que havia acontecido.

Billy se ocultou na escuridão.

– É melhor se proteger, filho – murmurou o Sr. X.

O Sr. X se manteve afastado enquanto observava tudo o que faziam. Billy acertou o perdedor inúmeras vezes e de várias direções diferentes, passando de um obstáculo a outro, aproximando-se rápido, depois lentamente, ou disparando de longa distância. A confusão e ansiedade do outro rapaz aumentavam cada vez que a luz em seu peito acendia, e o desespero o fazia mover-se com a falta de coordenação de uma criança. Deixava cair sua arma. Tropeçava nos próprios pés. Bateu com o ombro numa barreira.

Billy estava resplandecente. Embora seu alvo estivesse falhando e enfraquecendo, não mostrou clemência. Inclusive, disparou um último tiro quando o perdedor deixou cair sua arma e se inclinou contra a parede, exausto.

E, logo em seguida, desapareceu na escuridão.

Dessa vez, o Sr. X seguiu Billy, rastreando seus movimentos, mas não com a intenção de avaliar seu desempenho. Riddle era rápido, passava de um obstáculo a outro, voltando sobre seus passos até onde estava o perdedor para poder pegá-lo por trás.

O Sr. X adivinhou para onde Billy se dirigia. Com um rápido desvio para a direita, interpôs-se em seu caminho.

E disparou à queima-roupa.

Surpreso, o jovem baixou a vista para o seu peito. Era a primeira vez que seu receptor se acendia.

– Bom trabalho – disse o Sr. X –, jogou muito bem, filho, até agora.

Billy levantou os olhos enquanto sua mão pousava sobre o alvo que piscava: seu coração.

– *Sensei* – pronunciou a palavra como um amante, cheio de respeito e adoração.

Beth não tinha intenção de pedir ao mordomo que a acompanhasse, estava muito agitada para ter uma conversa educada com alguém. Enquanto se dirigia para a rua, tirou seu celular da bolsa para chamar um táxi. Estava chamando o número quando o ronco do motor de um carro a fez levantar a cabeça.

O mordomo saiu da Mercedes e fez uma reverência com a cabeça.

– O amo me chamou. Deseja que eu a leve em casa, minha senhora. E... eu gostaria de conduzi-la.

Mostrava-se sincero, quase esperançoso, como se ela lhe fizesse um grande favor permitindo que a acompanhasse. Mas necessitava de um pouco de liberdade. Depois de tudo que acontecera, sua cabeça girava.

– Obrigada, mas não – forçou um sorriso –, só vou...

O rosto do homem desmoronou. Lembrava um cão que houvesse levado uma chicotada.

Onde estavam suas boas maneiras? Foi invadida por um sentimento de culpa.

– Então, está bem.

Antes que Fritz pudesse contornar o carro, ela mesma abriu a porta e se sentou. O mordomo pareceu frustrado por sua iniciativa, mas se recuperou rapidamente, abrindo um sorriso radiante em seu rosto enrugado.

Quando ele se sentou ao volante e ligou o carro, ela disse:

– Moro na...

– Oh, já sei onde mora. Sempre soubemos onde estava. Primeiro, no Hospital St. Francis, na UTI neonatal. Depois, uma enfermeira a levou para casa. Tínhamos a esperança de que a enfermeira ficasse com você, mas o hospital a obrigou a devolvê-la. Então, enviaram-na para o orfanato. Disso nós não gostamos. Então, foi para um lar adotivo, com os McWilliams, na avenida Elmwood, mas você adoeceu e teve de voltar ao hospital devido a uma pneumonia.

Ligou a seta e virou à esquerda, quando o sinal fechou.

Mal conseguia respirar, escutava com toda a sua atenção.

– Depois a enviaram para os Ryan, mas havia muitas crianças. Mais tarde, esteve com os Goldrich, que viviam em uma casa de dois andares na rua Raleigh. Pensamos que os Goldrich fossem ficar com você, mas, então, ela engravidou. Finalmente, voltou para o orfanato. Detestamos que ficasse ali, porque não a deixavam sair para brincar com frequência.

– Sempre fala "nós" – sussurrou ela, com medo de acreditar. Mas louca para fazê-lo.

– Sim. Seu pai e eu.

Beth cobriu a boca com as costas da mão, observando o perfil do mordomo como se fosse algo que pudesse reter.

– Ele me conheceu?

– Ah, claro, minha senhora. Desde o começo. O maternal, a escola elementar e o segundo grau – seus olhos se encontraram. – Sentimo-nos muito orgulhosos de você quando entrou para a universidade com a bolsa de estudos. Eu estava lá quando se formou. Tirei fotografias para que seu pai pudesse vê-la.

– Ele me conhecia – pronunciou as palavras como se falasse do pai de outra pessoa.

O mordomo olhou para ela e sorriu.

– Temos todos os artigos que publicou, inclusive os que escreveu ainda no colégio e na universidade. Quando começou no *Correio de Caldwell*, seu pai se recusava a ir dormir pela manhã antes que eu lhe levasse o jornal. Não importava se havia passado uma noite difícil ou se estava cansado, nunca ia para cama até que lesse o que você escrevia. Tinha muito orgulho de você.

Ela vasculhou a bolsa, tentando encontrar um lenço de papel.

– Aqui – disse o mordomo, passando-lhe uma embalagem pequena.

Beth assoou o nariz o mais delicadamente que conseguiu.

– Minha senhora, deve compreender que para ele foi muito difícil ficar afastado de você, mas sabia que seria perigoso aproximar-se demais. As famílias dos guerreiros devem ser vigiadas cuidadosamente, e você estava desprotegida porque cresceu como humana. Também esperava que não tivesse que passar pela transição.

– Você conheceu minha mãe?

– Não muito bem. Não ficaram juntos muito tempo. Ela desapareceu pouco depois de começarem a se ver porque descobriu que ele não era humano. Não lhe disse que estava grávida, e só voltou a procurá-lo quando estava prestes a dar à luz. Acredito que tinha medo do que poderia estar trazendo ao mundo. Infelizmente, morreu no parto e foi levada a um hospital humano antes que pudéssemos chegar até ela. Mas deve saber que ele a amava. Profundamente.

Beth absorveu a informação, saturando a sua mente, enchendo todos os vazios.

– Meu pai e Wrath eram unidos?

O mordomo hesitou.

– Seu pai amava Wrath. Todos amamos. Ele é nosso senhor. Nosso rei. Por isso seu pai o enviou para procurá-la. Não deve temê-lo. Nunca lhe fará mal.

– Estou certa disso.

Quando avistou o edifício em que vivia, desejou ter um pouco mais de tempo para poder conversar mais com o mordomo.

– Já chegamos – disse ele. – O número 1.188 da avenida Redd, apartamento 1-B. Embora deva frisar que seu pai e eu jamais aprovamos que você morasse num apartamento térreo.

O veículo parou. Ela não queria sair.

– Poderia lhe perguntar outras coisas? Posteriormente? – disse ela.

– Oh, minha senhora, sim. Por favor. Há tantas coisas que quero lhe contar.

Saiu do carro, mas ela já estava fechando a porta quando ele deu a volta no carro para ajudá-la a descer.

Beth pensou em estender-lhe a mão para demonstrar seu agradecimento formalmente.

Em vez disso, atirou os braços ao redor do velhinho e o abraçou.

Depois que Beth deixou o aposento, a sede de Wrath clamou por ela, torturando-o cruelmente, como se soubesse que tinha sido ele quem a mandara embora.

Fechou a calça, arrastou-se até o telefone e ligou primeiro para Fritz, e depois para Tohrment. Sua voz falhava, e teve de repetir as palavras para que o entendessem.

Depois de falar com o Tohr, começaram as ânsias de vômito. Entrou no banheiro cambaleando, enquanto chamava Marissa com a mente. Inclinou-se sobre o vaso sanitário, mas seu estômago estava quase vazio.

Havia esperado muito, pensou. Ignorou os sinais que seu corpo vinha enviando há algum tempo. E, então, Beth entrara em sua vida, e a química interna recebera outra série de golpes. Não era de admirar que tivesse enlouquecido.

O perfume de Marissa lhe chegou do aposento.

– Meu senhor? – chamou ela.

– Preciso de...

Beth, pensou, alucinado. Viu-a diante dele, escutou-lhe a voz em sua cabeça. Estendeu a mão. Não havia nada ali.

– Meu senhor? Devo ir até você? – perguntou Marissa, do quarto.

Wrath secou o suor do rosto e saiu, cambaleando como um bêbado. Agitou os braços cegamente no ar, inclinando-se para a frente.

– Wrath! – Marissa correu para ele.

Desabou sobre a cama, arrastando-a consigo. Seu corpo pressionou o dela.

Ele sentiu Beth.

E seu rosto aterrissou entre os lençóis que ainda conservavam o cheiro de Beth. Ao respirar fundo, tentando se equilibrar, tudo o que sentiu foi o cheiro de Beth.

– Meu senhor, precisa se alimentar – a voz de Marissa chegava de muito longe, como se estivesse lá fora, na escada. Tentou olhar para o lugar de onde vinha o som, mas não pôde distinguir coisa alguma. Estava totalmente cego, agora.

A voz de Marissa soou estranhamente forte.

– Meu senhor, venha. Beba de meu pulso. Agora.

Sentiu a cálida pele em sua mão. Abriu a boca, mas não pôde fazer com que seus braços o obedecessem corretamente. Estendeu a mão, tocou um ombro, uma clavícula, a curva de um pescoço.

Beth.

A fome o dominou, e ele se apoderou do corpo feminino. Com um rugido afundou os dentes na tenra carne até chegar à artéria. Bebeu intensamente, vendo imagens da mulher morena que agora era dele; imaginando-a se entregando a ele, e que aqueles braços eram os dela.

Marissa sufocou um grito.

Os braços de Wrath quase a partiam ao meio, seu enorme corpo era como uma jaula em torno dela enquanto bebia. Pela primeira vez, sentiu cada linha de seu corpo.

Inclusive o que percebeu ser uma ereção, coisa que jamais vira.

As possibilidades eram excitantes e apavorantes.

Ficou sem forças e tentou respirar. Aquilo era o que sempre desejara. Embora toda aquela paixão fosse chocante. Mas que mais podia esperar? Era um macho puro-sangue; um guerreiro.

E ele finalmente havia percebido que precisava dela.

A satisfação substituiu o mal-estar, e ela percorreu lentamente com a mão seus largos ombros nus, uma liberdade que nunca tomara. Ele emitiu um som rouco, como se quisesse que continuasse. Com delicioso prazer, ela afundou as mãos em seu cabelo. Era tão macio. Quem poderia imaginar? Um macho tão rude, mas, ah, que macias eram aquelas madeixas escuras, tão macias como seus vestidos de cetim.

Marissa quis ver o que se passava na mente dele, uma invasão a que nunca se arriscara por medo de ofendê-lo. Mas, agora, tudo era diferente. Talvez quisesse beijá-la quando terminasse. Fazer amor. Talvez, agora pudesse ficar com ele. Gostaria de viver na casa de Darius com ele. Ou onde quer que fosse. Não importava.

Fechou os olhos e explorou seus pensamentos.

E viu a fêmea em que ele realmente estava pensando. A fêmea *humana.*

Era uma linda mulher, com cabelo escuro e os olhos semicerrados. Estava estendida de costas, com os seios descobertos. Acariciava-lhe os rijos mamilos rosados com os dedos enquanto lhe beijava o ventre e continuava descendo.

Marissa desfez-se daquela imagem como se fosse um vidro quebrado.

Wrath não estava ali com ela. Não bebia de seu pescoço. Não era o corpo dela que apertava contra o seu. E aquela ereção não era por sua causa. Não era para ela.

Enquanto ele lhe sugava o pescoço e seus grossos braços a esmagavam contra ele, Marissa chorou por aquela traição. Por suas esperanças. Por seu amor. Por ele.

Que apropriado era que a estivesse drenando! Desejava que concluísse logo, que bebesse todo o seu sangue até deixá-la seca, que a deixasse morrer.

Demorara anos para se dar conta da verdade – toda uma eternidade.

Nunca fora dela. Nunca seria.

Meu Deus, não lhe restara nada. Nem mesmo a fantasia.

Capítulo 21

Beth largou a bolsa sobre a mesa do corredor, disse "olá" para Boo e entrou no banheiro. Olhou o chuveiro, mas não sentia vontade de tomar banho. Embora o seu corpo tenso pudesse se beneficiar por passar uns minutos debaixo da água quente, queria conservar o cheiro de Wrath em sua pele. Era um perfume maravilhoso, erótico, uma fragrância misteriosa. Algo que jamais havia experimentado, algo que jamais poderia esquecer.

Abriu a torneira da pia, lavou-se, sentindo-se deliciosamente sensível e dolorida entre as pernas – embora não se importasse com a dor. Wrath podia fazer amor com aquela fúria sempre que quisesse.

Ele era...

Não lhe veio à mente um adjetivo adequado. Apenas sua imagem no clímax, ejaculando dentro dela, seus colossais ombros e peito cobertos de suor e contraídos, enquanto se entregava a ela. Enquanto a marcava como dele.

Pelo menos, foi o que lhe pareceu. Sentiu como se tivesse sido dominada e marcada por um homem. Possuída.

E queria experimentar aquilo de novo. Já.

Mas sacudiu a cabeça, pensando que o sexo desprotegido tinha de acabar. Já era ruim que o tivesse praticado duas vezes. Na próxima vez, teria mais cuidado.

Antes de sair do banheiro, olhou seu reflexo no espelho e parou. Inclinou-se para examinar seu rosto mais de perto.

Seu aspecto era exatamente o mesmo que tinha pela manhã, mas se sentia como uma estranha.

Abriu a boca e inspecionou os dentes. Quando tocou os dois caninos dianteiros, como era de se esperar, estavam doloridos.

Meu Deus, quem era ela? *O que* era ela?

Pensou em Wrath, depois que estiveram juntos. Obrigando-se a se afastar dela, com seu corpo tenso seminu, músculos que pareciam saltar da pele. Ao arreganhar os dentes, pareceu-lhe que as presas estavam mais longas do que quando as olhara pela primeira vez. Como se tivessem crescido.

O belo rosto de Wrath estava convulsionado pela agonia.

Era isso o que a aguardava?

Ouviu um golpe seco no outro aposento, como se alguém estivesse batendo na janela. Escutou Boo dar um miado de boas-vindas.

Oculta pelo batente da porta do banheiro, Beth espiou com cautela.

Havia alguém junto à porta do pátio. Alguém de grande estatura.

– Wrath? – correu para abrir a porta antes de se certificar bem.

Ao se deparar com o que estava do outro lado, desejou ter sido mais cuidadosa.

Não era Wrath, embora o homem se parecesse um pouco com ele. Cabelo negro cortado curto. Feições duras. Olhos de um azul escuro intenso. E muito couro.

As narinas dele se dilataram e seu semblante franziu, ao olhar para ela. No entanto, logo se recompôs.

– Beth? – tinha uma voz grave, mas amistosa. E, ao sorrir, suas presas apareceram.

Ela nem se assustou. Que droga, já começara a se acostumar àquele estranho mundo.

– Sou Tohrment, um amigo de Wrath – o cara lhe estendeu a mão – Pode me chamar de Tohr.

Ela apertou a mão estendida, sem saber muito bem o que dizer.

– Estou aqui para proteger você. Estarei lá fora se precisar de alguma coisa.

O homem... o vampiro – droga, seja lá o que fosse – virou-se e se dirigiu para a mesa de piquenique.

– Espere – disse ela –, por que não...? Entre, por favor.

Ele deu de ombros.

– Está certo.

Quando atravessou a porta, Boo miou alto e atacou com a pata as pesadas botas do homem. Os dois se saudaram como velhos amigos que não se viam há tempos, e quando o vampiro endireitou o corpo, sua jaqueta de couro se abriu. Adagas. Exatamente como as de Wrath. E ela tinha o palpite de que seus bolsos também estariam repletos de armas como as que Butch havia confiscado de Wrath.

– Deseja beber alguma coisa? – disse ela. Fez uma careta. *Não sangue. Por favor, não diga sangue.*

Ele sorriu para ela, como se soubesse o que estava pensando.

– Você tem cerveja?

Cerveja? Ele bebia cerveja?

– Ah, sim. Ou melhor: acho que sim – desapareceu na cozinha. Trouxe duas garrafas. Ela também precisava beber alguma coisa naquele momento.

Afinal de contas, era anfitriã de um vampiro. Seu pai também havia sido um.

Seu amante *era* um vampiro.

Inclinou a garrafa e tomou uns bons goles.

Tohrment riu baixinho.

– Noite difícil?

– Nem imagina quanto – respondeu ela, limpando a boca.

– Talvez sim – o vampiro se sentou na poltrona, e seu corpanzil fez a mobília parecer de casinha de bonecas. – Fico feliz por finalmente conhecê-la. Seu pai falava muito de você.

– Verdade?

– Tinha muito orgulho de você. E tem uma coisa que precisa saber: ele se manteve afastado para protegê-la, não porque não a amasse.

– Foi isso mesmo que me disse Fritz. E Wrath também.

– Como está se dando com ele?

– Com o Wrath?

– Sim.

Sentiu que suas faces se ruborizavam, e dirigiu-se à cozinha para que ele não visse sua reação. Pegou um pacote de bolachas em cima da geladeira e colocou algumas em um prato.

– Ele é... é... Como dizer? – tentou pensar em uma boa resposta.

– Na verdade, creio que sei.

Ela retornou e lhe ofereceu o prato.

– Aceita?

– Bolachas de aveia com passas – disse ele, pegando três –, minhas favoritas.

– Sabe? Pensava que os vampiros só bebessem sangue.

– Não. Contém nutrientes necessários, mas também necessitamos de comida.

– E quanto a alho?

– Pode trazer – recostou-se na poltrona, mastigando alegremente. – Eu adoro tostados, com um pouco de azeite de oliva por cima.

Quem diria? Aquele cara era bastante afável.

Não, não podia ser. Seus penetrantes olhos examinavam continuamente as janelas e a porta de vidro, como se estivesse vigiando os arredores. Ela soube, sem sombra de dúvida, que se visse algo que não gostasse se levantaria daquela poltrona em um piscar de olhos. E não seria para checar as trancas. Seria para atacar.

Ele levou outra bolacha à boca.

Pelo menos, sua presença a relaxava. Relativamente.

– Não é como Wrath – disse ela, sem pensar.

– Ninguém é como Wrath.

– É – mordeu sua própria bolacha, e se sentou no sofá.

– Ele é uma força da natureza – disse Tohr, inclinando a garrafa para beber. – É mortífero; quanto a isso, não resta dúvida. Mas não existe ninguém melhor para protegê-la do que ele, caso decida fazê-lo. Embora eu acredite que já decidiu.

– Como sabe? – sussurrou ela, perguntando-se o que Wrath lhe teria contado.

Tohr pigarreou, com rosto um tanto vermelho.

– Ele a marcou.

Ela franziu o semblante, baixando a cabeça para se olhar.

– Posso sentir o cheiro – disse Tohr –, a advertência está pelo seu corpo todo.

– Advertência?

– Como se fosse sua companheira.

– Sua o quê?

– Sua companheira. Esse cheiro em sua pele envia um poderoso sinal a outros machos.

Então, estava certa. Sobre o tipo de sexo que fizeram e o que significava.

Na verdade, isso não deveria me agradar. Pelo menos, não tanto, pensou.

– Não se importa, não é? – disse Tohr. – De ser dele.

Não queria responder a isso. Por um lado, queria ser de Wrath, mas, por outro, sentia-se muito mais segura sendo como sempre fora: só.

– Você tem uma? – perguntou. – Uma companheira?

O rosto do vampiro se iluminou com devoção.

– Seu nome é Wellsie. Fomos prometidos um ao outro antes de nossa transição. Foi uma verdadeira sorte que nos apaixonássemos. A verdade é que se a tivesse conhecido na rua, eu a teria escolhido. Obra do destino?

– De vez em quando, ele opera a nosso favor – murmurou ela.

– Sim. Alguns machos tomam mais de uma companheira, mas eu não consigo sequer imaginar estar com outra fêmea. Evidentemente, essa é a razão pela qual Wrath me escolheu.

Ela arqueou uma sobrancelha.

– Como assim?

– Os outros Irmãos têm fêmeas das quais bebem, mas não têm laços emocionais. Nada evitaria que eles... – deteve-se e mordeu outra bolacha – bem, já que é...

– Sou o quê? – deu-se conta de que ela própria mal se conhecia. E, a essa altura, estava até disposta a aceitar dicas de estranhos.

– Tão bela. Com certeza, Wrath não quis colocá-la aos cuidados de nenhum outro, porque caso se sentissem tentados a dar em cima de você, surgiriam graves problemas – Tohr deu de ombros. – Bem, alguns dos Irmãos são realmente perigosos. Não se pode deixar uma fêmea sozinha com eles, quanto mais uma pela qual nutre sentimentos.

Ela não estava segura de querer conhecer qualquer um dos Irmãos.

Espere um minuto, pensou.

– Wrath já tem uma companheira? – perguntou.

Tohr terminou sua cerveja.

– Acredito que seja melhor falar diretamente com ele sobre isso.

Aquilo não fora um "não".

Um sentimento mórbido de desapontamento se instalou em seu peito, e ela voltou para a cozinha.

Droga. Começava a sentir um vínculo emocional com Wrath. Só haviam feito amor duas vezes, e sua cabeça já estava um caos.

Isso vai doer, pensou, enquanto abria outra cerveja. Quando as coisas ficassem difíceis entre eles, ia doer como o inferno.

Sem contar que, ainda por cima, iria virar vampira.

Oh, meu Deus.

– Mais bolachas? – disse em voz alta.

– Adoraria.

– E cerveja?

– Não, é suficiente, obrigado.

Ela trouxe o pacote da cozinha. Ficaram em silêncio enquanto davam cabo das bolachas, inclusive os pedaços quebrados que ficavam no fundo.

– O que mais você tem de comida? – perguntou ele.

Ela se levantou, sentindo um pouco de fome também.

– Vou ver se encontro alguma coisa.

– Tem TV a cabo? – disse, indicando com a cabeça o televisor.

Ela lhe deu o controle.

– Claro. E, se não me engano, esta noite tem uma maratona Godzilla pela TBS.

– Beleza – disse o vampiro, estirando as pernas –, sempre fico do lado do monstro.

Ela sorriu.

– Eu também.

Capítulo 22

Butch despertou porque alguém estava perfurando seu crânio com uma furadeira.

Abriu um olho.

Não, era apenas a campainha do telefone.

Tirou o fone do gancho e aproximou-o do ouvido.

– Alô?

– Bom-dia, flor do dia – a voz de Jose trouxe de volta a furadeira.

– Que horas são?

– Onze. Pensei que gostaria de saber que Beth acaba de ligar para cá, procurando por você. Parecia estar bem.

O corpo de Butch relaxou aliviado.

– E o cara?

– Sequer o mencionou. Mas disse que queria falar com você hoje. Cancelei a ordem de busca enquanto falava com ela, porque estava ligando de casa.

O detetive se sentou.

E logo voltou a se recostar.

No momento, não iria a parte alguma.

– Não estou me sentindo muito bem – murmurou.

– Já imaginava. Por isso, disse a ela que estaria ocupado até a tarde. A propósito: saí de sua casa às sete da manhã.

Ah, Cristo.

Butch tentou outra vez se colocar na posição vertical, obrigando-se a se manter reto. O quarto girava. Ainda estava bêbado que nem um gambá. E estava de ressaca.

Não era mentira que estivesse ocupado.

– Estou indo para a delegacia agora mesmo.

– Eu não faria isso. O capitão está louco para ferrar com você. O pessoal da Assuntos Internos apareceu por aqui perguntando por você e pelo Billy Riddle.

– Riddle? Por quê?

– Ah, detetive, corta essa.

Sim, ele sabia por quê.

– Escute: não está em condições de se encontrar com o capitão – a voz de Jose era uniforme, pragmática –, precisa ficar sóbrio, recuperar-se. Apareça só mais tarde. Eu cubro você.

– Obrigado.

– Deixei aspirinas junto ao telefone com um copo grande de água. Imaginei que não conseguiria chegar até a cafeteira. Tome três, desconecte o telefone, durma. Se acontecer algo emocionante, passo aí para pegá-lo.

– Amo você, doçura.

– Então, compre-me um casaco de mink e um belo par de brincos para o nosso aniversário.

– Pode deixar.

Desligou o telefone depois de duas tentativas, e fechou os olhos. Um pouquinho mais de sono. E se sentiria outro.

Beth rabiscou sua última correção em um texto sobre uma série de roubos de identidade. Parecia que o artigo estava sangrando, a julgar pela quantidade de alterações que havia feito com caneta vermelha, dando-se conta de que, ultimamente, os meninos crescidos de Dick estavam ficando cada vez mais descuidados, descarregando nela a maior parte do trabalho. E não se tratava só de enganos de conteúdo; agora também cometiam enganos gramaticais e estilísticos. Como se jamais tivessem ouvido falar em manuais de redação dos principais jornais do país.

Não se importava em fazer trabalhos de revisora, embora fosse colaboradora, desde que o autor do artigo se desse o trabalho de reler o texto e consertasse pelo menos os erros mais grosseiros.

Beth colocou o artigo em sua bandeja de trabalhos finalizados e se concentrou na tela do computador. Abriu de novo um arquivo no qual estivera trabalhando intermitentemente o dia todo.

Certo: o que mais gostaria de saber?

Repassou sua lista de perguntas.

Poderei sair durante o dia? Com que frequência terei de me alimentar? Quanto tempo vou viver?

Seus dedos voavam sobre o teclado.

Contra quem estão lutando?

E depois: *Você tem uma...?*

Qual era mesmo a palavra? *Companheira?*

Digitou *esposa*, em vez disso.

Deus, estremeceu só de imaginar qual seria a resposta de Wrath. E, mesmo se não tivesse uma, de quem se alimentava?

E o que sentiria quando ele saciasse, nela, sua fome?

Sabia instintivamente que seria algo parecido com sexo. Meio selvagem. Extenuante. E a deixaria, provavelmente, machucada e fraca.

Assim como num estado de perfeita felicidade.

– Dando duro, Randall? – Dick arrastou as palavras.

Ela trocou de tela para que não visse o arquivo, e abriu a página de e-mails.

– Como sempre.

– Sabe? Circula por aí um boato sobre você.

– Verdade?

– Sim. Ouvi dizer que saiu com aquele detetive da divisão de homicídios, O'Neal. Duas vezes.

– E?

Dick se inclinou, apoiando-se na mesa dela. Ela usava uma blusa sem decote, de modo que havia pouca coisa para ele olhar. Ele se endireitou.

– Então, bom trabalho. Use um pouco de seu charme nele. Extraia dele todas as informações que conseguir. Poderíamos fazer um artigo sobre a brutalidade policial com ele na capa. Continue assim, Randall, e talvez me convença de que merece uma promoção.

Dick saiu contente, obviamente satisfeito por estar na posição de dispensador de favores.

Que otário.

Seu telefone tocou. E, devido ao mau humor em que Dick a deixara, não pôde evitar atender a chamada num tom raivoso.

Houve uma pausa.

– Minha senhora? Está bem?

Era o mordomo.

– Sinto muito. Sim, estou bem – apoiou a cabeça sobre sua mão livre. Depois de lidar com tipos como Wrath e Tohr, a versão caricata de arrogância masculina de Dick parecia-lhe absurda.

– Se houver algo que eu possa fazer...

– Não, não, estou bem – riu. – Nada que eu já não conheça há séculos.

– Bem, provavelmente eu não deveria ter ligado – a voz de Fritz se converteu num sussurro –, mas não queria que fosse apanhada de surpresa. O amo encomendou um jantar especial para esta noite. Apenas você e ele. Pensei que talvez pudesse ir apanhá-la para procurarmos um vestido para você.

– Um vestido?

Para uma espécie de encontro com Wrath?

A princípio, a ideia lhe pareceu maravilhosa, mas, então, lembrou que devia evitar ver as coisas de modo romântico. Na realidade, não sabia em que pé estavam as coisas entre eles.

Nem se ele estava dormindo com alguém mais.

– Minha senhora, sei que é presunçoso da minha parte. Ele mesmo a chamará...

Naquele momento, a segunda linha de seu telefone começou a tocar.

– Só queria que estivesse preparada para esta noite.

O identificador de chamadas iluminou o número que Wrath a tinha feito memorizar. Apanhou-se sorrindo como uma idiota.

– Eu adoraria comprar um vestido. Realmente, adoraria.

– Que bom. Iremos ao Galleria. Ali também tem uma loja Brooks Brothers. O amo encomendou-me um traje. Acredito que também quer estar o mais elegante possível para você.

Quando desligou, aquele estúpido sorriso continuava pregado em seu rosto como se houvesse colocado cola.

Wrath deixou uma mensagem no correio de voz para Beth e rolou sobre a cama, estendendo a mão em busca de seu relógio. Eram três da tarde. Havia dormido quase seis horas, mais do que o habitual, mais do que seu corpo geralmente necessitava depois de comer.

Como queria que ela estivesse com ele!

Tohr tinha ligado com o relatório. Ambos haviam ficado acordados a noite inteira vendo filmes de Godzilla e, pelo som da voz do macho, estava meio apaixonado por ela.

O que Wrath tanto achou perfeitamente compreensível, como odioso.

Mas, tinha escolhido certo ao enviar Tohr. Rhage teria se jogado sobre ela de cara e, então, seria preciso que Wrath lhe quebrasse algo. Um braço, ou uma perna. Talvez, ambos. E Vishous, embora não tivesse a acintosa beleza de Hollywood, possuía uma lábia e tanto. O voto de castidade do Phury era firme, mas, por que colocá-lo no caminho da tentação?

Zsadist? Sequer considerara essa opção. A cicatriz em seu rosto a teria deixado morta de medo. Era tão grande que até o Wrath conseguia enxergá-la. E o terror mortal em uma fêmea era o afrodisíaco favorito de Z. Isso operava nele o mesmo efeito excitante que as roupas íntimas da Vitoria's Secret provocam na maioria dos machos.

Não tinha escolha. Se fosse novamente necessário, convocaria os serviços de Tohr outra vez.

Espreguiçou-se. Sentir os lençóis de cetim contra sua pele nua o fez desejar Beth. Agora que se alimentara, seu corpo estava mais forte do que nunca, como se seus ossos fossem de fibra de carbono e seus músculos cabos de aço. Voltara a ser ele mesmo, e todo seu ser ansiava por ação.

Apenas lamentava amargamente o que acontecera com Marissa.

Lembrou-se da noite anterior. Depois que erguera a cabeça de seu pescoço, constatou que quase a matara. E não por beber muito.

Afastara-se dele impetuosamente, com o corpo trêmulo de angústia enquanto saía da cama tropeçando.

– Marissa.

– Meu senhor, eu o libero de nosso compromisso. Está livre de mim.

Ele praguejou, sentindo-se terrivelmente mal pelo que fizera a ela.

– Não entendo sua raiva – murmurou ela, debilmente –, foi o que sempre quis, e agora eu lhe concedo isso.

– Nunca quis...

– A mim – sussurrou ela –, sei disso.

– Marissa.

– Por favor, não fale nada. Não suportaria escutar a verdade de seus lábios, embora a conheça bem. Sempre se envergonhou de estar ligado a mim.

– Do que diabos está falando?

– Sente nojo de mim.

– O quê?

– Pensa que não percebo? Não vê a hora de se ver livre de mim. Quando terminou de beber, levantou-se de um salto, como se houvesse sido obrigado a suportar minha presença – então, começou a soluçar. – Sempre procurei estar limpa quando venho vê-lo. Passo horas na banheira, lavando-me. Mas não posso encontrar a sujeira que você vê.

– Marissa, pare. Não continue com isso. O problema não é com você.

– Sim, sei. Vi a fêmea em sua mente – estremeceu.

– Sinto muito – disse ele. – Nunca senti nojo de você. Você é bela.

– Não diga isso. Não agora – a voz de Marissa se endureceu. – A única coisa que pode lamentar é que levei muito tempo para aceitar a verdade.

– Ainda a protegerei – jurou ele.

– Não, não o fará. Já não precisa se preocupar comigo. Não que algum dia o tenha feito.

Então, partiu, enquanto o perfume fresco do oceano perdurou um momento ainda, antes de se dissipar.

Wrath esfregou os olhos. Estava decidido a compensar-lhe de algum modo. Não sabia como fazê-lo exatamente, tendo em conta o inferno que havia suportado. Mas não estava preparado para deixá-la à deriva, pensando que nunca significou absolutamente nada para ele. Ou que, de algum modo, a considerava impura.

Nunca a amara, era verdade. Mas não queria feri-la, e essa era a razão pela qual lhe dissera tantas vezes que o deixasse. Se fosse ela a partir, se fosse ela a deixar claro que não o queria, poderia manter a cabeça erguida no maldoso círculo aristocrático ao qual pertencia. Em seu meio, uma companheira repudiada por seu companheiro era vista como mercadoria estragada.

Agora que ela o deixara, seria poupada da ignomínia. E tinha o palpite de que quando a notícia se espalhasse, não seria surpresa para ninguém.

O estranho é que nunca havia imaginado realmente como ele e Marissa se separariam; talvez porque, depois de tantos séculos, acreditasse que jamais o fariam. Mas, certamente, nunca havia esperado que ocorresse pela aparição de outra fêmea.

E era o que estava acontecendo com Beth. Depois de marcá-la na noite anterior como fizera, não podia fingir que não estava ligado emocionalmente a ela.

Praguejou em voz alta, pois conhecia o suficiente do comportamento e da psicologia do vampiro macho para compreender que estava encrencado. Diabos, agora ambos estavam encrencados.

Um macho apaixonado era um perigo.

Especialmente quando era preciso deixar sua fêmea sozinha.

E entregá-la aos cuidados de outro.

Tentando afastar de sua mente as implicações que aquilo tudo podia ter, Wrath pegou o telefone e chamou um número, à medida que subia as escadas, pensando que precisava comer alguma coisa. Ao não obter resposta, imaginou que Fritz havia saído para comprar comida.

Muito bom. Havia pedido aos membros da Irmandade que fossem até lá naquela noite, e gostavam de comer bem. Chegara o momento de fazerem um levantamento em comum de todas as investigações efetuadas.

A necessidade de vingar Darius queimava. E quanto mais Wrath se aproximava de Beth, mais quente era o fogo.

Capítulo 23

Butch saiu do escritório do capitão. Sentia o coldre muito leve sem a pistola e sua carteira muito lisa sem seu distintivo. Era como estar nu.

– O que aconteceu? – perguntou Jose.

– Estou tirando umas férias.

– Que diabos significa isso?

Butch começou a descer o corredor.

– O Departamento de Polícia de Nova York tinha alguma informação sobre aquele suspeito?

Jose o segurou pelo braço, empurrando-o para uma das salas de interrogatório.

– O que aconteceu?

– Suspenderam-me sem vencimentos, até que concluam uma investigação interna. A qual nós dois sabemos que descobrirá que agi com excesso de força.

Jose enterrou os dedos no cabelo.

– Eu lhe disse para deixar esses suspeitos para lá, cara.

– Esse sujeito, Riddle, merecia algo pior.

– Essa não é a questão.

– Estranho, o capitão disse a mesma coisa.

Butch caminhou até o vidro espelhado usado para observação dos interrogatórios e se olhou. Estava envelhecendo. Ou, talvez, simplesmente cansado do único trabalho que lhe interessou na vida.

Brutalidade policial; vão se danar. Ele protegia os inocentes, não a qualquer valentão que se excitava dando uma de durão. O problema era que havia muitas leis que favoreciam os criminosos. Suas vítimas, cujas vidas eram aniquiladas por causa da violência, deveriam ter a metade da sorte que eles têm.

– Em todo caso, eu não pertenço a este lugar – disse calmamente.

– O quê?

Já não havia um lugar no mundo para homens como ele, pensou.

Butch se virou.

– E aí, sobre o departamento de Polícia de Nova York. Conseguiu levantar algo?

Jose o olhou fixamente durante muito tempo.

– Suspenso da corporação, hum?

– Pelo menos até que possam me despedir oficialmente.

Jose levou as mãos aos quadris e olhou para baixo, movendo a cabeça como se estivesse desaprovando os seus sapatos. Mas respondeu:

– Nada. É como se tivesse saído do nada.

Butch soltou um palavrão.

– Aquelas estrelas. Sei que podem ser conseguidas pela Internet, mas também podem ser compradas na cidade, não é?

– Sim, nas academias de artes marciais.

– Temos umas duas na cidade.

Jose concordou devagar.

Butch tirou as chaves do bolso.

– Vejo você depois.

– Espere, já enviamos alguém para investigar. Em ambas as academias disseram que não se lembram de ninguém que combine com a descrição do suspeito.

– Obrigado pela dica.

Butch começou a se aproximar da porta.

– Detetive. Ei! *O'Neal.*

Jose segurou Butch pelo antebraço.

– Droga, pode parar um minuto?

Butch olhou por cima do ombro.

– É agora a hora em que me adverte sobre me manter longe dos assuntos da polícia? Porque pode muito bem economizar o discurso.

– Santo Deus, Butch, eu não sou seu inimigo – os escuros olhos castanhos de Jose eram penetrantes. – Os rapazes e eu estamos com você. No que nos diz respeito, você faz o que tem de fazer, e nunca se enganou. Todos que apanharam, certamente mereciam. Mas você sempre teve sorte, sabe? E se tivesse ferido alguém que não era...

– Corta o sermão, falou? Não estou interessado – segurou a maçaneta da porta.

Jose apertou-lhe o braço com mais força.

– Está fora da corporação, O'Neal. E meter-se em uma investigação da qual foi afastado não vai trazer Janie de volta.

Butch soltou o ar dos pulmões como se tivesse levado um soco.

– O que foi agora? Está querendo me deixar louco, que nem os outros?

Jose retirou a mão, como se estivesse jogando a toalha.

– Sinto muito. Mas deveria saber que continuar a escavar a sujeira só vai prejudicá-lo. E não vai ajudar a sua irmã. Nunca ajudou.

Butch sacudiu a cabeça lentamente.

– Droga. Eu sei disso.

– Tem certeza?

Sim, tinha. De fato gostara de surrar Billy Riddle, e fora para se vingar pelo que fizera à Beth. Nada tinha a ver com sua irmã. Aquilo não iria devolver-lhe a vida, sabia disso perfeitamente. Janie se fora há muito, muito tempo.

Mesmo assim, os olhos tristes de Jose o fizeram sentir-se como se tivesse uma doença terminal.

Tudo vai ficar bem, pegou-se dizendo, embora realmente não acreditasse nisso.

– Só não... só não se arrisque muito aí fora, detetive.

Butch abriu a porta.

– Mas, se é só isso que sei fazer, Jose...

O Sr. X se recostou na cadeira de seu escritório, pensando na noite que se aproximava. Estava pronto para tentar novamente, embora a região central da cidade estivesse muito visada naquele momento por causa da bomba no carro e da prostituta encontrada morta. Caçar vampiros na vizinhança do Screamer's seria perigoso, mas o risco de ser preso só tornava o desafio mais atraente.

Quem quer apanhar um tubarão, não pesca em água doce. Tinha de ir aonde estavam os vampiros.

Sentia a emoção da expectativa.

Andara apurando suas técnicas de tortura. E, naquela manhã, antes de sair para a academia, visitara o centro de operações que montara em seu celeiro. Suas ferramentas estavam ordenadas e reluzentes: uma broca de dentista, facas de vários tamanhos, uma marreta, um cinzel, uma serra. Uma colher de cortar melão em bolinhas – para os olhos.

Certamente, o truque consistia em percorrer essa linha tenue entre a dor e a morte. A dor pode ser prolongada por horas a fio ou mesmo dias. A morte era o interruptor definitivo.

Alguém bateu na porta.

– Entre – disse ele.

Era a recepcionista, uma mulher com os braços fortes como os de um homem e desprovida de seios. Suas contradições nunca deixavam de assombrá-lo. Apesar do fato de que uma furiosa inveja do pênis a houvesse levado a tomar esteroides e a puxar ferro como um gorila, insistia em usar maquiagem e arrumar o cabelo. Com sua camiseta curta e bermuda, parecia uma *drag queen* relaxada.

Ela lhe causava asco.

Tão importante quanto saber quem você é, pensou ele, *é saber quem você não é.*

– Tem um cara aí querendo falar com você – disse ela, com voz aveludada – O'Neal, acho que é o nome dele. Age como um tira, mas não mostrou a insígnia.

– Diga-lhe que já vou – *maldita aberração da natureza*, acrescentou para si.

O Sr. X não pôde deixar de rir enquanto a porta se fechava atrás dela. Dele. Tanto faz.

Lá estava um homem sem alma que matava vampiros, e era ele que a chamava de aberração?

Ao menos ele tinha um objetivo e um plano. Ela apenas iria mais uma vez para o Gold's Gym naquela noite. Mas só depois de fazer a barba.

Faltava pouco para as seis quando Butch estacionou o carro em frente ao edifício de Beth. Cedo ou tarde teria de devolver o veículo, mas estar suspenso não significava estar despedido. O capitão teria de lhe pedir que entregasse o maldito carro.

Tinha ido às academias de artes marciais e falado com os diretores. Um daqueles indivíduos havia sido bastante inconveniente. Um tipo arrogante, fanático da defesa pessoal, convencido de ser um autêntico asiático, apesar de ser tão caucasiano como Butch.

Achara o outro extremamente estranho. Parecia um leiteiro da década de 50, com cabelo loiro gomalinado, e um incômodo sorriso luminoso que parecia tirado de um anúncio de dentifrício de meio século atrás. O sujeito se esforçou ao máximo para colaborar, mas havia nele algo fora dos eixos. O detector de mentiras de Butch soara o alarme no momento em que o senhor Mayberry abrira a boca.

Além disso, o tipo cheirava como um maricas.

Butch subiu de dois em dois os degraus do edifício de Beth e apertou a campainha.

Havia deixado uma mensagem em sua secretária eletrônica do trabalho e também na de casa, avisando que iria vê-la. Estava a ponto de apertar de novo o interfone quando a viu através da porta de vidro, dirigindo-se à portaria.

Caraca!

Usava um vestido negro justo, de caimento perfeito, que por pouco não fez a dor de cabeça de Butch voltar. O decote em V, bastante pronunciado, revelava um pouquinho só dos seios. A cintura apertada ressalvava-lhe os esbeltos quadris. E a abertura em uma das laterais mostrava ligeiramente a coxa a cada passo que dava. Colocara saltos altos, fazendo com que seus tornozelos parecessem frágeis e encantadores.

Ela levantou a cabeça da bolsa na qual tinha estado procurando algo, e pareceu surpresa em vê-lo.

Levava o cabelo preso. Ele não pôde evitar imaginar como seria delicioso soltá-lo.

Ela abriu a porta.

– Butch.

– Olá – parecia uma criança, sem saber o que falar.

– Recebi suas mensagens – disse ela, com delicadeza.

Ele deu um passo para trás para que ela pudesse sair.

– Tem tempo para falar?

Embora soubesse qual seria a resposta.

– Ah, agora não.

– Aonde vai?

– Tenho um encontro.

– Com quem?

Ela o olhou nos olhos com uma tranquilidade tão deliberada, que ele soube imediatamente que ia contar uma mentira.

– Ninguém em especial.

Sim, claro.

– O que aconteceu com o homem de ontem à noite, Beth? Onde está?

– Não sei.

– Está mentindo.

Seus olhos não se separaram dos dele.

– Se me permitir...

Ele a agarrou pelo braço.

– Não vá vê-lo.

O som rouco de um motor quebrou o silêncio entre os dois. Uma Mercedes grande e negra, com vidros escuros, parou no meio-fio. Coisa de chefão do tráfico de drogas.

– Ah, cacete! Beth... – apertou-lhe o braço, desesperado para ter sua atenção. – Não faça isso. Está acobertando um suspeito.

– Solte-me, Butch.

– Ele é *perigoso*.

– E você não é?

Soltou-a.

– Amanhã – disse ela, olhando para trás –, a gente se fala amanhã. Espere-me aqui, depois do trabalho.

Alucinado, interpôs-se em seu caminho.

– Beth, não posso deixar que você...

– Vai me prender?

Como tira, não podia. Não até que fosse reintegrado à força policial.

– Não. Não o farei.

– Obrigada.

– Não estou lhe fazendo um favor – disse ele amargamente, enquanto ela se desviava dele.

– Beth, por favor.

Ela parou.

– Nada é o que parece.

– Não sei. Eu vejo as coisas bastante claras. Está protegendo um assassino, e corre o sério risco de acabar comendo grama pela raiz. Não percebe o que esse cara é? Vi seu rosto de perto. A mão dele estava em torno do meu pescoço, e o estava apertando para me tirar a vida. Um homem como esse leva o assassinato nas veias. Faz parte de sua natureza. Como pode ir encontrar-se com ele? Como pode permitir que circule pelas ruas?

– Ele não é assim.

Mas essas palavras foram formuladas quase como uma pergunta. A porta do veículo se abriu, e um velhinho de smoking desceu.

– Algum problema, minha senhora? – perguntou-lhe o homem solicitamente, ao mesmo tempo em que olhava feio para Butch.

– Não, Fritz. Problema algum – deu um sorriso trêmulo. – Amanhã, Butch.

– Se estiver viva até lá.

Ela ficou lívida, mas desceu apressadamente os degraus, deslizando para o interior do carro.

Após um momento, Butch entrou no seu e os seguiu.

Quando Havers ouviu passos na direção da sala de jantar, ergueu os olhos do prato, franzindo o semblante. Esperava que seu jantar transcorresse sem interrupções.

Mas não era um dos criados com notícias de que havia chegado algum paciente para ser atendido.

– Marissa! – levantou-se da cadeira.

Ela lhe sorriu.

– Pensei em descer. Estou cansada de passar tanto tempo no meu quarto.

– Sua companhia é um prazer para mim.

Quando chegou à mesa, ele puxou uma cadeira para ela. Estava contente por ter insistido que o lugar dela estivesse sempre preparado, mesmo depois de ter perdido a esperança de que se reunisse com ele ao jantar. E, naquela noite, parecia que ela fazia um esforço maior do que simplesmente descer para jantar. Havia colocado um bonito vestido de seda negra com um casaquinho de pescoço rígido e levantado. O cabelo lhe caía ao redor dos ombros, seu dourado resplandecendo à luz das velas. Estava encantadora, e ele sentiu uma pontada de ressentimento. Era ultrajante que Wrath não pudesse apreciar tudo o que ela podia lhe oferecer; que aquela sofisticada e bela fêmea de sangue nobre não fosse suficientemente boa para ele.

E que só a utilizasse para se alimentar.

– Como vai seu trabalho? – perguntou ela, enquanto era servida de vinho por um criado, e de carne por outro.

– Obrigada, Phillip. Karolyn, isso parece estar delicioso.

Pegou um garfo e espetou o rosbife delicadamente.

Aleluia, pensou Havers. Quase normalidade.

– Meu trabalho? Vai bem. Na realidade, mais do que bem. Como comentei com você, fiz um pequeno avanço. Em breve, poderemos solucionar nossos problemas alimentares – ergueu seu copo e bebeu. O borgonha seria um acompanhamento perfeito para a carne, mas o sabor não lhe agradava o paladar. Tudo que havia em seu prato também lhe parecia amargo. – Esta tarde, recebi uma transfusão com sangue armazenado, e me sinto maravilhoso.

Na verdade, estava exagerando um pouco. Não se sentia doente, mas algo não ia bem. Ainda não experimentara a habitual descarga de energia.

– Oh, Havers – exclamou ela suavemente –, ainda sente falta de Evangeline, não é?

– Dolorosamente. E beber simplesmente... não é agradável para mim.

Não, não se manteria vivo à moda antiga. De agora em diante, conseguiria o mesmo resultado clinicamente, com uma agulha esterilizada no braço conectada a uma bolsa.

– Sinto muito – disse Marissa.

Havers estendeu a mão, colocando a palma para cima sobre a mesa.

– Obrigado.

Ela colocou a mão sobre a dele.

– E sinto ter estado tão... preocupada. Mas, agora, tudo irá melhorar.

– Sim – disse ele, ansioso. Wrath era a classe de bárbaro que queria continuar bebendo da veia, mas, pelo menos, Marissa podia ser poupada da indignidade. – Poderia experimentar a transfusão. Também a libertaria.

Ela afastou a mão e segurou seu copo de vinho. Quando levou o borgonha à boca, derramou um pouco sobre seu casaquinho.

– Oh, que transtorno – murmurou, limpando com a mão o líquido da seda –, sou terrivelmente desajeitada, não é?

Tirou o casaquinho e o depositou na cadeira vazia ao seu lado.

– Sabe, Havers? Gostaria de experimentar. Beber já não é algo que me pareça apetecível tampouco.

Um delicioso alívio, uma promissora sensação o dominou. Tratava-se de uma sensação totalmente alheia, já que não a sentia há muito tempo. A ideia de que algo poderia mudar para melhorar se converteu em um conceito estranho para ele.

– Verdade? – sussurrou ele.

Ela balançou a cabeça afirmativamente, jogou o cabelo para trás dos ombros e pegou o garfo.

– Sim, verdade.

E, então, ele viu as marcas em seu pescoço.

Duas perfurações inflamadas. Uma ferida vermelha no lugar onde ele havia sugado. Hematomas roxos na pele da clavícula, onde aquela mão pesada a apertara.

O horror o deixou sem apetite, turvou sua visão.

– Como pôde tratá-la tão grosseiramente? – perguntou Havers, com voz entrecortada.

Marissa levou a mão ao pescoço antes de puxar o cabelo para frente rapidamente, para ocultá-lo.

– Não é nada. Sério, não é... nada.

Ele não conseguia desviar os olhos daquela região, e continuou vendo claramente o que ela havia escondido.

– Havers, por favor. Vamos aproveitar a comida – pegou seu garfo outra vez, como se estivesse preparada para demonstrar exatamente como se fazia. – Vamos. Coma comigo.

– Como poderia? – largou seus talheres de prata.

– Porque tudo acabou.

– O que se acabou?

– Rompi o compromisso com Wrath. Já não sou sua companheira. E não o verei mais.

Por um instante, Havers nada disse, só a olhou fixamente.

– Por quê? O que mudou?

– Ele encontrou uma fêmea a quem deseja.

A ira congelou as veias de Havers.

– E a quem ele prefere a você?

– Não a conhece.

– Conheço todas as fêmeas da nossa espécie. Quem é? – exigiu saber.

– Ela não é da nossa espécie.

– Então, é uma das escolhidas da Virgem Escriba? – na hierarquia social dos vampiros, elas eram as únicas que estavam acima de uma fêmea da aristocracia.

– Não. Ela é humana. Ou, pelo menos, meio humana, pelo que pude deduzir de seus pensamentos sobre ela.

Havers ficou paralisado em sua cadeira. Humana, uma *humana*? Marissa havia sido trocada por uma... *Homo sapiens*?

– A Virgem Escriba já foi contatada? – perguntou, com um fiapo de voz.

– Isso é com ele, não cabe a mim. Mas não se engane, ele irá procurá-la. Realmente... acabou.

Marissa espetou um pequeno pedaço de carne e o levou à boca. Mastigou cuidadosamente, como se tivesse esquecido a maneira de fazê-lo. Ou, talvez, a humilhação que sentia não lhe permitisse engolir com facilidade.

Havers apertou os braços de sua cadeira. Sua irmã, sua bela e virtuosa irmã, havia sido ignorada, usada e também seviciada.

E só o que restava de sua união com o rei de sua raça era a vergonha de ter sido largada por uma humana.

Seu amor jamais significara coisa alguma para Wrath. Bem como o seu corpo e também sua impecável linhagem.

E, agora, o guerreiro havia manchado a sua honra.

Definitivamente, aquilo não havia acabado.

CAPÍTULO 24

Wrath colocou o paletó da Brooks Brothers. Apertava-lhe um pouco nos ombros, mas seu tamanho era difícil de encontrar, e não o tinha informado a Fritz.

De qualquer forma, aquela coisa poderia ter sido feita sob medida e, mesmo assim, sentiria-se aprisionado. Ficava mais à vontade com os trajes de couro e as armas do que com aquele tecido caro.

Entrou no banheiro e forçou a vista, tentando ver como estava. O terno era negro, assim como a camisa. Isso era o que conseguia perceber.

Santo Deus, provavelmente estava parecendo um advogado.

Tirou o paletó e o colocou sobre a bancada de mármore. Jogando o cabelo para trás com mãos impacientes, amarrou-o com uma tira de couro.

Onde estava Fritz? O criado saíra para buscar Beth há quase uma hora. Já deveria ter voltado, mas a casa continuava vazia.

Ah, diabos. Mesmo se o mordomo tivesse demorado só um minuto e meio, Wrath se sentiria inquieto da mesma forma. Estava ansioso para ver Beth, irrequieto e distraído. Só podia pensar em afundar o rosto em seu cabelo enquanto introduzia sua parte mais dura bem fundo no corpo dela.

Deus, aqueles sons que ela fazia quando alcançava o orgasmo.

Olhou seu reflexo. Voltou a colocar o paletó.

Mas o sexo não era tudo. Queria tratá-la com respeito, não só atirá-la na cama. Desejava ir um pouco mais devagar. Comer com ela. Conversar. Diabos, queria lhe dar o que as fêmeas gostavam: um pouco de carinho, amor e atenção.

Ensaiou um sorriso. Esforçou-se por ampliá-lo. Parecia que suas bochechas iriam rachar.

Está certo, ele não era nenhum ursinho de pelúcia fofo. Mas podia tentar ser mais romântico. Podia?

Esfregou o maxilar. O que ele sabia sobre romance?

De repente, sentiu-se um idiota.

Não, era algo pior que isso. Aquele traje novo e elegante o denunciara e a verdade que enxergou foi uma surpresa muito desagradável.

Voluntariamente, estava mudando sua maneira de ser, só para tentar agradá-la.

E isso afetaria seu trabalho, pensou. Justamente por essa razão, jamais deveria tê-la marcado, jamais deveria ter permitido que se aproximasse tanto.

Recordou a si mesmo, mais uma vez, que quando ela houvesse passado por sua transição, ele colocaria um ponto final no relacionamento deles. Retornaria à sua vida. E ela haveria...

Meu Deus, por que se sentia como se lhe tivessem atravessado o peito com um tiro?

– Wrath? – a voz de Tohrment retumbou por todo o aposento.

A voz grave de seu Irmão foi um alívio, e o devolveu à realidade.

Saiu para o quarto e franziu o semblante quando escutou o "fiu-fiu" de seu Irmão.

– Olha só você – disse Tohr, movendo-se ao seu redor.

– Não enche.

– Relaxa, prefiro as fêmeas – o Irmão riu –, embora tenha de admitir que você não está nada mal.

Wrath cruzou os braços sobre o peito, mas o paletó o apertou tanto que temeu rasgar a costura das costas. Deixou os braços penderem.

– A que veio?

– Liguei para o seu celular e não me respondeu. Disse que queria que todos nos reuníssemos aqui, esta noite, a que horas?

– Estarei ocupado até a uma.

– Uma? – disse Tohr, arrastando a palavra.

Wrath colocou as mãos nos quadris. Uma sensação de profunda inquietação, como se alguém houvesse invadido sua casa, assaltou-lhe.

Agora tudo aquilo lhe parecia tão errado. Aquele encontro com Beth...

Mas era muito tarde para cancelá-lo.

– Que tal meia-noite? – disse.

– Direi aos Irmãos que estejam preparados, então.

Teve a sensação de que Tohr sorria dissimuladamente, mas a voz do vampiro era firme.

Houve uma pausa.

– A propósito, Wrath.

– O quê?

– Ela é tão linda como você pensa que é. Achei que você gostaria de saber.

Se qualquer outro macho houvesse dito isso, Wrath teria dado um murro no nariz do cretino. E embora se tratasse de Tohr, sua ira ameaçou sair do controle. Não gostava que o recordassem de quão irresistível ela era. Isso o fazia pensar no macho a quem ela seria destinada para o resto da vida.

– Tem algo a me dizer ou está apenas jogando conversa fora?

Não era um convite a opinar, mas, mesmo assim, Tohr aproveitou a oportunidade.

– Você está apaixonado.

Deveria receber um "vá se danar" como resposta, pensou Wrath.

– E acredito que ela sente o mesmo por você – sentenciou Tohr.

Ah, que beleza. Isso o fazia sentir-se melhor. Como se fosse acabar magoando Beth ou algo assim.

O encontro era realmente uma péssima ideia. Onde esperava que fossem parar com toda aquela babaquice romântica?

Wrath desnudou as presas.

– Só estou passando um tempo com ela até que passe por sua transição. É só.

– Até parece – quando Wrath grunhiu das profundezas da garganta, o outro vampiro deu de ombros. – Nunca havia visto você se arrumar para uma fêmea.

– É a filha de Darius. Quer que me comporte como Zsadist com uma de suas prostitutas?

– Santo Deus, claro que não. E como eu queria que ele parasse com isso. Mas eu gosto do que está acontecendo entre você e Beth. Ficou sozinho muito tempo.

– Essa é a sua opinião.

– E a de outros.

A fronte de Wrath se cobriu de suor.

A sinceridade de Tohr o fez se sentir encurralado. Bem como o fato de que ele deveria apenas proteger Beth, mas se preocupava em fazer com que ela se sentisse mais especial para ele do que na realidade era.

– Não tem nada para fazer? – perguntou.

– Não.

– Que sorte a minha.

Desesperado para se livrar daquilo, dirigiu-se ao sofá e pegou sua jaqueta de couro. Precisava substituir as armas que lhe haviam confiscado, e já que Tohr não parecia ter muita pressa em partir, aquela distração era melhor do que gritar.

– Na noite em que Darius morreu – disse Tohr –, ele me contou que você havia se negado a cuidar dela.

Wrath abriu o armário e alcançou uma caixa cheia de estrelas ninja, adagas e correntes. Escolheu as que queria com gestos bruscos.

– E?

– O que o fez mudar de opinião?

Wrath apertou os dentes, fazendo-os ranger, prestes a estourar.

– Ele morreu. Devo isso a ele.

– Também estava em dívida com ele quando estava vivo.

Wrath virou-se como um tornado.

– Tem algum outro assunto a tratar comigo? Se não, saia já daqui.

Tohr levantou as mãos.

– Relaxa, Irmão.

– Relaxa, o cacete. Não falarei dela nem com você nem com ninguém. Entendeu? E mantenha sua boca fechada com os Irmãos também.

– Certo, certo – Tohr foi andando para a porta –, mas faça um favor a si mesmo: aceite o que está rolando entre você e essa fêmea. Uma fraqueza não reconhecida pode ser fatal.

Wrath grunhiu e ficou em posição de ataque, avançando a parte superior do corpo.

– Fraqueza? Isso dito por um macho que é bastante otário para amar sua companheira? Deve estar de brincadeira.

Houve um longo silêncio.

Até que Tohr falou de novo, brandamente, como se estivesse meditando cada palavra:

– Tenho a sorte de ter encontrado o amor. Todos os dias agradeço à Virgem Escriba que Wellsie esteja em minha vida.

Wrath sentiu uma onda de ira, desencadeada por algo que não era tangível.

– Você é *patético*.

Tohr murmurou:

– E você está morto há centenas de anos, mas não tem caráter para procurar uma sepultura e ficar nela.

Wrath atirou ao chão a jaqueta de couro.

– Pelo menos, não recebo ordens de uma fêmea.

– Bom pra você. A propósito: belo traje.

Wrath cortou a distância que os separava com duas passadas, enquanto o outro vampiro não se intimidou e o encarou. Tohrment era um macho grande, com ombros largos e braços longos, poderosos. A violência entre eles parecia prestes a irromper.

Wrath sorriu friamente, alongando as presas.

– Se passasse tanto tempo defendendo a nossa raça quanto passa perseguindo a essa sua fêmea, talvez não tivéssemos perdido Darius. Já parou para pensar nisso?

A angústia aflorou no rosto do Tohr como o sangue que brota de um ferimento no peito. A pungente dor do vampiro engrossou o ar. Wrath percebeu o cheiro dela, aspirando fundo aquela agonia, absorvendo-a nos pulmões e na própria alma. Ter manchado a honra e a coragem de um macho com um golpe tão baixo o fez sentir-se desprezível. E, enquanto esperava pelo ataque de Tohr, saudou o desprezo de si mesmo como a um velho amigo.

– Não posso acreditar que tenha dito isso – a voz de Tohr tremia. – Você precisa...

– Não quero nenhum de seus inúteis conselhos.

– Vá se danar – Tohr lhe acertou um bom golpe no ombro – Mesmo assim, vai ouvi-los. Já está na hora de você aprender quem são realmente seus inimigos, seu cretino arrogante. Antes que acabe sozinho.

Wrath quase não escutou a porta se fechar de repente. A voz que ouvia em sua cabeça, gritando-lhe que não valia nada, sobrepunha-se a quase todo o resto.

Inspirou fundo e esvaziou seus pulmões com um grito atroz. O som fez vibrar todo o aposento, sacudindo as portas, as armas soltas e o espelho do banheiro. As velas desprenderam uma furiosa labareda como resposta, acariciando com suas chamas as paredes, desejosas de se libertarem de seus pavios para destruírem o que encontrassem em seu caminho. Rugiu até sentir que sua garganta ia estourar e seu peito ardeu.

Quando finalmente recuperou a calma, não sentiu alívio; só remorso.

Foi até o armário e tirou de lá uma Beretta nove milímetros. Depois de carregá-la, inseriu a arma na parte de trás do cinto. Depois, dirigiu-se para a porta e subiu os degraus de dois em dois, vencendo a distância que o separava do primeiro andar o mais rapidamente possível.

Ao adentrar a sala de estar, prestou atenção. O silêncio era um bom remédio. Precisava acalmar-se.

Perambulou pela casa, detendo-se na mesa da sala de jantar. Havia sido preparada da forma que pedira. Dois lugares postos em cada extremidade. Cristal e prata. Velas.

E chamara o Irmão de patético?

Só não varreu a mesa com o braço em consideração a Darius, para quem tais peças eram importantes. Mesmo assim, fez um movimento como se estivesse preparado para seguir aquele impulso, mas o paletó o restringiu. Agarrou as lapelas do traje, disposto a arrancá-lo de si e pôr-lhe fogo, mas a porta principal se abriu. Virou-se.

Lá estava ela. Ultrapassando a soleira. Entrando no vestíbulo.

Wrath baixou as mãos, esquecendo por um instante sua ira.

Beth trajava negro. Seu cabelo estava preso. Cheirava... a rosas. Inspirou fundo, seu corpo enrijeceu, seus instintos exigiram que a possuísse ali mesmo.

Mas, então, percebeu as emoções da mulher. Estava receosa, nervosa. Pôde sentir claramente sua desconfiança, e sentiu uma perversa satisfação quando ela hesitou em olhá-lo.

Seu mau humor voltou, agudo e cortante.

Fritz estava ocupado fechando a porta, mas a felicidade do criado era evidente no ar que o rodeava, reluzente como a luz do sol.

– Deixei uma garrafa de vinho na sala de estar. Servirei o primeiro prato em trinta minutos, está bem?

– Não – ordenou Wrath. – Sentaremos à mesa agora.

Fritz pareceu desconcertado, mas logo captou claramente a mudança nas emoções de Wrath.

– Como desejar, amo. Agora mesmo.

O mordomo desapareceu como se algo estivesse pegando fogo na cozinha.

Wrath olhou fixamente para Beth.

Ela deu um passo para trás. Provavelmente, porque ele estava deslumbrante.

– Você está... diferente – disse ela –, com essa roupa.

– Se pensa que meu traje me civilizou, não se iluda.

– Não tenho essa ilusão.

– Ainda bem. Então, terminemos logo com isso.

Wrath entrou na sala de jantar, pensando que ela o seguiria se tivesse vontade. E se escolhesse não fazê-lo, provavelmente seria melhor. Não estava com muita pressa de ter seus movimentos tolhidos ao se sentar à mesa.

Capítulo 25

Beth não pôde acreditar quando viu Wrath se afastar como se não desse a mínima se ela jantasse ou não com ele.

Se ela própria não estivesse ainda refletindo sobre a conveniência daquela encontro, teria se sentido totalmente insultada. Ele a tinha convidado para jantar. Então, por que se mostrara tão contrariado por ela ter aparecido? Ficou tentada a dar meia-volta e ir embora.

Contudo, seguiu-o até a sala de jantar, porque lhe pareceu que não tinha escolha. Havia tantas coisas que queria saber, coisas que só ele poderia lhe explicar.

Mas se tivesse outra forma de obter a informação que precisava perguntando a qualquer outra pessoa, era o que faria.

Enquanto ele caminhava à sua frente, concentrou-se na nuca dele, tentando ignorar suas enérgicas passadas. Mas não conseguiu. Ele caminhava de forma soberba. A cada passo, seus ombros se movimentavam sob o elegante paletó, contrabalançando o impulso das pernas. Enquanto seus braços se balançavam, ela sabia que suas coxas se contraíam e relaxavam. Imaginou-o nu, com os músculos flexionando-se sob sua pele.

A voz de Butch ressoava em sua cabeça: *um homem como aquele leva assassinato nas veias. Faz parte de sua natureza.*

No entanto, na noite anterior, Wrath lhe havia pedido que partisse quando considerou que representava perigo para ela.

Disse a si mesma que tinha de desistir de tentar conciliar todas aquelas contradições. Era inútil tentar descobrir respostas na base do exercício mental. Precisava seguir seu instinto, e ele lhe dizia que Wrath era o único que podia lhe ajudar.

Ao entrar na sala de jantar, a formosa mesa posta para eles foi uma agradável surpresa. No centro, um arranjo de narcisos e orquídeas. Velas altas. E porcelana e prata reluzentes.

Wrath aproximou-se e puxou uma cadeira, esperando que ela se sentasse.

Deus, estava fantástico com aquele terno. O colarinho desabotoado deixava entrever seu pescoço, e a seda negra fazia com que sua pele parecesse bronzeada. Era uma pena que estivesse de mau humor. Sua cara fechada casava perfeitamente com seu estado de espírito, e o cabelo penteado para trás ressaltava a agressividade de seu queixo.

Alguma coisa o deixara daquele jeito. Algo muito sério.

O tipo de homem ideal para um encontro, pensou ela. *Um vampiro gigantesco e temperamental.*

Aproximou-se com cautela. Quando puxou a cadeira para ela, podia jurar que ele se inclinara e inalou profundamente o perfume de seu cabelo.

– Por que demorou tanto? – perguntou ele, sentando-se à cabeceira da mesa. Ao não obter resposta, arqueou uma sobrancelha, que sobressaiu por cima dos óculos escuros.

– Foi preciso que Fritz a convencesse a vir?

Para não ficar com as mãos ociosas, ela pegou o guardanapo e o desdobrou no colo.

– Não foi nada disso.

– Então, o que aconteceu?

– Butch nos seguiu. Tivemos que esperar até que conseguimos despistá-lo.

Pareceu-lhe que o ar ao redor de Wrath escureceu, como se sua raiva absorvesse toda a luz em volta dele.

Fritz entrou com dois pequenos pratos de salada. Depositou-os sobre a mesa.

– Vinho? – perguntou.

Wrath assentiu com a cabeça.

Depois que o mordomo terminou de servir o vinho e saiu, ela pegou um pesado garfo de prata, obrigando-se a comer.

– E agora, por que está com medo de mim? – a voz de Wrath era sardônica, como se os temores dela o chateassem.

Ela encheu o garfo de ervilhas.

– Hum. Poderia ser porque parece prestes a estrangular alguém?

– Você já chegou aqui com medo de mim. Antes que me visse, já estava assustada. Quero saber o motivo.

Ela não desviou os olhos do prato.

– Talvez me recordasse que ontem à noite quase matou meu amigo.

– Por favor, não me venha com isso de novo.

– Foi você quem perguntou – respondeu ela. – Não se irrite por não gostar da minha resposta.

Wrath limpou a boca com impaciência.

– Eu não o matei, não é?

– Só porque eu o detive.

– E isso a incomoda? A maioria das pessoas adora ser herói.

Ela largou o garfo.

– Quer saber? Não queria estar aqui com você agora.

Ele continuou a comer.

– Então, por que veio?

– Porque você me convidou!

– Acredite-me, posso aceitar um não – disse, como se não desse a mínima para ela.

– Foi um erro – ela colocou seu guardanapo ao lado do prato enquanto se levantava.

Ele praguejou.

– Sente-se.

– Não me dê ordens.

– Permita-me que conserte as coisas. Sente-se e cale a boca.

Ela o olhou surpresa.

– Seu arrogante...

– Outra pessoa já me chamou assim esta noite, muito obrigado.

O mordomo escolheu justo aquele momento para entrar com uns pasteizinhos quentes.

Ela olhou feio para Wrath e estendeu a mão, fingindo que só tentava alcançar a garrafa de vinho. Não ia partir na frente de Fritz. Além disso, de repente, sentiu vontade de ficar.

A fim de poder gritar com Wrath um pouco mais.

Quando estavam a sós de novo, ela murmurou:

– O que pretende falando comigo assim?

Ele pegou uma última porção de salada, apoiou o garfo na beira do prato e limpou os cantos da boca com o guardanapo. Como se fosse o melhor aluno da aula de etiqueta.

– Vamos esclarecer uma coisa – disse –, você precisa de mim. Então, esqueça o que eu *poderia* ter feito àquele policial. Seu amiguinho Butch ainda caminha sobre a Terra, não é? Então, qual é o problema?

Beth o olhou fixamente, tentando ler em seu olhar através das lentes escuras, procurando um pouco de brandura, algo com que pudesse se conectar. Mas aqueles óculos escondiam seus olhos por completo e os traços duros de seu rosto não lhe davam motivo para continuar.

– Como a vida pode significar tão pouco para você? – perguntou ela, em voz alta.

Ele lhe sorriu com frieza.

– Como a morte pode significar tanto para você?

Beth se afundou na cadeira, alarmada com a presença dele. Não podia acreditar que houvesse feito amor – ou melhor, sexo – com ele. Aquele homem era absolutamente insensível.

De repente, sentiu que uma dor surda se instalava em seu coração, E não era por causa da dureza que estava mostrando com ela, mas sim porque se sentia decepcionada. Realmente, havia desejado que fosse diferente do que aparentava. Quis acreditar que aqueles flashes de calor humano que lhe havia mostrado eram tão parte dele quanto seu lado violento. Colocou a mão sobre o peito, tentando afastar aquela dor.

– Gostaria de ir embora, se não se importa.

Houve uma longa pausa.

– Ah, droga... – murmurou ele, suspirando lentamente. – Isso não está certo.

– Não, não está.

– Pensei que você merecia... Sei lá. Um encontro. Ou algo... algo normal – riu com amargura enquanto ela o olhava surpresa. – Uma ideia estúpida, sei disso. Deveria me concentrar no que entendo. Estaria mais à vontade ensinando-a a matar.

Debaixo daquele feroz orgulho, ela sentiu que havia algo mais. Insegurança? Não, não era isso. Com ele, tratar-se-ia, naturalmente, de algo mais intenso.

Desprezo por si próprio.

Fritz voltou para recolher os pratos da salada, reaparecendo imediatamente com a sopa. Era uma *vichyssoise* fria. *Curioso*, pensou ela, distraída. Geralmente, a sopa é servida primeiro, e depois a salada, ou não? Certamente os vampiros tinham muitos costumes diferentes. Como os homens terem mais de uma mulher.

Seu estômago se contraiu. Não queria pensar nisso. Simplesmente se recusava a fazê-lo.

– Olhe, quero que saiba – disse Wrath enquanto erguia sua colher – que eu luto para me proteger, não porque sinta prazer em matar. Mas já matei milhares de pessoas. Milhares, Beth. Entende? Assim, se deseja que eu finja me sentir pouco à vontade com a morte, perde seu tempo. Não posso fazer isso por você. Simplesmente não posso.

– Milhares? – balbuciou ela, chocada.

Ele assentiu.

– Mas, afinal, contra quem luta?

– Filhos-da-mãe que a matariam tão logo passe pela transição.

– Caçadores de vampiros?

– *Redutores*. Humanos que venderam suas almas a Ômega em troca de um reino de terror livre.

– Quem, ou o que, é Ômega? – quando pronunciou a palavra, as velas tremeluziram furiosamente, como que atormentadas por mãos invisíveis.

Wrath hesitou. Realmente parecia pouco à vontade com aquele tema. Logo ele, que não tinha medo de coisa alguma.

– Quer dizer o demônio? — insistiu ela.

– Pior ainda. Não pode compará-los. Um é simplesmente uma metáfora. O outro é real, muito real. Felizmente, o Ômega tem uma oponente, a Virgem Escriba – sorriu amargamente. – Bem, talvez "felizmente" seja uma palavra muito forte. Mas existe um equilíbrio.

– Deus e Lúcifer.

– Poderia ser, se empregarmos suas referências. Nossa lenda diz que os vampiros foram criados pela Virgem Escriba como seu único legado, como seus filhos escolhidos. Ômega se ressentiu pela capacidade dela de gerar vida e desprezou os poderes especiais que ela outorgou à raça vampírica. A *Sociedade Redutora* foi sua resposta. Utiliza os humanos porque é incapaz de procriar e, além disso, são uma fonte de agressividade bem à mão.

Isso é simplesmente muito estranho, pensou ela. Comércio de almas; mortos-vivos. Tais coisas não existiam no mundo real.

Embora, pensando bem, ela estivesse jantando com um vampiro. Então, como podia duvidar de que o que estava ouvindo fosse possível?

Pensou no belo homem loiro que havia visto costurando a si mesmo.

– Tem companheiros que lutam com você, não é?

– Meus Irmãos – bebeu um gole de vinho. – Assim que os vampiros reconheceram que estavam ameaçados, escolheram os machos mais fortes e poderosos. Treinaram-nos para lutar e enfrentar os *redutores*. Depois, esses guerreiros procriaram com as fêmeas mais fortes durante várias gerações, até que surgiu uma subespécie de vampiros. Os mais poderosos dessa classe foram instruídos para formar a Irmandade da Adaga Negra.

– São Irmãos de sangue?

Ele sorriu.

– Por assim dizer.

Seu rosto ficou sério, como se se tratasse de um assunto particular. Ela percebeu que não lhe diria nada mais sobre a Irmandade, mas ainda sentia curiosidade sobre a guerra que estavam travando, sobretudo porque ela estava a ponto de se converter em um daqueles que necessitavam de sua proteção.

– Então, você mata humanos.

– Sim, embora estejam tecnicamente mortos. Para dar a seus lutadores a longevidade e a força necessária para nos combater, Ômega tem de despojá-los de suas almas – suas severas feições deixaram entrever traços de repulsa. – Embora ter uma alma não evite que os humanos nos persigam.

– Você não gosta... você não gosta de nós, não é?

– Em primeiro lugar, a metade do sangue que corre por suas veias procede de seu pai. E, em segundo, por que teria de gostar dos humanos? Maltrataram-me e repudiaram-me antes de minha transição, e a única razão pela qual não me importunam agora é porque morrem de medo ao ver-me. E se chegassem a saber que existem vampiros, perseguiriam-nos, mesmo sem pertencerem à Sociedade. Os humanos se sentem ameaçados por tudo que é diferente, e sua resposta é lutar. Mas são valentões, atacam os mais fracos e se inclinam perante os fortes – Wrath sacudiu a cabeça –, além disso, irritam-me. Veja como nossa espécie é retratada em seu folclore. Tem o Drácula, um maligno sanguessuga que caça indefesos. Também há filmes B sobre vampiros e até pornôs. Para não falar no Halloween. Presas de plástico e capas negras. As únicas coisas que esses idiotas representaram de forma acurada é que bebemos sangue e que não podemos sair à luz do dia. O resto é pura bobagem, inventada para alienar e incutir medo às massas. Ou algo tão ofensivo quanto: a ficção é usada para criar toda uma mística para humanos entendiados que pensam que o lado escuro é um lugar divertido para se visitar.

– Mas você realmente não nos caça, certo?

– Não use essa palavra. São *eles*, Beth. Não *nós*. Você não é completamente humana no presente, e muito em breve perderá todo seu componente humano – fez uma pausa – e não, eu não os caço. Mas caso se metam em meu caminho, arranjarão um sério problema.

Ela refletiu durante uns instantes sobre o que ele acabava de dizer, tentando ignorar o pânico que a invadia cada vez que pensava na transição que, supostamente, estava prestes a atravessar.

– Quando você atacou Butch daquela maneira... Certamente ele não é um... como é o nome... um *redutor*.

– Ele tentou me afastar de você – Wrath rangeu os dentes. – Esmagarei a tudo e a todos para não permitir que isso aconteça. E seja ele seu amante ou não, se tentar de novo...

– Você prometeu que não o mataria.

– Não o matarei. Mas não vou ser delicado com ele.

Ela pensou que era melhor prevenir *Bonzão*.

– Por que não come? – perguntou Wrath. – Precisa se alimentar.

Ela olhou para baixo. Comida? Sua vida se transformara, da noite para o dia, em um romance de Stephen King, e ele ainda se preocupava com sua alimentação?

– Coma – indicou-lhe a tigela com a cabeça. – Precisa estar o mais forte possível para a mudança.

Beth ergueu sua colher, só para que ele parasse com aquilo. A sopa tinha gosto de cola, embora imaginasse que fora muito bem preparada e perfeitamente temperada.

– Você está armado neste momento, não está? – perguntou ela.

– Sim, estou.

– Nunca abandona suas armas?

– Nunca.

– Mas quando estávamos... – fechou a boca antes que as palavras *fazendo amor* escapassem.

Ele se inclinou.

– Sempre tenho algo a meu alcance. Mesmo quando estou na cama com você.

Beth engoliu em seco. Ou ele era paranoico, ou o mal, de fato, sempre estava à espreita.

E droga, pensou ela, Wrath era muitas coisas. Mas certamente não era do tipo histérico.

Houve um longo silêncio entre eles, até que Fritz levou as tigelas de sopa e trouxe o cordeiro. Ela notou que a carne de Wrath havia sido cortada em pedaços do tamanho apropriado para serem levados à boca. *Que estranho*, pensou.

– Depois do jantar, quero lhe mostrar uma coisa – ele apanhou seu garfo e precisou de duas tentativas para conseguir espetar o garfo em um dos pedaços.

E foi então que ela percebeu que ele sequer se dava ao trabalho de olhar o prato. Tinha os olhos fixos em outro ponto da mesa.

Um calafrio a percorreu. Havia algo muito errado.

Olhou cuidadosamente os óculos escuros que ele usava.

Recordou as pontas de seus dedos procurando seu rosto naquela primeira noite em que estiveram juntos, como se estivesse tentando assimilar seus traços através do tato. E começou a pensar que talvez ele não usasse aqueles óculos apenas para se proteger da luz, mas para esconder seus olhos.

– Wrath? – disse ela suavemente.

Ele estendeu o braço para alcançar sua taça de vinho, sem fechar a mão ao redor desta antes de sentir o contato do cristal em sua palma.

– O quê? – levou a taça aos lábios, mas voltou a colocá-la na mesa. – Fritz? Precisamos de mais vinho tinto.

– Aqui está, amo – o mordomo entrou com outra garrafa. – Minha senhora?

– Ah, sim, obrigada.

Quando a porta da cozinha se fechou, Wrath disse:

– Há algo mais que deseje saber?

Ela pigarreou. Devia estar imaginando coisas. Há um instante, estava desesperada para encontrar uma debilidade nele, e agora, tentava se convencer de que ele era cego.

Se fosse esperta, coisa seriamente discutível, faria todas as perguntas de sua lista rapidamente. E depois iria para casa.

– Beth?

– Sim..., ah, então é verdade que você não pode sair durante o dia?

– Os vampiros não suportam a luz do sol.

– O que acontece?

– Queimaduras de segundo e terceiro graus, instantaneamente. Pouco depois, ocorre a incineração. O sol é, de fato, um perigo.

– Mas eu posso ficar exposta a ele.

– Você ainda não sofreu a mudança. Embora, quem sabe? Pode ser que você ainda seja capaz de tolerar a luz depois da transição. É diferente com quem tem um dos pais humano. As características próprias dos vampiros podem ser diluídas – tomou um gole de sua taça, lambendo os lábios. – Entretanto, como você vai passar pela transição, quer dizer que o sangue de Darius corre forte em suas veias.

– Com que frequência terei de... me alimentar?

– A princípio, bastante. Talvez duas ou três vezes por mês. Embora, como disse, não haja maneira de saber.

– Depois que me ajudar da primeira vez, como poderei encontrar um homem de quem possa beber...?

O grunhido de Wrath a interrompeu. Quando ela ergueu os olhos, assustou-se. O mau humor dele havia retornado.

– Eu me encarregarei de encontrar alguém para você – disse ele, com o sotaque mais acentuado do que o habitual –, até lá, beberá de mim.

– Espero que não seja por muito tempo – murmurou, pensando que não parecia muito feliz de ficar preso a ela.

Ele franziu os lábios enquanto a olhava.

– Está tão impaciente assim para encontrar outro?

– Não, só pensei que...

– O quê? Pensou o quê? – seu tom era duro, tão duro como o olhar que podia adivinhar-lhe por trás dos óculos.

Era difícil encontrar as palavras adequadas para dizer que lhe parecia que ele não tinha a menor vontade de permanecer ligado a ela. A rejeição a feria, embora tentasse se convencer de que, sem dúvida, estaria melhor sem ele.

– Eu..., ah, Tohr disse que você é o rei dos vampiros. Então, presumi que isso o deixe muito ocupado.

– Ele precisa aprender a ficar de bico fechado.

– É verdade? Você é o rei?

– Não – disse ele bruscamente.

Bem, não havia dúvida que levara um fora.

– Você é casado? Quero dizer, tem uma companheira? Ou duas? – acrescentou rapidamente, imaginando que podia aproveitar a chance para perguntar de uma vez tudo que queria saber. O mau humor já se instalara nele. Não acreditava que pudesse piorá-lo.

– Não mesmo.

Bem, aquela resposta a deixou um tanto aliviada. Embora fosse claro o que ele pensava sobre relacionamentos.

Ela tomou um gole de vinho.

– Não há mulher alguma em sua vida?

– Não.

– Então, de quem se alimenta?

Longa pausa. Nada animadora.

– Havia alguém.

– Havia?

– Havia.

– Até quando?

– Recentemente – deu de ombros –, nunca fomos próximos. Péssima combinação.

– A quem recorrerá agora?

– Caramba, você tem realmente espírito de jornalista, não é?

– A quem? – insistiu ela.

Ele a olhou longamente. E logo seu semblante se transformou, relaxando um pouco a agressividade que tinha mostrado até então. Apoiou delicadamente o garfo no prato e colocou a outra mão na mesa com a palma para cima.

– Ah, diabos.

Apesar da imprecação, de repente, o ar pareceu desanuviado.

A princípio, ela não confiou naquela mudança de humor, mas, então, ele tirou os óculos e esfregou os olhos. Quando voltou a colocá-los, ela notou o peito dele se expandindo, como se estivesse tentando se acalmar.

– Meu Deus, Beth, acho que queria que fosse você. Apesar de que não vou estar por perto muito tempo depois de sua transição – sacudiu a cabeça. – Sou um estúpido filho-da-mãe.

Beth piscou, sentindo uma espécie de excitação sexual ao pensar que ele beberia seu sangue para sobreviver.

– Mas não se preocupe – disse ele –, isso não vai acontecer. E logo encontrarei outro macho para você.

Afastou o prato, sem provar quase nada do cordeiro.

– Quando foi a última vez que se alimentou? – perguntou ela, pensando no poderoso desejo contra o qual o tinha visto lutar.

– Ontem à noite.

Uma opressão no peito a fez sentir-se como se seus pulmões estivessem oprimidos.

– Mas não me mordeu.

– Foi depois que se foi.

Ela o imaginou com outra mulher nos braços. Quando tentou alcançar a taça de vinho, sua mão tremia.

Uau! Suas emoções se atropelavam vertiginosamente naquela noite. Estivera apavorada, zangada, louca de ciúme. Perguntou-se qual seria sua próxima emoção. Felicidade, pressentia, provavelmente não seria.

Capítulo 26

Beth depositou a taça de vinho novamente sobre a mesa, desejando ter mais autocontrole.

– Você não gosta disso, não é? – disse Wrath, em voz baixa.

– De quê?

– Que eu beba de outra fêmea.

Ela riu amargamente, desprezando a si mesma, a ele, a toda aquela situação.

– E você gosta de esfregar isso na minha cara?

– Não – fez uma pausa –, a ideia de que algum dia você penetre a pele de outro macho com seus dentes e coloque o sangue dele dentro de você me deixa louco.

Beth o encarou.

Então, por que não fica comigo?, pensou ela.

Wrath sacudiu a cabeça.

– Mas não posso pensar dessa maneira.

– Por que não?

– Porque você não pode ser minha. Não importa o que tenha dito antes.

Fritz entrou, recolheu os pratos e serviu a sobremesa: morangos inteiros, servidos em pratos de bordas douradas e um pouco de calda de chocolate ao lado para mergulhá-los e um biscoito fino.

Normalmente, Beth teria devorado aquela deliciosa combinação em poucos segundos, mas estava muito abalada para comer.

– Você não gosta de morangos? – perguntou Wrath, enquanto levava um à boca. Seus brilhantes dentes brancos morderam a polpa vermelha.

Ela deu de ombros, obrigando-se a desviar os olhos dele.

– Gosto.

– Tome – pegou um morango de seu prato e se inclinou para ela – Deixe-me lhe dar um na boca.

Seus longos dedos sustentaram o pedúnculo com firmeza, braço estendido no ar

Ela desejava aceitar o que ele oferecia.

– Posso comer sozinha.

– Eu sei – disse ele, com doçura –, mas não é essa a questão.

– Fez sexo com ela? – perguntou.

Ele arqueou as sobrancelhas.

– Ontem à noite?

Ela fez que sim com a cabeça.

– Quando se alimenta, faz amor com ela?

– Não. E deixe-me responder a sua próxima pergunta. No momento, não estou dormindo com mais ninguém além de você.

No momento, ela pensou.

Beth baixou os olhos para as próprias mãos, sentindo-se profundamente ferida.

– Deixe-me dar esse morango em sua boca – murmurou ele –, por favor.

Ora, cresça, disse a si mesma. Eram adultos. Eram maravilhosos na cama juntos, e nunca se sentira daquele jeito com outro homem antes. Realmente deveria se afastar só porque iria perdê-lo?

Além disso, mesmo se ele lhe prometesse um futuro cor de rosa, um homem como ele não passaria muito tempo com ela. Era um lutador que andava com um bando de caras como ele. Os assuntos domésticos seriam para ele uma tremenda chatice.

Tinha-o agora. E o desejava agora.

Beth se inclinou para frente na cadeira, abriu a boca, colocando os lábios ao redor do morango e o tomou inteiro. As narinas de Wrath se dilataram ao vê-la morder. E quando um pouco do doce sumo escapou e escorreu para seu queixo, ele chiou.

– Deixe-me limpar isso – murmurou baixinho. Esticou-se para frente, e segurou-lhe o queixo. Ergueu seu guardanapo.

Ela colocou a mão sobre a dele.

– Use sua boca.

Um som grave, saído do fundo de seu peito, retumbou no aposento.

Wrath se curvou na direção dela e inclinou-lhe a cabeça. Vislumbrou-lhe as presas quando os lábios dele se abriam para a língua passar. Ele lambeu o sumo escorrido e se afastou.

Olhou-a fixamente. Ela lhe devolveu o olhar. As velas tremeluziram.

– Venha comigo – disse ele, oferecendo sua mão.

Beth não vacilou. Colocou sua palma sobre a dele e deixou a mesa de jantar. Ele a levou para a sala de estar, acionou a mola do quadro e os dois atravessaram a parede. Ao descerem a escada de pedra, ele parecia imenso na escuridão.

Quando chegaram lá embaixo, ele a conduziu ao seu quarto. Ela olhou para a enorme cama. Havia sido feita com os travesseiros cuidadosamente alinhados contra a cabeceira e os lençóis de cetim lisos como a superfície de um lago sem ondas. Seu corpo estremeceu ao recordar como era tê-lo sobre ela, movendo-se dentro dela.

Estavam outra vez ali, pensou. E ela mal podia esperar.

Um profundo grunhido a fez olhar por cima do ombro. O olhar de Wrath a mirava como se ela fosse um alvo.

Havia lido seu pensamento. Sabia o que ela queria. E estava pronto para lhe dar.

Caminhou para ela, e Beth ouviu a porta se fechar e trancar. Olhou em volta, perguntando-se se havia mais alguém no quarto. Mas não viu ninguém.

A mão dele se dirigiu para o seu pescoço, inclinando-lhe a cabeça para trás com o polegar.

– Quis beijar você a noite toda.

Ela se preparou para algo forte, para todo o seu ímpeto; no entanto, quando os lábios dele pousaram nos seus, o fizeram com doçura. Podia sentir-lhe a paixão nas tensas linhas de seu corpo, mas deliberadamente se negava a ter pressa. Quando ergueu a cabeça, sorriu para ela.

Já estava totalmente acostumada às presas, pensou ela.

– Esta noite, vamos fazer devagar – disse ele.

Mas ela o deteve antes que ele a beijasse novamente.

– Espere. Há algo que devo... Tem camisinhas?

Ele franziu o semblante.

– Não. Por quê?

– Por quê? Nunca ouviu falar em sexo seguro?

– Não tenho esse tipo de enfermidades, e você não pode passar coisa alguma para mim.

– Como sabe?

– Os vampiros não são suscetíveis aos vírus humanos.

– Então, pode fazer sexo como quiser? Sem se preocupar com nada?

Quando ele assentiu, ela se sentiu um pouco mal. Meu Deus, quantas mulheres ele deve ter...

– E você não está no seu período fértil – disse ele.

– Como sabe?

– Confie em mim. Nós dois saberíamos se estivesse. Além disso, não terá seu primeiro cio antes de cinco anos mais ou menos após a transição. E mesmo quando estiver nesse período, a concepção não está garantida porque...

– Espere. O que é isso de cio?

– As fêmeas só são férteis a cada dez anos. O que é uma bênção.

– Por quê?

Ele limpou a garganta. Na verdade, parecia um pouco sem jeito.

– É um período perigoso. Todos os machos respondem em certo grau se estiverem próximos de uma fêmea que esteja no cio. Não podem evitar. Às vezes há lutas. E a fêmea, ela, ah... o desejo é intenso. Pelo menos foi o que sempre ouvi dizer.

– Você não tem filhos?

Ele negou com a cabeça. Depois, franziu o semblante.

– Meu Deus.

– O quê?

– E pensar que quando você estiver no cio – seu corpo oscilou, como se tivesse fechado os olhos – serei eu que você vai usar.

Sua excitação sexual parecia emanar. Ela pôde mesmo sentir uma rajada quente deslocando-se no ar.

– Quanto tempo dura? – perguntou ela, com voz rouca.

– Dois dias. Se a fêmea for... saciada e bem alimentada, o período cessa rapidamente.

– E o homem?

– O macho fica totalmente esgotado quando termina. Seco de sêmen e de sangue. Leva muito mais tempo para ele se recuperar, mas nunca ouvi uma queixa. Nunca – houve uma pausa. – Eu adoraria ser o macho que vai aliviá-la.

De repente, ele deu um passo para trás. Ela sentiu uma corrente de ar frio quando o humor dele mudou e o calor se dissipou.

– Mas essa será a obrigação de algum outro macho. E privilégio.

Seu celular começou a tocar.

Enquanto o tirava do bolso interno do paletó com um grunhido, ela sentiu pena de quem quer que fosse que o tinha interrompido.

– O que foi? – houve uma pausa.

Ela se dirigiu ao banheiro para lhe dar um pouco de privacidade. E porque precisava estar só um instante. As imagens que apareciam em sua mente eram suficientes para atordoá-la: dois dias, dois dias com ele, direto?

Quando retornou para o quarto, Wrath estava sentado no sofá, com os cotovelos nos joelhos, preocupado. Tirara o paletó, e seus ombros pareciam ainda mais largos, ressaltados pela camisa negra. Ao se aproximar, notou de relance a pistola debaixo do paletó e estremeceu de leve.

Wrath a olhou enquanto ela se sentava ao seu lado. Beth desejou poder compreendê-lo melhor e culpou os óculos escuros. Estendeu a mão para o rosto dele, acariciando a antiga cicatriz em sua bochecha, o contorno do queixo forte. Sua boca se abriu ligeiramente, como se o toque dela o deixasse sem fôlego.

– Quero ver seus olhos – disse ela.

Ele recuou um pouco.

– Não.

– Por que não?

– Por que se interessa em saber como são?

Ela franziu o semblante.

– É difícil entendê-lo escondido atrás desses óculos. E, neste instante, não me incomodaria saber o que está pensando.

Ou sentindo, o que é ainda mais importante.

Finalmente, ele deu de ombros.

– Como queira.

Como não fez menção de tirar os óculos ele mesmo, ela tomou a iniciativa e os deslizou para frente. Suas pálpebras estavam fechadas, suas pestanas escuras contra a pele. Não abriu os olhos.

– Não vai me deixar vê-los?

Ele cerrou os dentes.

Ela olhou os óculos. Quando os ergueu contra a luz de uma vela, quase não conseguiu ver coisa alguma através das lentes, de tão escuras.

– É cego, não é? – disse ela suavemente.

Seus lábios voltaram a se franzir, mas não num sorriso.

– Se preocupa que não possa cuidar de você?

Não se surpreendeu com a hostilidade. Imaginava que um homem como ele odiaria qualquer debilidade que possuísse.

– Não, isso não me preocupa nem um pouco. Mas eu ainda gostaria de ver seus olhos.

Rápido como um raio, Wrath a arrastou para o seu colo, sustentando-a de forma que só a força de seus braços a impedisse de ir ao chão. Sua boca era uma linha amarga.

Devagar, ergueu as pálpebras.

Beth abriu a boca.

Seus olhos tinham a cor mais extraordinária que já vira. Um verde claro luminescente, tão claro que era quase branco. Emoldurados por umas grossas e escuras pestanas, brilhavam como se houvesse uma luz acesa no interior de seu crânio.

Então, reparou em suas pupilas. Não eram normais. Dois pontinhos negros minúsculos e desfocados.

Acariciou seu rosto.

– Seus olhos são bonitos.

– Inúteis.

– *Bonitos.*

Ela o olhou enquanto ele tentava adivinhar seus traços, forçando a vista.

– Sempre foram assim? – sussurrou ela.

– Nasci quase cego, mas minha visão piorou depois de minha transição e, provavelmente, irá se deteriorar ainda mais com o passar do tempo.

– Então, ainda consegue enxergar alguma coisa?

– Sim – levou a mão aos cabelos dela. Quando ela sentiu que caíam sobre os seus ombros, deu-se conta de que ele estava tirando as presilhas que prendiam seu coque.

– Sei que eu gosto de seu cabelo solto, por exemplo. E também sei que você é muito bonita.

Seus dedos acompanharam o contorno do rosto dela, descendo suavemente para o pescoço e a clavícula, até abrir caminho por entre os seios.

Seu coração bateu rapidamente. Seus pensamentos se tornaram lentos. O mundo ao seu redor foi desaparecendo até que só restou Wrath.

– A visão é um sentido supervalorizado – murmurou ele, estendendo a palma da mão sobre o seu peito. Era forte, quente. Uma prévia do que seu corpo sentiria quando se encontrasse sobre ela, na cama.

– Tato, paladar, olfato, audição: os outros quatro sentidos são igualmente importantes.

Ele se inclinou para frente, acariciou-lhe o pescoço com os lábios, e ela sentiu um suave arranhão. *Suas presas*, pensou. Subindo por sua garganta.

Desejou que a mordesse.

Wrath respirou profundamente.

– Sua pele possui um aroma que me deixa excitado no ato. Tudo que preciso fazer é cheirá-la.

Ela se arqueou nos braços dele, esfregando-se contra suas coxas, empurrando os seios para cima. A cabeça pendeu para trás, e deixou escapar um pequeno gemido.

– Como eu adoro esse som... – disse ele, subindo a mão até a base de sua garganta. – Faça de novo para mim, Beth.

Lambeu o pescoço dela. Ela o satisfez.

– Isso – gemeu ele –, assim mesmo.

Seus dedos começaram a se deslocar novamente, dessa vez até o laço de seu vestido. Soltou-o.

– Não queria deixar que Fritz trocasse os lençóis.

– O quê? – murmurou ela.

– Na cama, depois que você foi. Queria aspirar o seu perfume quando deitasse.

A frente de seu vestido se abriu, e o ar frio atingiu sua pele enquanto a mão dele deslizava para cima. Quando chegou ao sutiã, traçou um círculo ao redor da borda rendada, avançando gradualmente para o interior até roçar seu mamilo.

Ela estremeceu e agarrou os ombros dele. Seus músculos estavam rígidos pelo esforço de sustentá-la. Ela olhou aquele rosto terrível e magnífico.

Os olhos dele literalmente brilhavam, emitindo uma luz que deixava seus seios na sombra. A promessa de sexo selvagem e seu feroz desejo por ela eram evidentes pelo seu ranger dentes. Pelo calor que emanava de seu corpo espetacular. Pela tensão de suas pernas e peito.

Mas ele tinha um absoluto controle de si e dela.

– Sabe, sinto tanto desejo por você... – disse ele, recostando a cabeça em sua clavícula. Ele a mordeu de leve, quase sem marcar a pele. Depois, passou a língua sobre a região, acariciando-a. Então, desceu para os seus seios. – Na realidade, ainda não a possuí propriamente.

– Não estou tão segura disso – disse ela.

Sua risada ressoou como uma trovoada, a respiração cálida e úmida sobre a pele dela. Beijou-lhe a parte superior do seio e depois tomou o mamilo em sua boca, através da renda. Ela se arqueou de novo, sentindo como se um dique houvesse se rompido entre as suas pernas.

Ele ergueu a cabeça, com um sorriso de antecipação despontando em seus lábios.

Deslizou o sutiã suavemente para baixo. Seu mamilo ficou ainda mais rijo para ele, e ela ficou observando o contraste dos cabelos negros dele contra sua pele clara. A língua dele, brilhante e rosada, saiu-lhe da boca e pôs-se a lambê-la.

Quando as coxas dela se afastaram sem que ele pedisse, riu de novo, com um som de satisfação, masculino e profundo.

A mão dele abriu caminho por entre as pregas do vestido, roçando seu quadril, movendo-se lentamente sobre seu ventre.

Encontrou o elástico da calcinha e deslizou o dedo indicador sob ele. Só um pouco.

Moveu a ponta do dedo para frente e para trás, provocando-lhe sensuais cócegas perto de onde ela desejava que estivesse. Precisava que estivesse.

– Mais – exigiu ela – Quero mais.

– E terá – seu dedo inteiro desapareceu sob a renda negra. Ela soltou um gritinho quando ele chegou ao ponto, quente e úmido, em que ela queria que estivesse.

– Beth?

Ela quase perdera a consciência. Completamente entregue às sensações de seu toque.

– Hum?

– Quer saber qual é o seu gosto? – disse ele contra os seus seios.

Um longo dedo penetrou seu corpo, como se ele quisesse que soubesse que não estava se referindo à sua boca.

Ela agarrou as costas dele através da camisa de seda, arranhando-o com as unhas.

– Pêssegos – disse ele, movendo-lhe o corpo, deslocando sua boca para baixo, beijando a pele de sua barriga –, é como comer pêssegos. Sinto sua carne tenra em meus lábios e língua enquanto a chupo. Delicada e doce no fundo de minha garganta quando engulo.

Ela gemeu, próxima ao orgasmo e longe, muito longe da sanidade.

Com um movimento rápido, ele a levantou e carregou para a cama. Quando a estendeu, separou-lhe as pernas com a cabeça, posando a boca entre suas coxas.

Ela soltou um grito abafado, colocando as mãos nos cabelos dele, emaranhando-os. Com um puxão, ele soltou a tira de couro que os prendia. As negras madeixas se esparramaram sobre seu ventre, como as asas de um falcão.

– Exatamente como pêssegos – disse ele, livrando-a da calcinha. – E eu adoro pêssegos.

A luz misteriosa e bela que seus olhos emanavam inundou o corpo dela. E, então, ele baixou a cabeça novamente.

Capítulo 27

Havers desceu para seu laboratório e zanzou por ali, seus passos ressoando sobre o piso branco. Depois de umas duas voltas inteiras pela sala, decidiu parar diante da bancada de trabalho. Acariciou o elegante pescoço esmaltado do microscópio, olhou os incontáveis tubos de ensaio, béqueres e frascos de vidro nas prateleiras, ouviu o zumbido dos refrigeradores, o ronronar monótono do sistema de ventilação no teto e percebeu o persistente cheiro de desinfetante.

Aquele ambiente científico o lembrava de suas ambições intelectuais.

E o orgulho que sentia por sua grande capacidade mental.

Considerava-se civilizado. Capaz de controlar suas emoções. Perito em responder logicamente aos estímulos. Mas não tinha força para controlar o ódio e a fúria que o invadiam. Aquele sentimento era muito violento, muito poderoso.

Imaginava vários planos, e todos envolviam derramamento de sangue.

Mas, a quem queria enganar? Se levantasse um canivete que fosse contra Wrath, o único sangue derramado seria o próprio.

Precisava encontrar alguém que soubesse matar. Alguém que pudesse aproximar-se do guerreiro.

Quando encontrou a solução, pareceu-lhe tremendamente óbvia. Já sabia a quem procurar e onde encontrá-lo.

Havers se dirigiu para a porta, e sua satisfação resultou num sorriso nos lábios.

Contudo, ao ver seu reflexo no espelho sobre a pia do laboratório, ficou gelado. Seus olhos irrequietos estavam muito brilhantes, muito ávidos. Não reconhecia aquele sorriso desagradável em seu rosto. O rubor febril que coloria suas faces era a expectativa de um resultado vil.

Não se reconheceu com aquela máscara de vingança.

Odiava o aspecto que seu rosto adquirira.

– Oh, Meu Deus.

Como podia pensar tais coisas? Era médico. Seu trabalho consistia em curar. Dedicava-se a salvar vidas, não a tirá-las.

Marissa havia dito que tudo terminara. Rompera o compromisso. Não voltaria a ver Wrath.

Mesmo assim, não merecia ser vingada pela maneira como havia sido tratada?

Agora era o momento de atacar. Poderia atingir Wrath sem receio de que Marissa pudesse ser apanhada no fogo cruzado.

Havers sentiu um estremecimento no corpo e supôs que era devido ao horror pela magnitude daquilo que estava considerando fazer. Mas, então, cambaleou, e teve de estender o braço e se segurar para não cair. A tontura fez com que o mundo à sua volta girasse em turbilhão, e ele desabou sobre uma cadeira.

Afrouxando o nó da gravata, esforçou-se para respirar.

O sangue, pensou. *A transfusão.*

Não estava funcionando.

Desesperado, caiu de joelhos. Consumido por seu fracasso, fechou os olhos, e mergulhou na escuridão.

Wrath rolou para um lado, levando Beth com ele, corpos colados. Com o seu membro ainda latejando dentro dela, alisou-lhe o cabelo para trás. Estava úmido com seu delicado suor.

Minha.

Enquanto beijava seus lábios, notou com satisfação que ela ainda não recuperara o fôlego.

Fizera amor com ela de maneira adequada, pensou. Devagar e deliberadamente.

– Vai passar a noite? – perguntou ele.

Ela riu roucamente.

– Não estou mesmo certa de poder caminhar agora. Então, acho que ficar aqui é uma boa opção.

Ele apertou os lábios contra sua fronte.

– Retornarei pouco antes do amanhecer.

Enquanto ele se retirava do cálido casulo de seu corpo, ela ergueu a vista.

– Aonde vai?

– Reunir-me com meus Irmãos e, depois, sairemos.

Desceu da cama e foi até o armário a fim de vestir suas roupas de couro e ajustar o coldre nos ombros. Meteu uma adaga de cada lado e pegou a jaqueta.

– Fritz estará aqui – disse ele. – Se precisar de alguma coisa, pegue o telefone e disque asterisco quarenta. Tocará no andar de cima.

Ela se envolveu com um lençol e saltou da cama.

– Wrath – tocou-lhe o braço –, fique.

Ele se inclinou para lhe dar um beijo rápido.

– Voltarei.

– Vai lutar?

– Sim.

– Mas como pode fazê-lo? É... – interrompeu-se.

– Sou cego há trezentos anos.

Ela conteve a respiração. É tão velho assim?

Ele teve de rir.

– Sim.

– Bem, tenho de admitir que está muito bem conservado – seu sorriso murchou. – Quanto tempo viverei?

Uma onda de medo e frio o invadiu, fazendo com que seu coração paralisasse por um instante.

O que aconteceria se ela não sobrevivesse à transição?

Wrath sentiu que seu estômago se revirava. Ele, tão íntimo da morte, de repente, sentia um frio na barriga causado por um medo mortal e primitivo.

Mas ela ia conseguir, certo? *Certo?*

Percebeu que olhava para o teto, e se perguntou com quem diabos estava falando. Com a Virgem Escriba?

– Wrath?

Puxou Beth para si e abraçou-a com força, como se quisesse protegê-la daquele destino incerto.

– Wrath – disse ela em seu ombro –, Wrath, querido, não posso... Não posso respirar.

Soltou-a imediatamente e a olhou nos olhos, esforçando-se para focá-los, retesando a pele das têmporas.

– Wrath? O que foi?

– Nada.

– Não respondeu a minha pergunta.

– É porque não sei a resposta.

Ela pareceu desconcertada, mas, então, colocou-se nas pontas dos pés e o beijou nos lábios.

– Bem, seja qual for o tempo que eu tenha, gostaria que ficasse comigo esta noite.

Um golpe na porta interrompeu a conversa.

– Wrath – a voz do Rhage ecoou através do aço –, já estão todos aqui.

Beth deu um passo para trás. Wrath pôde sentir que ela se fechava para ele novamente.

Ficou tentado a trancá-la no quarto, mas não poderia suportar mantê-la prisioneira. E seu instinto lhe dizia que por mais que ela desejasse que as coisas fossem diferentes, resignava-se com seu destino, bem como com o papel que ele desempenhava. Também, estava a salvo dos *redutores*, por ora, pois eles a veriam somente como uma humana.

– Estará aqui quando eu voltar? – perguntou ele, vestindo a jaqueta.

– Não sei.

– Se sair, preciso saber onde encontrá-la.

– Por quê?

– A transição, Beth. Estará mais segura se ficar.

– Talvez.

Engoliu o palavrão que esteve prestes a dizer. Não iria implorar.

– A outra porta que há no corredor – disse ele – dá no quarto de seu pai. Achei que você gostaria de entrar lá.

Wrath saiu antes que fizesse algo que o envergonhasse.

Os guerreiros não imploravam. Muito raramente, pediam. Tomavam o que queriam e matavam se fosse necessário.

Mas, esperava sinceramente que ela estivesse ali quando voltasse. Gostava da ideia de encontrá-la dormindo em sua cama.

Beth entrou no banheiro e tomou uma ducha, deixando que a água quente aliviasse seus nervos. Quando saiu e se secou, viu um roupão negro pendurado em um cabide. Vestiu-o.

Cheirou as lapelas do roupão e fechou os olhos. Estava impregnado com o cheiro de Wrath, uma mistura de sabonete, loção pós-barba e... Vampiro macho.

Santo Deus. Aquilo tudo estava mesmo acontecendo? Foi para o quarto. Wrath havia deixado o armário aberto. Sentiu curiosidade de olhar suas roupas. Mas o que encontrou foi um estoque de armas que a deixou petrificada.

Olhou a porta que levava à escada. Pensou em partir; porém, por mais que quisesse fazê-lo, sabia que Wrath tinha razão: ficar era mais seguro.

E o quarto de seu pai era uma tentação.

Daria uma olhada. Esperava que o que encontrasse ali não lhe provocasse palpitações. Deus era testemunha de que seu amante não fazia mais que lhe dar um susto atrás do outro.

Ao sair para o corredor, fechou bem o roupão sobre o peito. As lanternas de gás piscaram, fazendo com que as paredes parecessem vivas, enquanto fixava a vista na porta do outro lado do corredor. Antes que perdesse a coragem, caminhou até lá, girou a maçaneta e empurrou.

A escuridão a saudou do outro lado, uma parede negra que lembrava um poço sem fundo ou o espaço sideral. Cruzou a soleira e tateou a parede esperando encontrar o interruptor de luz, e não alguma coisa que fosse mordê-la.

Não teve sorte em encontrá-lo. Contudo, não podia reclamar: sua mão continuava bem presa ao braço.

Avançando no vazio, moveu-se devagar para a esquerda até que seu corpo se chocou com alguma coisa grande. Pelo som dos puxadores de bronze e o aroma de cera de limão, supôs que havia tropeçado em uma cômoda alta. Continuou caminhando, tateando à sua frente com cuidado, até que encontrou um abajur.

Com um clique, a luz venceu a escuridão. Ela piscou com a súbita claridade. A base do abajur era um fino vaso oriental e a mesa sobre a qual se apoiava era toda trabalhada em mogno. Sem dúvida, o quarto era decorado com o mesmo estilo fabuloso do andar superior.

Quando seus olhos se adaptaram, deu uma olhada ao redor.

– Oh... meu... Deus.

Havia fotografias dela por toda parte. Em preto e branco, *close-ups*, coloridas. Era ela em todas as idades, quando bebê de colo, quando menina, adolescente, na universidade. Uma delas era muito recente, e tinha sido tirada enquanto saía da redação do *Correio de Caldwell*. Lembrava-se desse dia. Tinha sido a primeira nevada do inverno, e estava rindo enquanto olhava para o céu. Oito meses antes.

A ideia de que por pouco deixara de conhecer o pai era trágica. Quando havia morrido? Como tinha vivido?

Uma coisa era certa: tinha muito bom gosto e refinamento. E, obviamente, gostava de coisas finas. O imenso espaço particular de seu pai era esplêndido. As paredes, de um vermelho profundo, exibiam outra coleção espetacular de paisagens da Escola do Rio Hudson, com molduras belamente decoradas. O chão estava coberto de tapetes orientais azuis, vermelhos e dourados, que brilhavam como vitrais. A cama era a coisa mais deslumbrante do cômodo. Uma antiguidade maciça, esculpida à mão, com cortinado de veludo vermelho. Na mesinha da esquerda havia um abajur e outra fotografia dela; na da direita, um relógio, um livro e um copo.

Ele dormia daquele lado.

Aproximou-se para olhar o livro encadernado. Estava em francês. Debaixo havia uma revista. *Forbes*.

Voltou a colocá-los no lugar e depois olhou o copo. Ainda restava um pouco de água no fundo.

Ou alguém estava dormindo ali agora... ou, talvez, seu pai tivesse morrido muito recentemente.

Olhou em volta, procurando roupas ou uma mala que sugerissem um convidado. A escrivaninha de mogno no outro lado do quarto chamou sua atenção. Aproximou-se e se sentou em sua cadeira alta, de braços torneados, que lembrava um trono. Ao lado de uma pasta de couro havia uma pilha de papéis. Eram as contas dos gastos da casa. Eletricidade, telefone, TV a cabo... Todas no nome de Fritz.

Tudo tão... normal. Ela tinha as mesmas coisas em sua mesa.

Beth voltou a olhar o copo sobre a mesinha.

A vida dele havia sido interrompida abruptamente, pensou.

Sentindo-se uma intrometida, mas incapaz de resistir, abriu uma gaveta da escrivaninha. Canetas Montblanc, clipes, um grampeador. Fechou-a e abriu outra maior. Estava cheia de pastas. Pegou uma: registros financeiros...

Deus do céu. Seu pai era montado na grana. Verdadeiramente montado na grana.

Olhou outra página. Milhões e milhões.

Voltou a colocar a pasta no lugar e fechou a gaveta. Aquilo explicava muitas coisas. A casa. A coleção de arte. O carro. O mordomo.

De um lado do telefone havia uma fotografia dela em uma moldura de prata. Pegou-a e tentou imaginá-lo olhando para ela. *Haveria alguma fotografia dele?*, perguntou-se.

Por acaso os vampiros saíam nas fotografias?

Perambulou pelo aposento de novo, olhando cada uma das molduras. Somente ela. Ela de novo. Ela...

Beth se inclinou, alcançando com a mão trêmula uma moldura de ouro.

Continha um retrato em preto e branco de uma mulher de cabelo escuro que olhava timidamente para a câmera. Tinha a mão sobre o rosto, como se sentisse vergonha.

Aqueles olhos, pensou Beth maravilhada. Havia contemplado no espelho um par de olhos idênticos àqueles durante toda a sua vida.

Sua mãe.

Roçou com o dedo indicador o interior do vaso.

Sentando-se às cegas na cama, aproximou a fotografia de seus olhos o máximo que pôde, sem que a imagem saísse de foco. Como se a proximidade da imagem anulasse a distância de tempo e circunstância e a levasse até a encantadora mulher do porta-retrato.

Sua mãe.

Capítulo 28

Assim está melhor, pensou o Sr. X, enquanto jogava um vampiro civil inconsciente no ombro. Carregou rapidamente o macho através do beco, abriu a parte de trás da *minivan* e largou sua presa como se fosse um saco de batatas. Teve o cuidado de cobrir a carga com um cobertor negro de lã.

Sabia que desta vez seu plano funcionaria, e substituir o tranquilizante Demosedan por Acepromazina fizera a diferença. Sua intuição de usar tranquilizantes para cavalos em vez de sedativos de uso humano tinha sido correta. Apesar de tudo, o vampiro precisou de dois dardos da Acepromazina para ser derrubado.

O Sr. X olhou por cima do ombro antes de sentar-se ao volante. A prostituta que havia matado estava estendida sobre a sarjeta; seu sangue saturado de heroína escorria pelo bueiro. A amável moça até o tinha ajudado com a agulha. Certamente, não esperava que a droga tivesse uma pureza de 100%. Nem que corresse por suas veias em quantidade suficiente para derrubar um alce.

A polícia a encontraria pela manhã, mas ele havia sido muito cuidadoso: luvas de látex, touca no cabelo e roupa de náilon de uma malha muita densa que não soltava fibras.

E, além disso, ela não havia oferecido resistência.

O Sr. X ligou o motor calmamente e deslizou através da rua Trade.

Uma fina linha de suor causado pela expectativa apareceu sobre seu lábio superior. Aquela sensação da adrenalina bombeada por seu corpo o fez sentir falta do tempo em que ainda podia praticar sexo.

Mesmo se o vampiro não tivesse informação alguma a dar, iria se divertir o resto da noite.

Pensou que podia começar com a marreta.

Não, seria melhor o motor de dentista debaixo das unhas.

Isso faria o macho acordar imediatamente. Afinal de contas, não havia muito sentido em torturar alguém inconsciente. Seria como chutar um cadáver, um mero exercício aeróbico, ainda que leve. Ele tinha que ter consciência da dor.

Escutou um leve ruído procedente da parte traseira. Olhou por cima do ombro. O vampiro se movia por baixo do cobertor.

Que bom, estava vivo.

O Sr. X volveu de novo a vista para a rua, franzindo o semblante. Inclinou-se para frente, segurando firme o volante.

Lá adiante, viu o brilho de umas luzes de freio. Os carros estavam parados em uma longa fila. Um punhado de cones cor de laranja obrigavam a parar, e as luzes azuis e brancas alternadas anunciavam a presença da polícia.

Um acidente? Não. Uma batida. Dois policiais com lanternas examinavam o interior dos veículos. Haviam colocado um cartaz onde se lia: "teste do bafômetro".

O Sr. X pisou no freio. Procurou em sua bolsa negra, tirou sua pistola de dardos e disparou outros dois tiros no vampiro para que não fizesse barulho. Com os vidros escuros e o cobertor negro sobre a presa, talvez passasse sem maiores problemas, desde que o macho não se movesse.

Quando chegou sua vez, baixou o vidro enquanto o policial se aproximava. A luz da lanterna do homem se refletiu no painel, produzindo um reflexo.

– Boa noite, policial – o Sr. X assumiu uma expressão afável.

– Esteve bebendo esta noite, senhor?

O policial, de meia-idade, tinha um aspecto bastante comum. Seu bigode necessitava ser aparado e o cabelo grisalho escapava por baixo do quepe. Parecia um sheepdog, mas sem a coleira antipulgas e o rabo.

– Não, oficial, não bebi.

– Ei, eu conheço o senhor.

– Verdade? – o Sr. X sorriu ainda mais enquanto olhava para o pescoço do homem. A frustração o levou a pensar na faca que tinha na porta do carro. Esticou um dedo e roçou-lhe o cabo, procurando se controlar.

– Sim, ensina jiu-jitsu ao meu filho – quando o policial se inclinou para trás, sua lanterna se deslocou um pouco, iluminando a bolsa negra que havia no assento ao lado.

– Darry, venha conhecer o *sensei* do Phillie.

Enquanto o outro policial caminhava até eles, o Sr. X aproveitou para comprovar se a bolsa tinha o zíper fechado. Seria um problema se vissem a pistola de dardos ou a Glock nove milímetros que levava ali.

Durante cinco minutos, teve uma agradável conversa com os dois policiais enquanto fantasiava sobre a maneira de acabar com eles. Quando colocou a *minivan* em marcha, surpreendeu-se de ter a faca na mão, quase em seu colo.

Logo mais, teria como extravasar toda aquela raiva.

Wrath olhou com atenção os imprecisos contornos do edifício comercial de um andar só. Durante as duas últimas horas, Rhage e ele haviam vigiado a Academia de Artes Marciais Caldwell, tentando descobrir se ali se desenvolvia alguma atividade noturna. As instalações estavam situadas no fim do centro comercial, ao lado de um trecho arborizado. Rhage, que na noite anterior visitara o local, calculava que ocupava uma superfície de uns seis mil metros quadrados.

Suficientemente grande para ser o centro de operações dos *redutores*.

O estacionamento se estendia até a frente da academia, com cerca de quinze vagas de um lado. Tinha duas entradas: a principal, com portas de vidro duplo, e uma lateral sem janelas. De sua posição estratégica no bosque, podiam ver tanto o estacionamento vazio como as vias de acesso ao edifício.

O restante das vias eram apenas becos sem saída. Do Gold's Gym só saíra um João-ninguém. Fechava à meia-noite e abria às cinco da manhã, e estivera silencioso nas duas últimas noites. No campo de *paintball* acontecia o mesmo, ficava vazio a partir do momento em que fechava as portas. As melhores opções eram as duas academias, e Vishous e os gêmeos estavam no outro lado da cidade vigiando a outra.

Embora os *redutores* não tivessem problemas com a luz diurna, saíam para caçar à noite porque era o horário em que suas presas agiam. Perto do amanhecer, os centros de recrutamento e treinamento da Sociedade eram utilizados como pontos de reunião, embora nem sempre. Além disso, devido ao fato de os *redutores* mudarem de lugar com frequência, um desses centros podia estar ativo durante alguns meses, ou talvez um ano, e depois ser abandonado.

Como Darius havia sido atacado poucos dias antes, Wrath esperava que a Sociedade ainda não houvesse se mudado.

Consultou o relógio.

– Droga, são quase três.

Rhage se encostou na árvore atrás dele.

– Então, suponho que Tohr já não virá esta noite.

Wrath deu de ombros, esperando ansiosamente que ele aparecesse.

Não o fez.

– Não é do feitio dele agir assim – Rhage fez uma pausa – Mas você não me parece surpreso.

– Não.

– Por quê?

Wrath voltou a dar de ombros.

– Briguei com ele, mas não devia ter feito isso.

– Não vou perguntar o motivo.

– Muito sábio de sua parte – e logo em seguida, por alguma razão absurda, acrescentou – Preciso me desculpar com ele.

– Isso será uma novidade.

– Sou tão detestável?

– Não – respondeu Rhage sem sua habitual fanfarronice – Só que não costuma errar com frequência.

Vindo de Hollywood, a franqueza foi surpreendente.

– Bom, o que disse ao Tohr foi algo realmente repugnante.

Rhage bateu-lhe nas costas.

– Com a ampla experiência que tenho em ofender as pessoas, permita-me dizer que não há nada que não possa ser consertado.

– Coloquei a Wellsie no meio.
– Isso não foi uma boa ideia.
– E o que ele sente por ela.
– Droga.
– Sim. Isso aí.
– Por quê?
– Porque eu...

Porque se sentia um idiota tentando fazer um milésimo do que Tohr vinha fazendo muito bem há dois séculos. Apesar de Tohr ser um guerreiro, mantinha uma relação com uma fêmea de grande valor. E era uma boa união, forte, amorosa. Ele era o único dos Irmãos que tinha conseguido fazer isso.

Wrath pensou em Beth. Imaginou-a vindo até ele, pedindo-lhe que ficasse.

Estava desejoso de encontrá-la em sua cama quando voltasse para casa. E não porque queria possuí-la. Queria dormir ao seu lado, descansar um pouco, sabendo que ela estava segura junto a ele.

Ah, que inferno. Tinha o terrível pressentimento de que teria de permanecer perto daquela fêmea durante algum tempo.

– Por quê? – repetiu Rhage.

Wrath sentiu o nariz pinicar. Um cheiro adocicado, como de talco para bebês, flutuava na brisa.

– Estenda o capacho de boas-vindas – disse, enquanto desabotoava a jaqueta.

– Quantos? – perguntou Rhage, girando em volta.

Estalos de galhos secos e rangidos de folhas ressoaram na noite, e se fizeram cada vez mais fortes.

– Pelo menos três.
– Caramba.

Os *redutores* vinham diretamente para eles, através de uma clareira no bosque. Faziam ruído, falando e caminhando despreocupadamente, até que um deles parou. Os outros dois fizeram o mesmo, calando-se.

– Boa noite, rapazes – disse Rhage, saindo do abrigo das árvores.

Wrath se aproximou em silêncio. Quando os *redutores* rodearam o seu Irmão, agachando-se e sacando as facas, ele avançou por entre as árvores.

Então, saiu das sombras e levantou do chão um dos *redutores*, começando a luta. Cortou-lhe a garganta, mas não teve tempo de concluir. Rhage tinha se ocupado de dois deles, mas um terceiro, saído do nada, estava prestes a atingir o Irmão na cabeça com um taco de beisebol.

Wrath se precipitou sobre aquele rebatedor sem alma, derrubando-o e apunhalando-o na garganta. Um grito sufocado borbulhou no ar. Wrath deu uma olhada em volta, no caso de haver outros ou de seu Irmão necessitar de ajuda.

Rhage estava perfeitamente bem.

Apesar de sua visão fraca, Wrath pôde perceber a extraordinária beleza do guerreiro quando lutava. Lançava seus punhos e chutes com movimentos rápidos e ágeis. Tinha reflexos animais; força e resistência. Era um mestre da luta corpo a corpo, e os *redutores* iam ao chão repetidas vezes e a cada golpe era mais difícil se levantarem.

Wrath retornou para perto do primeiro *redutor* e se ajoelhou sobre o corpo. Ele se contorceu enquanto lhe revistava os bolsos e recolhia todos os documentos de identificação que pôde encontrar.

Estava a ponto de apunhalá-lo no peito quando ouviu um disparo.

Capítulo 29

Então, Butch, vai esperar até eu sair do trabalho esta noite? – Abby sorriu, servindo-lhe outro uísque.

– Talvez.

Não queria; contudo, depois de mais algumas doses, poderia mudar de opinião. Caso ainda pudesse manter uma ereção, mesmo caindo de bêbado.

Virando-se para a esquerda, ela viu atrás dele outro cliente, para o qual deu uma piscadinha enquanto lhe mostrava um pouco do decote.

Ela estava se certificando de ter um reserva. Não fazia mal em se prevenir.

O celular de Butch vibrou em seu cinto.

– Sim?

– Temos outra prostituta morta – disse Jose –, achei que iria querer saber.

– Onde? – saltou do tamborete do balcão como se tivesse que ir a alguma parte. Logo se sentou outra vez, devagar.

– Trade e Quinta. Mas não venha para cá. Onde você está?

– No McGrider's.

– Me dá dez minutos?

– Estarei aqui.

Butch afastou o copo, consumido pela frustração.

Acabaria assim? Embebedando-se todas as noites? Ou, talvez, trabalhando como investigador particular ou como segurança até que fosse despedido por negligência? Vivendo sozinho num apartamento quarto-e-sala até que seu fígado fosse para o espaço?

Nunca tinha sido bom em fazer planos, mas, talvez, tivesse chegado o momento de traçar alguns.

– Não gostou do uísque? – perguntou Abby, emoldurando o copo com seus seios.

Num impulso, ele pegou o maldito copo, aproximou-o dos lábios e "entornou".

– Esse é o meu homem.

Entretanto, quando foi lhe servir outro, ele cobriu a boca do copo com a mão.

– Acho que já basta por esta noite.

– Então, tá – ela sorriu quando ele sacudiu a cabeça. – Bem, sabe onde me encontrar.

Sim, infelizmente.

Jose demorou muito mais de dez minutos. Passara-se quase meia hora antes que Butch visse a figura austera e à paisana do detetive atravessando a multidão de beberrões.

– Nós a conhecemos? – perguntou Butch, antes que o homem tivesse tempo de sentar.

– Outra do cafetão Big Daddy. Carla Rizzoli; nome de guerra: Candy.

– O mesmo *modus operandi*?

Jose pediu uma vodca pura.

– Sim. Talho na garganta, sangue por toda parte. Tinha resíduo de alguma substância nos lábios, como se houvesse espumado pela boca.

– Heroína?

– Provavelmente. O médico-legista fará a autópsia amanhã, à primeira hora.

– Encontraram algo na cena do crime?

– Um dardo. Daqueles com tranquilizantes, que disparam nos animais. Está sendo analisado – Jose virou a dose de vodca com uma rápida inclinação da cabeça. – Soube que o Big Daddy está furioso. Buscando vingança.

– Sim, bem, espero que se vingue no namorado da Beth. Talvez uma guerra tire esse filho-da-mãe de seu esconderijo – Butch apoiou os cotovelos sobre o balcão e esfregou os olhos irritados. – Droga, não posso acreditar que ela o esteja protegendo.

– Cara, pensei que esse dia nunca fosse chegar. Finalmente escolheu alguém.

– E é um completo marginal.

Jose olhou para ele.

– Vamos ter de detê-la.

– Imaginei – Butch apertou os olhos para a visão entrar em foco. – Escute, fiquei de vê-la amanhã. Deixe-me falar com ela primeiro, ok?

– Não posso fazer isso, O'Neal. Você não...

– Pode sim. Tudo que precisa fazer é programar a detenção para o dia seguinte.

– A investigação está avançando...

– Por favor – Butch não podia acreditar que estivesse implorando –, vamos lá, Jose. Acho que tenho mais chances de fazê-la falar.

– E por que acha isso?

– Porque ela viu o cara quase me matar.

Jose baixou os olhos para a superfície imunda do balcão.

– Você tem um dia. E é melhor que ninguém fique sabendo, porque o capitão pediria a minha cabeça. Depois desse prazo, aconteça o que acontecer, irei interrogá-la na delegacia.

Butch balançou a cabeça concordando, enquanto Abby retornava dançando com uma garrafa de uísque escocês em uma mão e uma de vodca na outra.

– Parece que estão com sede, rapazes – disse, com uma risadinha. A mensagem em seu sorriso impudico e seu olhar vago se fazia cada vez mais enfática, cada vez mais desesperada à medida que a noite se aproximava do fim.

Butch pensou em sua carteira vazia. Seu coldre vazio. Seu apartamento vazio.

– Tenho que dar o fora nela – murmurou, deslizando para fora do tamborete. – Quero dizer, o fora daqui.

O braço do Wrath absorveu o tiro da espingarda de caça, e o impacto torceu seu tórax como uma corda. Com a força do disparo, caiu girando no chão, mas não ficou lá. Movendo-se agachado e rapidamente, conseguiu sair do caminho, sem dar ao atirador a oportunidade de acertá-lo de novo.

O quinto *redutor* havia surgido do nada e estava usando munição pesada na espingarda de cano serrado.

Atrás de um pinheiro, Wrath examinou rapidamente a ferida. Era pouco profunda. Havia afetado uma parte do músculo do braço, mas o osso estava intacto. Ainda podia lutar.

Sacou uma estrela ninja e saiu para o descampado.

E foi então que um tremendo flash de luz iluminou a clareira.

Saltou de novo para as sombras.

– Caramba!

Agora sim, havia chegado a hora. A besta estava vindo à tona em Rhage. E a coisa ia ficar feia de verdade.

Os olhos do Rhage brilharam como holofotes à medida que seu corpo se transformava. Algo horrível o substituiu, com escamas reluzentes à luz da lua e garras rasgando o ar. Os *redutores* nem souberam o que os atingiu quando aquela criatura os atacou com as presas nuas, perseguindo-os até que o sangue deles escorreu em cascata por seu enorme peito.

Wrath ficou atrás. Já tinha visto aquilo antes, e a besta não precisava de ajuda. E se chegasse muito perto, corria o risco de sobrar para ele.

Quando tudo terminou, a criatura soltou um uivo tão forte que as árvores se dobraram e seus ramos se partiram em dois.

Uma tremenda carnificina. Não havia esperança de identificarem os *redutores* porque não restaram corpos. Até suas roupas haviam sido consumidas.

Wrath saiu para a clareira.

A criatura dava voltas, ofegante.

Wrath manteve a voz tranquila e as mãos baixas. Rhage estava ali, em alguma parte; mas, até que ressurgisse, não havia como saber se a besta recordava quem eram os Irmãos.

– Já terminou – disse Wrath. – Você e eu já fizemos isso antes.

O peito da besta subia e baixava, as ventas tremiam como se farejassem o ar. Os holofotes dos olhos se fixaram no sangue que corria pelo braço do Wrath. Bufou e ergueu as garras.

– Esqueça. Já fez o seu número. Já se alimentou. Agora, vamos deixar que Rhage volte.

A cabeçorra se agitou, mas suas escamas começaram a vibrar. Um grito de protesto irrompeu da garganta da criatura, e, então, outro flash.

Rhage caiu nu no chão, aterrissando de cara.

Wrath correu para ele e se ajoelhou, estendendo a mão. A pele do guerreiro brilhava de suor, e se agitava como um recém-nascido no frio.

Rhage estremeceu ao toque do Irmão. Tentou erguer a cabeça: não conseguiu.

Wrath pegou a mão dele e a apertou. A recuperação era sempre sofrida.

– Relaxe, Hollywood, você está bem. Está perfeitamente bem – tirou a jaqueta e cobriu suavemente o Irmão.

– Aguente firme e deixe-me cuidar de você, está certo?

Rhage resmungou algo e se encolheu feito um caracol.

Wrath abriu seu celular e chamou um número.

– Vishous? Precisamos de um carro. Agora. Você está me gozando! Não, tenho de transportar o nosso garoto. Tivemos uma visita de Mr. Hyde. Mas diga a Zsadist para vir logo, não ficar de zoeira por aí.

Desligou e olhou para Rhage.

– Odeio isso – disse o Irmão.

– Eu sei – Wrath tirou o cabelo pegajoso, empapado de sangue, do rosto do vampiro –, vamos levar você para casa.

– Não gostei de ver atirarem em você.

Wrath sorriu suavemente.

– Claro.

Beth se mexeu, afundando-se mais no travesseiro.

Algo estava errado.

Abriu os olhos no momento em que uma profunda voz masculina quebrava o silêncio:

– Que diabos temos aqui?

Ela saltou como uma mola, olhando freneticamente para o lugar de onde saíra o som.

O homem impressionante que estava diante dela tinha os olhos negros, sem vida. Um rosto duro cortado por uma cicatriz denteada. Seu cabelo era praticamente raspado, de tão curto. E suas presas, longas e brancas, estavam expostas.

Ela gritou.

Ele sorriu.

– Meu som predileto.

Beth tapou a boca com a mão.

Meu Deus, que cicatriz era aquela! Atravessava-lhe a fronte, passava sobre o nariz e a bochecha, e contornava a boca, formando um "5". A extremidade daquele 5 distorcia o seu lábio superior, erguendo um dos cantos da boca em um perene sorriso de escárnio.

– Admirando minha obra de arte? – disse ele, devagar. – Deveria ver o resto do corpo.

Os olhos dela se fixaram em seu peito largo. Vestia uma camiseta negra justa, de mangas compridas. Em ambos os peitorais eram evidentes umas pequenas argolas sob o tecido, como se tivesse piercings nos mamilos. Quando voltou a olhar para o seu rosto, viu que tinha uma faixa negra tatuada ao redor do pescoço e um alargador no lóbulo esquerdo.

– Sou bonito, não sou? – seu olhar frio era feito da mesma matéria da qual são feitos os pesadelos, os lugares lúgubres onde não há esperança, o próprio inferno.

Que cicatriz, que nada: aqueles olhos eram o que tinha de mais aterrador.

E estavam fixos nela como se estivesse tomando suas medidas para uma mortalha. Ou considerando-a para sexo.

Ela afastou seu corpo dele, e buscou com os olhos alguma coisa à sua volta que pudesse usar como arma.

– O que é? Não gosta de mim?

Beth olhou para a porta, e ele riu.

– Pensa que pode correr com rapidez o bastante? – disse ele, tirando as fraldas da camisa para fora da calça de couro que usava. Suas mãos correram para a braguilha: – Tenho certeza que não pode.

– Afaste-se dela, Zsadist.

A voz do Wrath foi um doce alívio. Até que percebeu que ele estava sem camisa e que seu braço estava numa tipoia.

Ele mal olhou para ela.

– É hora de sair, Z.

Zsadist sorriu friamente.

– Não está a fim de compartilhar a fêmea?

– Você só curte quando paga.

– Então, dou a ela vinte pratas. Supondo que ainda esteja viva quando terminar com ela.

Wrath continuou a se aproximar do outro vampiro, até que ficaram cara a cara. O ar em torno deles parecia ranger, de tão carregado.

– Não vai encostar um dedo nela, Z. Sequer vai olhar para ela. Vai dar boa-noite e se mandar daqui – Wrath tirou a tipoia, expondo uma atadura no bíceps. Havia uma mancha vermelha no centro, como se estivesse sangrando; mas parecia disposto a dar conta de Zsadist.

– Aposto que está chateado porque precisou ser trazido para casa esta noite – disse Zsadist –, e que eu fosse o cara de carro mais próximo.

– Não me faça lamentar isso ainda mais.

Zsadist deu um passo à esquerda, e Wrath avançou para ele, usando seu corpo para interpor-se em seu caminho.

Zsadist deu uma risadinha profunda e maligna.

– Realmente está disposto a lutar por uma humana?

– Ela é a filha de Darius.

Zsadist inclinou a cabeça para o lado. Seus olhos negros como um poço sem fundo examinaram-lhe as feições. Depois de um instante, seu rosto brutal pareceu suavizar-se, assim como seu perpétuo sorriso de escárnio. E, imediatamente, pôs-se a arrumar a camisa, enquanto a olhava nos olhos, como se estivesse se desculpando.

Entretanto, Wrath não se afastou.

– Como se chama? – perguntou-lhe Zsadist.

– Chama-se Beth – Wrath tapou com a cabeça o campo de visão de Zsadist – e você está de saída.

Houve uma longa pausa.

– Sim. Claro. Como quiser.

Zsadist se dirigiu à porta, com a mesma ginga letal de Wrath. Antes de sair, parou e olhou para trás.

Devia ter sido verdadeiramente atraente um dia, pensou Beth. Embora não fosse a cicatriz o que comprometia sua beleza. Era o fogo maligno que emanava de seu íntimo.

– Prazer em conhecê-la, Beth.

Finalmente, ela pôde respirar, quando a porta se fechou e os ferrolhos foram colocados em seu lugar.

– Você está bem? – perguntou Wrath. Os olhos dele percorreram o seu corpo e, então, pousou as mãos suavemente sobre ela – Ele não... não tocou em você, tocou? Ouvi-a gritar.

– Não. Não, só me assustou. Acordei e ele estava no quarto.

Wrath se sentou na cama, ainda passando as mãos nela, como para se certificar de que estava realmente bem. Quando pareceu satisfeito, colocou o cabelo para trás. Suas mãos tremiam.

– Está ferido – disse ela –, o que aconteceu?

Ele a envolveu com o braço são e apertou-a contra dele.

– Não é nada.

– Então, por que precisa de uma tipoia? E uma atadura? E por que ainda está sangrando?

– Shhh – ele apoiou o queixo no topo de sua cabeça. Ela pôde sentir que o corpo dele tremia.

– Está doente? – perguntou ela.

– Só tenho que abraçar você um minuto. Pode ser?

– Sem dúvida.

Logo que o corpo dele relaxou, ela se afastou.

– Qual é o problema?

Ele tomou o rosto dela entre as mãos e a beijou com delicadeza.

– Não teria suportado se ele a tivesse... afastado de mim.

– Aquele cara? Não se preocupe, não iria com ele a lugar nenhum – e, então, compreendeu que Wrath não estava falando de um encontro. – Você acha que ele poderia ter me matado?

Essa era uma possibilidade que, certamente, não parecia impossível. A frieza daqueles olhos...

Em vez de responder, Wrath dirigiu os lábios novamente para os dela.

Beth o deteve.

– Quem é ele? E o que lhe aconteceu?

– Não a quero perto de Z. outra vez. Nunca – passou-lhe uma mecha de cabelo por trás da orelha. Seu toque era terno. Sua voz, não – Está me ouvindo?

Ela concordou.

– Mas o que...?

– Se ele entrar em uma sala e eu estiver em casa, vá me procurar. Se eu não estiver, tranque-se com chave em um dos quartos aqui embaixo. As paredes são feitas de aço, assim, ele não poderá se materializar dentro deles. E jamais o toque, nem por descuido.

– Ele é um guerreiro?

– Entende o que eu estou lhe dizendo?

– Sim, mas ajudaria se soubesse um pouco mais.

– É um dos Irmãos, mas falta pouco para não ter alma. Infelizmente, precisamos dele.

– Por que, se é tão perigoso? Ou é só com as mulheres?

– Odeia todo mundo. Exceto, talvez, o irmão gêmeo.

– Ah, que maravilha: quer dizer que há dois como ele?

– Ainda bem que Phury existe. É o único que pode controlar Z; e, mesmo assim, nem sempre – Wrath a beijou na fronte. – Não quero assustar você, mas preciso que leve isso a sério. Zsadist é um animal, mas acredito que respeitava seu pai. Por isso, é possível que a deixe em paz. Não posso facilitar com ele ou com você. Prometa-me que se manterá afastada dele.

– Ok – ela fechou os olhos, apoiando-se em Wrath. Ele a rodeou com o braço, mas logo a soltou.

– Vamos – colocou-a de pé –, venha para o meu quarto.

Ao entrarem no quarto de Wrath, Beth ouviu o chuveiro se fechar. Um momento depois, a porta do banheiro se abriu.

O outro guerreiro que havia conhecido antes, o que parecia um astro de cinema e estava costurando um corte, saiu de lá lentamente. Tinha uma toalha ao redor da cintura e o cabelo pingava. Movia-se como se tivesse oitenta anos, como se cada músculo do corpo lhe doesse.

Santo Deus, pensou ela. Não estava com bom aspecto, e havia algo errado com sua barriga. Estava inchada, como se tivesse engolido uma bola de basquete. Perguntou-se se a ferida que tinha visto costurar teria se infectado. Parecia febril.

Deu uma olhada em seu ombro e franziu o semblante, surpreendida ao ver que quase não restara um arranhão sequer. Parecia que o ferimento ocorrera há meses.

– Rhage, como se sente? – perguntou Wrath, separando-se dela.

– Minha barriga está doendo.

– Sim. Posso imaginar.

Rhage cambaleou um pouco enquanto olhava em torno do quarto, mal conseguindo manter os olhos abertos.

– Vou para casa. Onde está minha roupa?

– Perdeu-a – Wrath colocou seu braço são ao redor da cintura do Irmão –, e não irá, ficará no quarto de D.

– Não vou ficar.

– Não comece. E não estamos dançando: quer fazer o favor de se apoiar em mim?

O outro homem obedeceu e os músculos das costas de Wrath se retesaram ao sustentar-lhe o peso. Saíram lentamente para o corredor e se dirigiram ao quarto do pai de Beth. Ela permaneceu a uma distância discreta, observando-os, enquanto Wrath ajudava Rhage a se deitar na cama.

Quando o guerreiro se recostou nos travesseiros, fechou os olhos com força. Colocou a mão sobre o estômago, mas fez uma careta de dor e a deixou cair para um lado, como se a mais leve pressão fosse uma tortura.

– Sente-se mal?.

– Sim, uma maldita indigestão.

– Quer um antiácido? – disse Beth, num impulso. – Ou um Alka-Seltzer?

Os dois vampiros a olharam, e ela se sentiu uma intrusa.

De todas as coisas estúpidas que podia ter dito...

– Sim – murmurou Rhage, enquanto Wrath balançava a cabeça concordando.

Beth foi procurar sua bolsa e se decidiu pelo Alka-Seltzer, porque continha um analgésico que podia aliviar as dores. No banheiro de Wrath, encheu um copo com água e jogou dentro dele a pastilha, que borbulhou.

Quando voltou para o quarto de Darius, fez menção de entregá-lo a Wrath. Mas ele sacudiu a cabeça.

– Aposto que você vai derramar menos do que eu.

Ela ruborizou. Era fácil esquecer que ele era quase cego.

Inclinou-se para Rhage, mas estava muito longe. Arregaçou o roupão, subiu em cima da cama e se ajoelhou junto a ele. Sentiu-se pouco à vontade por estar tão perto de um homem nu e viril diante de Wrath.

Ainda mais, levando-se em consideração o que tinha acontecido a Butch.

Mas, Wrath não tinha nada com que se preocupar ali. O outro vampiro podia ser tremendamente sexy, mas ela não sentia absolutamente nada quando estava ao seu lado. E, a julgar por seu estado, estava certa de que ele não viria com nenhuma gracinha para cima dela.

Ergueu a cabeça de Rhage suavemente e encostou a borda do copo em seus belos lábios. Levou cinco minutos para beber o líquido aos golinhos. Quando terminou, ela quis descer da cama, mas não foi longe. O doente deu uma guinada rápida, virou de lado e colocou a cabeça em seu colo, colocando um musculoso braço ao redor dela.

Estava procurando consolo.

Beth não sabia o que podia fazer por ele, mas colocou o copo de lado e acariciou-lhe as costas, percorrendo com a mão sua impressionante tatuagem. Sussurrou-lhe algumas palavras que gostaria que alguém lhe tivesse dito quando esteve doente. E cantarolou uma canção.

Após algum tempo, a tensão deixou a pele e os músculos dele: começou a respirar profundamente.

Quando teve certeza de que se acalmara, liberou-se cuidadosamente de seu abraço. Ao voltar a olhar para Wrath, preparou-se para o pior. Embora estivesse certa de que ele compreenderia que não havia nada...

Foi um choque.

Wrath não estava zangado. Muito pelo contrário.

– Obrigado – disse com voz rouca. A inclinação de sua cabeça era quase humilde –, obrigado por cuidar de meu Irmão.

Tirou os óculos escuros.

E olhou para ela com total adoração.

CAPÍTULO 30

O Sr. X jogou a serra sobre a bancada de trabalho e limpou as mãos com uma toalha.

Que droga, pensou. O maldito vampiro estava morto.

Havia tentado de tudo para despertar o macho, até o cinzel, e revirara completamente o celeiro durante o processo. Havia sangue de vampiro por toda parte.

Pelo menos a limpeza seria fácil.

O Sr. X se dirigiu para as portas duplas e as abriu. Justo naquele momento, o sol despontava sobre uma colina longínqua e uma encantadora luz dourada se estendia suavemente por toda a paisagem. Deu um passo para trás quando o interior do celeiro se iluminou.

O corpo do vampiro explodiu em chamas, a poça de sangue sob a mesa virou uma nuvem de fumaça. A suave brisa da manhã carregou para longe o fedor de carne queimada.

O Sr. X caminhou até lá fora, olhando a neblina que começava a se dissipar sobre o gramado dos fundos. Não estava disposto a assumir que havia fracassado. O plano teria funcionado se não encontrasse aqueles policiais e não precisasse utilizar dois dardos suplementares com seu prisioneiro. Só precisava voltar a tentar.

Não fora daquela vez que pôde satisfazer seu gosto pela tortura, e mal via a hora de continuar.

Por ora, entretanto, precisava dar um tempo nos assassinatos de prostitutas. Aqueles estúpidos policiais serviram também para lembrá-lo de que não podia agir quando bem entendesse e que podiam prendê-lo.

Não que tivesse medo de ser apanhado, pois isso não passaria de uma inconveniência. Mas se orgulhava da perfeição de suas operações.

Por isso que escolhera prostitutas como isca. Imaginara que se uma ou duas apareciam mortas, não seria motivo de escândalo. Era menos provável que tivessem uma família que chorasse por elas, por isso, a polícia não estaria tão pressionada para prender o assassino. Quanto à inevitável investigação, teriam muitos suspeitos entre os cafetões e marginais que trabalhavam nos becos. Havia tantos, que a polícia poderia escolher.

Mas isso não significava que pudesse se tornar descuidado. Ou abusar do Vale das Prostitutas.

Retornou ao celeiro, guardou suas ferramentas e foi para a casa principal. Checou suas mensagens antes de tomar uma ducha.

Havia várias.

A mais importante era de Billy Riddle. Evidentemente, o rapaz havia tido um encontro perturbador na noite anterior e havia ligado pouco depois da uma da madrugada.

Era bom que estivesse procurando consolo, pensou o Sr. X. E, provavelmente, chegara a hora de terem uma conversa sobre seu futuro.

Uma hora mais tarde, o Sr. X se dirigiu à academia, abriu as portas e as deixou destrancadas.

Os *redutores*, aos quais ordenara prestar contas em uma reunião com ele, começaram a chegar pouco depois. Podia ouvi-los falar em voz baixa no vestíbulo ao lado de seu escritório. No momento em que se aproximou deles, calaram-se e ficaram olhando para ele. Vestiam trajes de trabalho negros e seus rostos estavam sombrios. Apenas um deles ainda não estava descolorido. O corte à escovinha do cabelo negro do Sr. O destacava-se dos outros, assim como seus escuros olhos castanhos.

Quanto mais tempo um *redutor* permanecia na Sociedade, mais suas características físicas individuais iam se perdendo. Os cabelos castanhos, negros e ruivos ficavam cinzentos; os matizes amarelados ou louros avermelhados e o bronzeado da pele iam desbotando até atingirem o branco total. O processo geralmente demorava uma década, embora ainda não se notassem alterações no rosto de O.

Fez uma rápida contagem. Como todos os membros de seus dois esquadrões principais estavam ali, trancou as portas externas da academia e escoltou o grupo ao porão. Suas botas ressoaram forte e nitidamente na escada de metal.

O centro de operações preparado pelo Sr. X nada tinha de especial ou fora do comum. Tratava-se simplesmente de uma antiga sala de aula com doze cadeiras, um quadro-negro, uma televisão e uma tribuna na frente.

A escassa decoração não era apenas um disfarce. A distração que a alta tecnologia podia causar não era bem-vinda. As dinâmicas de grupo eram o propósito e o foco daquelas reuniões.

– Contem-me o que aconteceu ontem à noite – disse ele, olhando para os assassinos. – Como foi?

Escutou os relatórios, não levando desculpas em consideração. Só haviam matado dois vampiros na noite anterior. E ele lhes passara a cota de dez.

E era uma desgraça que O. um novato, tivesse sido o responsável por ambas as mortes.

O Sr. X cruzou os braços sobre o peito.

– Qual foi o problema?

– Não conseguimos encontrar nenhum – disse o Sr. M.

– Ontem à noite, eu encontrei um – disse o Sr. X, ríspido. – Com bastante facilidade, poderia acrescentar. E o Sr. O, dois.

– Bom, o resto de nós não conseguiu – M olhou para os outros –, o número deles nessa região diminuiu.

– Não se trata de um problema geográfico – murmurou uma voz lá atrás.

O olhar do Sr. X correu pelos *redutores*, detendo-se na escura cabeça de O., sentado nos fundos da sala. Não lhe causou nem um pouco de surpresa que o assassino tivesse falado.

Estava demonstrando ser um dos melhores que já tivera, embora fosse um recruta novo. Com magníficos reflexos e vitalidade, era um grande lutador, mas, como acontecia com todas as coisas possuidoras de uma força excessiva, era difícil de controlar. Por isso, o Sr. X o havia colocado em um grupo no qual havia outros com séculos de experiência. Mas era consciente de que O. era capaz de dominar qualquer grupo composto por indivíduos inferiores a ele, mesmo que remotamente.

– Importa-se de elaborar um pouco mais sua formulação, Sr. O? – ao Sr. X não interessava absolutamente sua opinião, mas queria mostrar o novo recruta aos outros.

O Sr. O deu de ombros despreocupadamente, e sua lentidão ao falar era quase insultante.

– O problema é a motivação. Se alguém fracassa, não acontece nada. Não há consequências.

– E o que sugere exatamente? – perguntou o Sr. X.

O. se esticou para frente, agarrou M. pelo cabelo e lhe cortou a garganta com uma faca.

Os outros *redutores* retrocederam de um salto, inclinando-se para tomar posições de ataque, apesar de que O. voltou a se sentar, limpando com os dedos a folha da faca com a maior calma.

O Sr. X fez uma careta de desagrado, mas conseguiu se controlar imediatamente.

Atravessou a sala até M. O *redutor* ainda estava vivo, tentando respirar e conter a perda de sangue com as mãos.

O Sr. X se ajoelhou.

– O resto de vocês pode ir embora. Agora. Nós nos reuniremos amanhã pela manhã, e espero escutar melhores notícias. Sr. O, você fica.

Quando O. desafiou a ordem e fez um movimento para se levantar, o Sr. X o aprisionou na cadeira, tirando o controle dos músculos de seu corpo. O homem pareceu momentaneamente impressionado, e tentou desvencilhar seus braços e pernas.

Era uma batalha que não ganharia. Ômega sempre outorgava uma série de vantagens adicionais aos *redutores*-chefes. E esse tipo de domínio mental sobre os companheiros assassinos era uma delas.

Quando a sala ficou vazia, o Sr. X tirou uma faca e apunhalou M. no peito. Houve um clarão e depois um estalo enquanto o *redutor* se desintegrava.

Do chão, o Sr. X olhou com ferocidade para O.

– Se alguma vez voltar a fazer algo assim, denunciarei você ao Ômega.

– Não, não o fará – apesar de estar à mercê do Sr. X, a arrogância de O. era desmedida –, não acredito que queira que Ômega pense que não consegue controlar seus próprios homens.

O Sr. X levantou-se.

– Tome cuidado, O. Subestima o gosto que Ômega tem pelos sacrifícios. Se eu o oferecesse como um, ficaria muito satisfeito – o Sr. X se aproximou de O. e correu um dedo por sua face. – Se prendesse você e o chamasse, ele adoraria desembrulhar você como um presente. E taí uma coisa que gostaria de assistir.

O. atirou a cabeça para trás bruscamente, mais zangado do que assustado.

– Não me toque.

– Sou seu chefe. Posso fazer com você o que bem entender – o Sr. X agarrou com uma mão o queixo de O., e introduziu o dedo polegar entre os lábios e os dentes dele. Puxou o rosto do *redutor* para frente: – Então, cuidado com seus modos, jamais volte a matar outro membro da Sociedade sem minha permissão expressa, e nos daremos muito bem.

Os olhos castanhos de O. arderam.

– O que me diz agora? – murmurou o Sr. X, estendendo a mão e alisando o cabelo do homem para trás. Era cor de chocolate.

O. balbuciou qualquer coisa.

– Não escutei – o Sr. X apertou o dedo polegar contra a parte macia e carnuda debaixo da língua de O., afundando-o até que apareceram lágrimas nos olhos do homem. Quando aliviou a pressão, fez-lhe uma carícia rápida e úmida sobre o lábio inferior – Eu disse que não escutei.

– Sim, *sensei.*

– Bom garoto.

Capítulo 31

Marissa não conseguia ficar confortável em sua cama. Não importava a posição do corpo ou dos travesseiros: nada diminuía a irritação que sentia.

Parecia que seu colchão era recheado com pedras e seus lençóis feitos de lixa.

Afastou as cobertas, e se dirigiu para as janelas fechadas e recobertas com grossas cortinas de cetim. Precisava de um pouco de ar fresco, mas não podia abri-las. Já era dia.

Sentou-se em uma poltrona, cobrindo os pés descalços com a barra de sua camisola.

Wrath.

Não conseguia parar de pensar nele. E cada vez que uma imagem deles juntos vinha-lhe à memória, desejava praguejar. O que era um choque. Ela era dócil e amorosa, a encarnação da perfeição e da suavidade feminina. A ira ia totalmente contra sua natureza.

Mas, quanto mais pensava em Wrath, mais vontade tinha de socar alguma coisa. Caso pudesse fechar os punhos.

Olhou as mãos. Claro que podia, embora fossem pateticamente pequenas.

Especialmente se comparadas às dele.

Quanta coisa suportara! E ele sequer fazia ideia de como sua vida tinha sido difícil.

Ser a companheira casta e intocável do vampiro mais poderoso de todos era um inferno em vida. Seu fracasso como fêmea havia deixado sua autoestima no chão. O isolamento chegara ao ponto de afetar sua sanidade. Tinha vergonha de morar com o irmão por não ter seu próprio lar.

E sempre se horrorizara com os olhares que lhe lançavam e com o que falavam dela pelas costas. Sabia que era tema constante das conversas; que sentiam inveja ou pena dela; que a espionavam, que era uma espécie de personagem fabuloso. Sabia também que contavam a sua história para as fêmeas jovens, mas ignorava se era como advertência ou estímulo.

Wrath não tinha consciência do quanto ela havia sofrido.

Reconhecia que parte da culpa era dela. Tinha acreditado que desempenhar o papel de fêmea boa era o correto, a única maneira de ser digna, a única possibilidade de compartilhar, finalmente, uma vida com ele.

Mas qual foi o resultado disso?

Ele encontrou uma humana morena que o interessava mais.

Meu Deus, a recompensa por todos os seus esforços era injusta e francamente cruel.

E não era a única que havia sofrido. Havers se preocupara com ela durante séculos.

Wrath, por outro lado, sempre esteve bem. E não lhe restava dúvida de que agora, então, estava ótimo. Naquele instante mesmo, provavelmente estava nu na cama com aquela fêmea humana. Fazendo bom uso do volume rijo que tinha entre as coxas.

Marissa fechou os olhos.

Pensou na sensação de ter seu corpo usado, de ser esmagada por seus braços fortes, consumida por ele. Ficara impressionada demais para sentir qualquer excitação. Seu frágil corpo pareceu sumir por baixo daquele gigante, suas mãos lhe emaranhando o cabelo, sua boca lhe sugando fortemente a garganta. E aquele grosso membro a assustou um pouco.

O que chegava a ser irônico.

Havia sonhado tanto tempo com aquela situação, como seria ser possuída por ele. Deixar para trás seu estado virginal e saber o que era ter um macho dentro dela.

Sempre que imaginara um encontro sexual entre eles, seu corpo se acendia, sua pele formigava. Mas a realidade havia sido esmagadora. Não estava preparada em absoluto, e desejava que tivesse durado mais tempo, mas que tivesse sido um pouco menos intenso. Tinha o pressentimento de que teria gostado se ele tivesse agido com um pouco mais de delicadeza.

Mas tinha de reconhecer que ele não estava pensando nela. Marissa fechou a mão, até cravar suas unhas na palma. Não queria voltar para ele. Só o que desejava era que experimentasse a mesma dor que ela tinha suportado.

Wrath abraçou Beth e a atraiu para si, olhando Rhage por cima de sua cabeça. Observar sua delicadeza ao acalmar o sofrimento do macho tinha quebrado qualquer tipo de barreira.

Cuidar de seus Irmãos, cuidar de si mesmo, pensou. Era o código mais antigo da classe dos guerreiros.

– Venha para minha cama – sussurrou-lhe no ouvido.

Ela deixou que a puxasse pela mão e a conduzisse para o quarto. Uma vez lá dentro, ele fechou a porta, correu o ferrolho e apagou todas as velas, exceto uma. Depois, desatou a faixa que lhe prendia o roupão e o deslizou por seus ombros. Sua pele nua brilhou à tênue luz.

Ele tirou as calças de couro. E, então, deitaram juntos.

Wrath não queria sexo. Não agora. Só queria um pouco de consolo. Queria sentir aquela pele quente contra a sua, seu hálito sobre seu peito, as batidas de seu coração a poucos centímetros do dele. E queria lhe devolver um pouco daquela calma que lhe proporcionava.

Acariciou seus longos e sedosos cabelos e respirou profundamente.

– Wrath? – sua voz soava adorável na tranquila penumbra, e gostou da vibração da garganta dela contra o seu peito.

– Sim – beijou-lhe o alto da cabeça.

– Quem você perdeu? – mudou de posição, colocando o queixo sobre o peito dele.

– Como assim?

– Quem os *redutores* tiraram de você?

A pergunta pareceu, a princípio, estranha. Mas, depois, não. Ela tinha visto as consequências de um combate e, de algum jeito, vislumbrara que não lutava apenas por sua raça, mas também por ele mesmo.

Algum tempo se passou antes que pudesse responder.

– Meus pais.

Sentiu que a curiosidade de Beth se transformava em pena.

– Sinto muito – fez uma longa pausa. – O que aconteceu?

Ele pensou que aquela era uma pergunta interessante. Porque havia duas versões. Segundo a tradição popular dos vampiros, aquela sangrenta noite tinha assumido toda sorte de implicações heroicas, e foi anunciada como o nascimento de um grande guerreiro. A ficção não era obra dele. Seu povo precisava acreditar nele, por isso, idealizou uma fábula com a qual sustentar sua fé indevida.

Só ele sabia a verdade.

– Wrath?

Seus olhos se fixaram na nebulosa beleza de seu rosto. Era difícil rechaçar o tom terno que empregava. Queria lhe oferecer sua compaixão e, por alguma razão desconhecida, ele queria recebê-la.

– Foi antes da minha transição – murmurou –, há muito tempo.

Deixou de lhe acariciar o cabelo à medida que as lembranças voltavam à sua mente, terríveis e vívidas.

– Pensávamos que, sendo a *Primeira Família*, estávamos a salvo dos *redutores*. Nossos lares eram bem defendidos, ocultos nos bosques, e nos mudávamos continuamente.

Ele descobriu que se continuasse a acariciar o cabelo de Beth, conseguiria continuar falando.

Era inverno. Uma fria noite de fevereiro. Um de nossos servos nos traiu e revelou nossa posição. Apareceu um grupo de quinze ou vinte *redutores* matando todos aqueles que cruzavam seu caminho em nossa propriedade, até penetrarem nossas muralhas de pedra. Nunca esquecerei os golpes quando chegaram às portas de nossos aposentos particulares. Meu pai gritou pedindo suas armas enquanto me obrigava a me esconder num cubículo. Encerrou-me ali um segundo antes que arrebentassem a porta com um aríete. Ele era bom com a espada, mas eram muitos.

As mãos de Beth acariciaram seu rosto. Ele mal conseguia escutar as palavras doces que lhe eram sussurradas por aqueles lábios.

Wrath fechou os olhos, rememorando os horrores que ainda eram capazes de lhe provocar pesadelos.

– Massacraram os criados antes de matar meus pais. Vi tudo através de um buraco na madeira. Como já lhe disse, enxergava um pouco melhor, então.

– Wrath...

– Faziam tanto barulho que ninguém me ouviu gritar – estremeceu. – Lutei para me soltar. Forcei a fechadura, mas era sólida e eu, fraco. Tentei arrancar a madeira, arranhei até que me quebraram as unhas e meus dedos se cobriram de sangue, chutava... – seu corpo reagiu à lembrança do horror de estar confinado, sua respiração se tornou irregular e um suor frio lhe cobriu a pele – quando se foram, meu pai tentou se arrastar até onde eu estava. Haviam-lhe atravessado o coração e ele estava... tombou à curta distância do cubículo em que eu estava, com os braços estendidos para mim. Continuei a chamar por ele até ficar afônico. Implorei para que vivesse, embora visse como a luz de seus olhos se apagava por completo. Estive preso ali durante horas junto a seus cadáveres, olhando as poças de sangue aumentarem. Alguns vampiros civis apareceram na noite seguinte. E me soltaram.

Sentiu uma carícia tranquilizadora no ombro; ele levou a mão de Beth à boca e beijou-lhe a palma.

Antes que os *redutores* partissem, arrancaram todas as cortinas das janelas. Quando o sol saiu e inundou o aposento, todos os corpos se incendiaram. Nada restou para ser enterrado.

Sentiu que algo deslizava por seu rosto. Uma lágrima; de Beth.

Acariciou-lhe a face.

– Não chore.

Embora apreciasse sua compaixão.

– Por que não?

– Não muda nada. Eu chorei enquanto olhava, e, mesmo assim, morreram todos – virou de lado e a abraçou. – Se ao menos eu tivesse podido... Ainda sonho com aquela noite. Fui um covarde. Tinha de ter ficado lá fora, com meu pai, lutando.

– Mas você teria sido morto.

– Como um macho, protegendo os seus. Isso é honrado. Em vez disso, fiquei choramingando num esconderijo – murmurou, com nojo de si mesmo.

– Que idade tinha?

– Vinte e dois.

Franziu o cenho, como se tivesse pensado que devia ser muito mais jovem na época.

– Disse que foi antes de sua transição?

– Sim.

– Como você era, então? – alisou-lhe o cabelo. – É difícil imaginá-lo dentro de um cubículo, com o tamanho que tem.

– Eu era diferente.

– Você me disse que era frágil.

– Eu era.

– Então, deve ter sido por isso que precisava que o protegessem.

– *Não* – Wrath encolerizou-se –, um macho protege. Nunca o contrário.

De súbito, ela se afastou.

Como o silêncio entre ambos se estendeu, ele soube que ela estava pensando em sua forma de proceder. A vergonha o fez retirar as mãos de seu corpo. Rolou para longe e ficou deitado de costas.

Não devia ter-lhe contado coisa alguma.

Imaginava o que Beth estaria pensando dele. Afinal de contas, como podia não se sentir enojada de seu fracasso e de sua debilidade no momento em que sua família mais tinha necessitado dele?

Com uma sensação de abatimento, perguntou-se se ela ainda o desejaria, se ainda o receberia em sua úmida intimidade. Ou tudo teria terminado, agora que conhecia o seu segredo?

Esperava que ela se vestisse e partisse.

Mas não o fez. Ah, claro. Compreendia que sua transição se aproximava inexoravelmente, e necessitava de seu sangue. Era uma questão de simples necessidade.

Escutou-a suspirar na escuridão, como se estivesse renunciando a algo.

Perdeu a noção do tempo. Permaneceram lado a lado, sem se tocarem, durante muito tempo, talvez horas. Acabou adormecendo por breves instantes, despertando quando Beth se abraçou a ele e deslizou a perna nua sobre a sua.

Uma onda de desejo percorreu seu corpo, mas a reprimiu violentamente.

A mão dela roçou seu peito, baixou até a barriga e chegou ao quadril. Ele conteve a respiração ao sentir uma ereção imediata, seu membro dolorosamente próximo de onde ela o estava tocando.

Seu corpo se colou ainda mais ao dele, seus seios acariciavam-lhe as costelas enquanto esfregava seu sexo contra a coxa dele.

Talvez ainda estivesse adormecida.

Então, ela tomou seu membro na mão. Wrath gemeu, arqueando as costas.

Seus dedos o masturbaram com firmeza.

Instintivamente quis abraçá-la, ansioso pelo que parecia estar lhe oferecendo, mas ela o deteve. Erguendo-se até ficar de joelhos, pressionou-o contra o colchão com as palmas em seus ombros.

– É a sua vez, agora – sussurrou, beijando-o suavemente.

Ele mal podia falar.

– Ainda me... quer?

Confusa, arqueou as sobrancelhas.

– Por que não iria querê-lo?

Com um patético gemido de alívio e gratidão, Wrath se esforçou para alcançá-la novamente, mas ela não deixou que se aproximasse de seu corpo. Empurrou-o de novo para baixo E, segurou-o pelos pulsos, colocando seus braços acima da cabeça.

Beijou-o no pescoço.

– A última vez que estivemos juntos, foi muito... generoso. Merece o mesmo tratamento.

– Mas seu prazer é o meu – sua voz soou um tanto rude. – Não faz ideia de como eu gosto de levá-la ao orgasmo.

– Não estou tão certa disso – sentiu que ela se deslocava, e, depois, a mão dela roçou sua ereção. Recurvou-se sobre a cama, enquanto um som grave saía de seu peito – Talvez faça uma ideia.

– Não tem de fazer isso – disse ele, com voz rouquenha, esforçando-se outra vez para tocá-la.

Ela se inclinou e segurou-lhe os pulsos com força, mantendo-o quieto.

– Relaxe. Deixe-me assumir o controle.

Wrath só pôde olhar para cima, incrédulo, e com ofegante expectativa, enquanto ela pressionava seus lábios contra os dele.

– Quero possuir você – sussurrou ela.

Em um doce arrebatamento, introduziu a língua em sua boca. Penetrou-o. Num vaivém que simulava o sexo.

Seu corpo inteiro ficou rígido.

Com cada uma de suas arremetidas, introduzia-se mais profundamente, em sua pele e em seu cérebro. Em seu coração. Ela o estava possuindo, o estava tomando. Deixando sua marca sobre ele.

Quando deixou a boca, desceu por seu corpo. Lambeu-lhe o pescoço. Chupou-lhe os mamilos. Arranhou sua barriga delicadamente com as unhas. Mordiscou-lhe os ossos da bacia.

Ele agarrou o travesseiro da cama e atirou-o longe, fazendo ranger a madeira da cabeceira.

Ondas de um extenuante calor fizeram-no sentir como se fosse desfalecer. O suor ardia sobre sua pele. Seu coração palpitava tão rápido que chegava a pular algumas batidas.

Seus lábios começaram a pronunciar palavras no antigo idioma, tentando expressar sentimentos profundos que invadiam seu íntimo.

No instante em que ela introduziu o membro em seus lábios, faltou-lhe muito pouco para alcançar o êxtase. Gritou, com o corpo convulsionado. Ela o soltou, dando-lhe tempo para se acalmar.

E, então, começou a torturá-lo.

Sabia exatamente quando acelerar o ritmo e quando pausar. A combinação de sua boca úmida na grossa glande e suas mãos movendo-se para cima e para baixo no pênis chegava a ser quase uma covardia; levou-o ao limite repetidas vezes até que ele se viu obrigado a suplicar.

Finalmente, ela o montou. Wrath olhou para o espaço que separava os dois corpos. As coxas dela estavam completamente abertas sobre seu membro túrgido e palpitante e, por pouco, ele quase não consegue se segurar.

– Possua-me – gemeu – *por favor*.

Ela o deslizou e o introduziu dentro dela, e seu corpo inteiro festejou aquela sensação. Apertada, úmida, quente, ela o envolveu por completo. Então, começou a se mover num ritmo lento e constante, e ele não aguentou muito. Quando chegou ao clímax, sentiu como se o tivessem partido em dois; as descargas de energia criaram uma onda de choque que irradiou todo o quarto, sacudindo a mobília e apagando a vela.

Quando recuperou lentamente os sentidos, deu-se conta que era a primeira vez que alguém se dedicara tanto para agradá-lo.

Sentiu vontade de chorar por ela o desejar daquela maneira.

Beth sorriu no escuro ao escutar o som que fez Wrath enquanto seu corpo estremecia sob o dela. A força de seu orgasmo levou-a também ao clímax, e ela caiu sobre o seu peito ofegante, enquanto suas próprias e deliciosas ondas a deixavam sem fôlego.

Temendo pesar muito, fez um movimento para descer, mas ele a deteve, segurando-a pelos quadris, falando-lhe docemente em uma língua estranha que ela não entendeu.

– O quê?

– Fique onde está – disse ele.

Ela se acomodou sobre o corpo dele, relaxando completamente.

Ficou se perguntando qual seria o significado das palavras que ele havia pronunciado enquanto faziam amor, embora, pelo tom de sua voz, reverente e elogioso, bem podia imaginá-lo. As palavras de um amante.

– Seu idioma é bonito – disse a ele.

– Não há palavras dignas de você.

Sua voz soava diferente. Ele lhe parecia diferente.

Não há barreiras, pensou ela. Não havia barreiras entre eles naquele momento. Já não estava mais na defensiva, baixara a guarda.

Inesperadamente, ela sentiu que precisava protegê-lo.

Era estranho ter semelhante sentimento por alguém que era fisicamente muito mais poderoso do que ela. Mas ele necessitava de proteção. Podia sentir sua vulnerabilidade naquele momento de tranquilidade, naquela densa escuridão. Seu coração estava quase ao seu alcance.

Pensou na horrível história sobre a morte de sua família.

– Wrath?

– Hum?

Queria lhe agradecer a confiança que depositara nela ao ter-lhe contado. Mas não quis arruinar a frágil comunhão entre ambos.

– Alguém já lhe disse como é bonito? – disse, em vez disso.

Ele soltou uma risadinha.

– Guerreiros não são bonitos.

– Para mim você é extraordinariamente belo.

Ele conteve a respiração. Então, tirou-a de cima dele. Com um rápido movimento, levantou-se da cama e, momentos depois, uma pálida luz brilhou no banheiro. Escutou a água correndo.

Devia ter imaginado que aquela felicidade não duraria muito. Mas, mesmo assim, queria chorar a sua perda.

Beth procurou por sua roupa e se vestiu.

Quando ele saiu do banheiro, ela se dirigia para a porta.

– Aonde vai? – perguntou.

– Trabalhar. Não sei que horas são, mas, geralmente entro às nove. Então, tenho certeza que estou atrasada.

Não podia enxergar muito bem naquela escuridão, mas, finalmente, encontrou a porta.

– Não quero que se vá – Wrath estava tão próximo a ela, que sua voz a sobressaltou.

– Tenho uma vida. Preciso voltar para ela.

– Sua vida está aqui.

– Não, não está.

Suas mãos tatearam em busca dos ferrolhos, mas não pôde movê-los, nem mesmo empregando toda sua força.

– Vai me deixar sair daqui? – murmurou.

– Beth – segurou-lhe as mãos entre as suas, obrigando-a a parar. As velas se acenderam, como se ele quisesse que ela o visse. – Lamento não ser um cara... de mais fácil convivência.

Ela se afastou.

– Não quis deixar você sem jeito. Só queria que soubesse o que sinto. Só isso.

– E eu acho difícil de acreditar que não lhe causa repulsa.

Beth o encarou, incrédula.

– Santo Deus, por que acha isso?

– Porque sabe o que aconteceu.

– Com seus pais? – ficou boquiaberta. – Deixe-me entender. Você acha que eu sentiria repulsa por você, por ter sido obrigado a presenciar o assassinato de seus pais?

– Não fiz nada para salvá-los.

– Estava *trancado*.

– Fui um covarde.

– *Não* foi – irritar-se com ele talvez não fosse justo, mas, por que não podia ver o passado com maior clareza? – Como pode dizer...?

– Eu parei de gritar! – sua voz ricocheteou por todo o aposento, sobressaltando-a.

– O quê? – sussurrou ela.

– Parei de gritar. Quando acabaram com meus pais e os criados, eu parei de gritar. Os *redutores* vasculharam o lugar. Procurando por *mim*. E eu fiquei quieto. Tapei a boca com a mão. Rezei para que não me encontrassem.

– É lógico que sim – disse ela com doçura –, queria viver.

– Não – contestou ele –, tive *medo* de morrer.

Queria abraçá-lo, mas tinha certeza de que ele a afastaria.

– Wrath, será que não percebe? Foi uma vítima, como eles. A única razão pela qual está aqui hoje é que seu pai o amava tanto que quis colocá-lo a salvo. Você ficou em silêncio porque queria sobreviver. Não há nada do que se envergonhar.

– Fui um covarde.

– Não seja ridículo! Acabara de ver seus pais serem assassinados! – sacudiu a cabeça, a frustração tornou sua voz estridente. – Estou lhe dizendo que você precisa reconsiderar o que aconteceu. Permitiu que aquelas terríveis horas o marcassem, e ninguém pode culpá-lo por isso, mas está equivocado. *Completamente* equivocado. Esqueça essa conversa de honra de guerreiro e se dê uma folga!

Silêncio.

Ah, que inferno. Agora sim, estragara tudo. Aquele cara se abriu com ela e o que faz? Menospreza sua vergonha. Que maneira de estimular intimidade.

– Wrath, sinto muito, não devia...

Ele a interrompeu. Tanto sua voz quanto seu rosto pareciam de pedra.

– Nunca ninguém havia me falado como acaba de fazê-lo.

Droga.

– Sinto muito, de verdade. Só que não consigo entender por que...

Wrath a puxou para si e abraçou-a forte, falando no antigo idioma outra vez. Quando a soltou, terminou seu monólogo com alguma coisa como *leelan*.

– Essa palavra para os vampiros significa "safada"? – perguntou.

– Não. Justamente o contrário – beijou-a. – Digamos que é digna de todo meu respeito. Embora não possa estar de acordo com seu modo de ver meu passado.

Ela rodeou seu pescoço com as mãos, sacudindo-lhe um pouco a cabeça.

– Entretanto, você terá de aceitar o fato de que o que aconteceu no seu passado não muda em absoluto minha opinião sobre você. Embora sinta uma tremenda tristeza por você e sua família, e por tudo o que teve de suportar.

Longa pausa.

– Wrath? Repita comigo: "Sim, Beth, eu entendo e confio na honestidade de seus sentimentos por mim" – sacudiu-lhe o pescoço de novo. – Vamos dizer juntos – outra pausa –, agora, não depois.

– Sim – disse, cerrando os dentes.

Meu Deus, se apertasse um pouco mais os lábios, quebraria os dentes da frente.

– Sim o quê?

– Sim, Beth.

– "Confio na honestidade de seus sentimentos". Vamos, diga.

As palavras soaram mais como um resmungo.

– Muito bem.

– É durona, sabia?

– É bom eu ser, se vou ficar com você.

Subitamente, ele segurou o rosto dela entre as mãos.

– Eu desejo isso – disse ferozmente.

– O quê?

– Que fique comigo.

Ela perdeu o fôlego. Uma tênue esperança se acendeu em seu peito.

– Verdade?

Ele fechou seus brilhantes olhos e balançou a cabeça afirmativamente.

– Sim. É uma estupidez, uma loucura e perigoso.

– Combina muito bem com o seu estilo de vida.

Ele riu e olhou para ela.

– Sim, bastante.

Olhava-a com olhos tão ternos que era de partir o coração.

– Beth, quero ficar com você, mas precisa entender que se converterá em um alvo. Não sei como mantê-la a salvo. Não sei como...

– *Pensaremos* em alguma coisa – disse ela –, podemos fazê-lo juntos.

Ele a beijou demoradamente, com grande ternura.

– Então, ficará agora? – perguntou.

– Não. Realmente preciso ir trabalhar.

– Não quero que vá – acariciou-lhe o queixo –, odeio não poder estar com você lá fora durante o dia.

Mas a porta foi destrancada e se abriu.

– Como faz isso? – perguntou ela.

– Voltará antes do crepúsculo – não se tratava de um pedido, mas sim de uma ordem.

– Voltarei pouco depois de escurecer.

– Ele grunhiu.

– E prometo ligar se algo estranho acontecer – revirou os olhos. Meu Deus, teria de rever o significado daquela palavra – Quero dizer, mais estranho ainda.

– Eu não gosto disso.

– Tomarei cuidado – beijou-o e, em seguida, subiu a escada. Ainda podia sentir seus olhos sobre ela quando empurrou a mola do quadro e passou para a sala de estar.

Capítulo 32

Beth passou em seu apartamento, alimentou Boo, e chegou à redação só depois do meio-dia. Por um milagre, não tinha fome, e trabalhou durante o horário de almoço. Ou, ao menos, tentou fazê-lo, porque, na realidade, não conseguiu se concentrar muito e ocupou a maior parte de seu tempo mudando as pilhas de papel de um lugar para o outro em cima da mesa.

Butch lhe deixou duas mensagens durante o dia, confirmando que se encontrariam em seu apartamento por volta das oito.

Às quatro, decidiu cancelar seu encontro com ele.

Não podia sair nada de bom daquela reunião. Não tinha intenção de entregar Wrath à polícia, e se pensasse que *Bonzão* iria lhe facilitar as coisas só porque gostava dela e porque estariam em seu apartamento, estaria se iludindo.

Apesar de tudo, não enterraria sua cabeça na areia. Sabia que a chamariam para interrogá-la. Como poderia não ser chamada? Enquanto Wrath fosse suspeito, ela estaria na mira da polícia. Precisava conseguir um bom advogado e esperar que a convocassem.

Ao voltar da fotocopiadora, olhou pela janela. O céu daquele final de tarde estava nublado, anunciando que vinha uma tempestade. Precisou desviar a vista. Seus olhos doíam e o desconforto não desapareceu mesmo depois de piscar várias vezes.

De volta à sua mesa, tomou duas aspirinas e telefonou para a delegacia procurando por Butch. Quando Ricky lhe disse que estava suspenso temporariamente, pediu para falar com o Jose, que veio ao telefone imediatamente.

– A suspensão de Butch. Quando aconteceu? – perguntou ela.

– Ontem de tarde.

– Vão despedi-lo?

– Extraoficialmente? É provável.

Então, o detetive não apareceria na sua casa no final das contas.

– Onde você está, senhorita B.? – perguntou Jose.

– No trabalho.

– Está mentindo? – soou mais triste do que polêmico.

– Cheque o seu identificador de chamadas.

Jose soltou um longo suspiro.

– Você precisa comparecer à delegacia.

– Eu sei. Pode me dar algum tempo para eu conseguir um advogado?

– Acredita que vai precisar de um?

– Sim.

Jose praguejou.

– Tem de se afastar desse homem.

– Ligo para você depois.

– Ontem à noite assassinaram outra prostituta. Com o mesmo *modus operandi*.

A notícia lhe causou certa inquietação. Não sabia o que tinha feito Wrath enquanto esteve fora. Mas que utilidade poderia ter para ele uma prostituta morta?

Na verdade, duas.

A ansiedade a dominou fazendo suas têmporas latejarem.

Mas não podia imaginar Wrath degolando uma pobre mulher indefesa e depois deixá-la morrer em um beco. Ele era letal, não perverso. E, embora agisse fora da lei, não acreditava que fosse capaz de matar alguém que não o tivesse ameaçado. Especialmente, depois do que acontecera aos seus pais.

– Escute, Beth – disse Jose –, não preciso lhe falar sobre a gravidade da situação. Esse homem é o nosso principal suspeito de três homicídios, e obstrução à justiça é um delito muito grave. Por mais que me custe, terei de colocar você atrás das grades.

– Ele não matou ninguém ontem à noite – seu estômago se contorceu.

– Então, admite que sabe onde está.

– Tenho de desligar, Jose.

– Beth, por favor, não o proteja. Ele é perigoso...

– Ele não matou essas mulheres.

– Essa é a sua opinião.

– Você foi um bom amigo, Jose.

– Droga – acrescentou mais algumas palavras em espanhol –, consiga esse advogado rápido, Beth.

Desligou o telefone, pegou sua bolsa e apagou o computador. A última coisa que queria era que Jose fosse procurá-la em seu escritório e a levasse algemada. Precisava ir para casa, pegar algumas roupas e reunir-se a Wrath o mais rápido possível.

Talvez pudessem fugir juntos. Poderia ser a única opção para eles, porque em Caldwell, cedo ou tarde, a polícia os encontraria.

Assim que pisou na rua Trade, sentiu um nó no estômago, e o calor lhe tirou toda energia. Quando chegou ao seu apartamento, pôs água gelada em um copo, mas quando tentou bebê-la, seu intestino se revirou. Alguma virose intestinal, talvez. Tomou dois antiácidos e pensou em Rhage. Podia ter pegado alguma coisa dele.

Os olhos a estavam matando.

E embora soubesse que precisava fazer suas malas, tirou a roupa de trabalho, colocou uma camiseta e um short, e sentou-se no sofá. Só queria descansar um momento, mas, uma vez que se acomodou, sentiu que não poderia voltar a mover o corpo.

Preguiçosamente, como se as conexões de seu cérebro estivessem obstruídas, pensou na ferida de Wrath. Não lhe dissera como a conseguira. E se houvesse atacado a prostituta e a mulher se defendeu?

Beth pressionou as têmporas com os dedos quando uma onda de náusea levou bílis à sua garganta. Luzinhas espocavam em sua vista.

Não, aquilo não era uma gripe. Estava às voltas com uma enxaqueca do tamanho do Godzilla.

Wrath chamou novamente o número dele.

Era óbvio que Tohrment estava usando o identificador de chamadas e não queria atendê-lo.

Que inferno. Detestava pedir desculpas, mas queria colocar aquele assunto em pratos limpos. Porque ia ser uma dor de cabeça e tanto.

Levou o celular para a cama com ele e se recostou no travesseiro. Queria ligar para Beth só para escutar-lhe a voz.

Fora um louco por pensar que poderia se afastar dela tranquilamente após sua transição. Mal conseguia ficar longe dela algumas *horas*.

Cara, estava louco por aquela fêmea. Ainda não podia acreditar no que lhe saíra da boca quando faziam amor. E, para completar, quando ela estava de saída, a chamara de sua *leelan*.

Era hora de admitir. Provavelmente estava se apaixonando.

E como se isso não bastasse, ainda por cima ela era meio humana. Mas também era a filha de Darius.

Mas como podia não adorá-la? Era tão forte, com uma determinação que rivalizava com a dele. Lembrou-se dela o enfrentando, fazendo-o refletir sobre seu passado. Poucos teriam se atrevido, e ele sabia de onde tinha tirado aquela coragem. Era capaz de jurar que o pai dela teria feito o mesmo.

Seu celular tocou.

– Sim?

– Temos problemas – era Vishous. – Acabo de ler o jornal. Outra prostituta morta em um beco. Sangrada.

– E?

– Entrei na base de dados do legista. Em ambos os casos, morderam o pescoço das vítimas.

– Droga. Zsadist.

– É o que estou pensando. Já falei com ele umas mil vezes que tem de parar com isso. Você precisa falar com ele.

– Hoje mesmo. Diga aos Irmãos que se reúnam comigo aqui antes. Vou dizer a ele umas coisas na frente de todos.

– Bom plano. Assim, o resto de nós seguramos você para não estrangulá-lo quando ele abrir a boca para contestá-lo.

– Ei, você sabe onde está Tohr? Não consigo falar com ele.

– Não faço ideia, mas passo na casa dele antes de ir para a reunião, se você quiser.

– Faça isso. Ele precisa vir esta noite – Wrath desligou.

Droga. Alguém ia ter de colocar uma focinheira em Zsadist.

Ou uma adaga em seu peito.

Butch estacionou o carro. Na realidade, não acreditava que Beth estivesse em seu apartamento, mas, por via das dúvidas, foi até a portaria e apertou o interfone. Não obteve resposta.

Surpresa, surpresa.

Deu a volta pela lateral do edifício e entrou no pátio traseiro. Como já havia escurecido, constatar que as luzes estavam apagadas foi desalentador. Colocou as mãos em concha e espiou pela porta de vidro.

– *Beth!* Oh, Meu Deus!

Estava estendida de bruços no chão. Havia tentado alcançar o telefone sem consegui-lo. A posição das pernas indicava que estivera se contorcendo de dor.

– Não! – bateu no vidro.

Ela se moveu ligeiramente, como se o tivesse escutado. Butch correu para uma das janelas, tirou um sapato e golpeou fortemente o vidro até que se fez em pedaços. Quando se esticou para alcançar o fecho, cortou-se, mas não se importava se perdesse um braço para chegar a ela. Introduziu-se no interior, derrubando uma mesa no processo.

– Beth! Consegue me ouvir?

Ela abriu a boca, movendo-a lentamente. Mas não emitiu som algum.

Ele procurou sangue e não encontrou, assim que a colocou cuidadosamente de barriga para cima. Estava pálida como uma lápide, fria e úmida, apenas consciente. Quando abriu os olhos, pôde ver suas pupilas totalmente dilatadas.

Ele esticou seus braços, procurando marcas. Não havia nenhuma, mas não ia perder tempo tirando-lhe os sapatos para procurar entre os dedos dos pés.

Abriu o celular e chamou o 911.

Quando atenderam, não esperou a saudação de praxe.

– Tenho uma provável overdose de droga.

A mão de Beth se moveu vacilante, e negou com a cabeça. Estava tentando afastar o telefone dele.

– Garota, fique quieta. Eu cuidarei...

A voz da operadora o interrompeu:

– Senhor? Alô?

– Leve-me à casa de Wrath – gemeu Beth.

– Dane-se o Wrath.

– Como disse? – perguntou a operadora. – Senhor, pode-me dizer o que está acontecendo?

– Overdose de droga. Acho que é heroína. Suas pupilas estão fixas e dilatadas. Ainda não vomitou...

– Wrath, tenho de ir para junto de Wrath.

– Mas recupera a consciência de vez em quando...

Nesse momento, Beth se levantou bruscamente do chão e tirou o telefone das mãos dele.

– Vou morrer...

– Uma ova! – gritou ele.

Ela o segurou pela camisa. Seu corpo todo tremia, o suor encharcava a parte dianteira de sua camiseta.

– *Preciso* dele.

Butch a olhou fixamente nos olhos.

Enganara-se. Não era uma overdose; era um suicídio.

Sacudiu a cabeça negativamente.

– Nada disso, garota.

– *Por favor*. Preciso dele. Vou morrer – de repente, ela se dobrou em posição fetal, como se uma onda de dor a tivesse partindo ao meio. O celular caiu de sua mão, fora de seu alcance – Butch... por favor.

Droga. Seu aspecto era horrível. Parecia estar à beira da morte.

Se a levasse a uma sala de urgências, podia morrer pelo caminho ou enquanto esperava tratamento. E a *metadona* servia para superar uma crise, não para tirar um viciado de uma overdose.

Droga.

– Ajude-me.

– Desgraçado! – disse Butch. – Onde ele está?

– Wallace.

– Avenida?

Ela assentiu.

Butch não tinha tempo para pensar. Carregou-a em seus braços e atravessou o pátio traseiro.

É obvio que ia prender aquele filho-da-mãe.

Wrath cruzou os braços e se apoiou contra a parede do sala de estar. Os Irmãos se agruparam em volta dele, esperando que falasse.

Tohr estava lá, muito embora desde que atravessara a soleira com Vishous, houvesse evitado olhar para a cara de Wrath.

Bem, pensou Wrath, *faremos isso em público.*

– Irmãos, temos dois assuntos a discutir – encarou Tohr. – Ofendi gravemente a um de vocês. De acordo com isso, ofereço a Tohrment um *rytho*.

Tohr sobressaltou-se e prestou atenção. Os demais Irmãos estavam igualmente surpresos.

Tratava-se de um ato sem precedentes, e ele sabia. Um *rytho* era basicamente um duelo, e a pessoa a quem era oferecido escolhia a arma: punhos, adaga, pistola, correntes. Era uma forma ritual de lavar a honra, tanto para o ofendido como para o ofensor. Ambos podiam ser purificados.

A comoção no aposento não tinha sido provocada pelo ato em si. Os membros da Irmandade estavam bastante familiarizados com o ritual. Dada sua natureza agressiva, cada um deles, em um momento ou outro, tinha ofendido, de morte, alguém.

Mas Wrath, apesar de todos os seus pecados, nunca havia oferecido um *rytho*. Porque de acordo com a lei dos vampiros, qualquer um que levantasse um braço ou uma arma contra ele podia ser condenado à morte.

– Diante dessas testemunhas, quero que me escute – disse em voz alta e clara – absolvo-o das consequências. Aceita?

Tohr baixou a cabeça. Levou as mãos aos bolsos de suas calças de couro e sacudiu lentamente a cabeça.

– Não posso atacá-lo, meu senhor.

– E não pode me perdoar, não é assim?

– Não sei.

– Não posso culpá-lo por isso – mas desejou que Tohr tivesse aceitado. Precisavam de um desagravo: – Oferecerei de novo em outra ocasião.

– E irei sempre declinar.

– Assim seja – Wrath lançou a Zsadist um olhar feio.

– Agora, a respeito de sua maldita vida amorosa...

Z., que tinha permanecido atrás de seu gêmeo, deu um passo à frente.

– Se alguém dormiu com a filha de Darius, foi você, não eu. Qual é o problema agora?

Alguns Irmãos praguejaram entre dentes.

Wrath deixou as presas à mostra.

– Vou deixar passar essa, Z. Mas só porque sei o quanto aprecia levar umas porradas, e não estou de bom humor para fazê-lo feliz – equilibrou-se, no caso do Irmão avançar para ele. – Quero que pegue leve com as prostitutas. Ou, pelo menos, que limpe tudo quando terminar.

– Do que está falando?

– Não precisamos desse tipo de publicidade.

Zsadist se virou para olhar para Phury, que disse:

– Os corpos. A polícia os encontrou.

– Que corpos?

Wrath sacudiu a cabeça.

– Caramba, Z. Acredita que os policiais vão ignorar duas mulheres sangradas em um beco?

Zsadist avançou, aproximando-se tanto que seus peitorais se tocaram.

– Não sei droga nenhuma sobre isso. Fareje-me. Estou dizendo a verdade.

Wrath respirou profundamente. Captou o cheiro de indignação, um cheiro ácido, como se alguém houvesse espalhado um spray desodorizador de limão. Mas não havia ansiedade, nenhum subterfúgio emocional.

O problema era que Z. não só era um assassino impiedoso, mas também um mentiroso muito hábil.

– Conheço-o muito bem – disse Wrath com tranquilidade – para acreditar em uma só palavra do que diz.

Z. começou a grunhir, e Phury se moveu rápido, envolvendo o irmão gêmeo pelo pescoço com seu braço forte e arrastando-o para trás.

– Calma, Z. – disse Phury.

Zsadist agarrou o pulso do irmão e se soltou com um puxão. Estava púrpura de ódio.

– Qualquer dia desses, meu senhor, vou...

Foi interrompido por um ruído que lembrava uma bala de canhão atingindo um muro.

Alguém golpeava furiosamente a porta principal.

Os Irmãos saíram da sala de estar e foram em grupo para o vestíbulo. Suas pesadas passadas foram acompanhadas pelo som das armas sendo sacadas e engatilhadas.

Wrath olhou o monitor de vídeo instalado na parede. Quando viu Beth nos braços do policial, ficou sem fôlego. Abriu, de repente, a porta e segurou seu corpo quando o homem entrou apressadamente.

Aconteceu, pensou. Sua transição havia começado. Notou como o policial tremia de ira quando o corpo de Beth mudou de braços.

– Maldito filho-da-mãe. Como pôde lhe fazer isso?

Wrath não se deu ao trabalho de responder. Embalando Beth em seus braços, atravessou a passos largos o grupo de Irmãos. Pôde sentir a estupefação de todos, mas não tinha tempo a perder dando explicações.

– Ninguém mata o humano a não ser eu – ladrou. – E ele não sairá desta casa até que eu volte.

Wrath se apressou a entrar na sala de estar. Empurrou o quadro para um lado, e correu escada abaixo tão rápido quanto pôde.

O tempo era fator crucial.

Butch observou o traficante de drogas desaparecer com Beth. Viu-lhe a cabeça pendente chacoalhar enquanto o homem se afastava com ela a toda pressa, seu cabelo sedoso agitando-se como uma bandeira atrás deles.

Durante um momento, ficou completamente sem ação, apanhado entre a necessidade de gritar ou chorar.

Que desperdício. Que horrível desperdício.

Depois, escutou que a porta se fechava atrás dele. E se deu conta de que estava rodeado pelos cinco dos filhos-da-mãe mais perversos e enormes que já vira na vida.

Uma mão aterrissou em seu ombro com o peso de uma bigorna.

– Gostaria de ficar para jantar?

Butch ergueu a vista. O sujeito usava um gorro de beisebol e tinha uma espécie de marca... o que era aquilo, uma tatuagem no *rosto*?

– Você gostaria de ser o jantar? – disse outro, que mais parecia um modelo.

A ira invadiu de novo o detetive, retesando seus músculos, dilatando seus ossos.

Então, os meninos querem brincar?, pensou. *Bem. Vamos dançar.*

Para mostrar que não estava com medo, olhou para cada um deles diretamente nos olhos. Primeiro, os dois que tinham lhe falado; depois, um relativamente normal, parado atrás deles e a outro com uma exuberante juba, o tipo de coisa pela qual as mulheres pagariam centenas de dólares em qualquer salão de beleza chique.

E, depois, o último cara.

Butch observou atentamente seu rosto cheio de cicatrizes. Uns olhos negros o encararam de volta.

Era melhor tomar muito cuidado com aquele cara ali, pensou.

Com um movimento brusco, livrou-se da mão no ombro.

– Digam-me uma coisa, rapazes – pronunciou lentamente as palavras – usam todo esse couro para se excitar mutuamente? Quero dizer, todos vocês curtem um macho?

Butch foi atirado contra a porta com tanta força que seus ossos rangeram.

O modelo aproximou seu rosto perfeito do detetive.

– Se fosse você, vigiava essa sua boca grande.

– Para que me incomodar, se você já está de olho nela? E agora, vai me beijar?

Um grunhido como Butch nunca ouvira saiu da garganta do cara.

– Está bem, está bem – o que parecia mais normal avançou uns passos – para trás, Rhage. Vamos nos acalmar um pouco.

Passou um minuto antes que o modelo o soltasse.

– Isso. Vamos nos acalmar – murmurou o Sr. Normal, dando uns tapinhas nas costas de seu amigo antes de olhar para Butch – faça um favor a si mesmo e feche a boca.

Butch deu de ombros.

– O Loirinho está doido de vontade de colocar as mãos em mim. Não posso evitá-lo.

Rhage se dirigiu a Butch de novo, enquanto o Sr. Normal revirava os olhos, deixando livre seu amigo para agir.

O murro que o atingiu na altura do queixo lançou a cabeça de Butch para o lado. Ao sentir a dor, o detetive liberou a própria ira. O temor por Beth, o ódio reprimido por aqueles marginais, a frustração por seu trabalho, tudo se misturou. Avançou sobre o homem, maior do que ele, e o derrubou.

O sujeito se surpreendeu momentaneamente, como se não tivesse esperado a velocidade e a força de Butch, e este aproveitou a hesitação. Atingiu o Loirinho na boca, e logo o segurou pelo pescoço.

Um segundo depois, Butch estava deitado de costas com aquele homem sentado sobre seu peito.

O tipo agarrou o rosto do Butch entre as mãos e apertou. Era quase impossível respirar, e Butch esperneava sem fôlego.

– Talvez encontre a sua esposa – disse o tipo – e transe com ela umas vezes. Que tal?

– Não tenho esposa.

– Então, vou transar com a sua namorada.

Butch tomou um pouco de ar.

– Não tenho ninguém.

– Então, se as fêmeas não querem saber de você, o que o faz pensar que eu sim?

– Estava querendo provocar você.

Os enormes olhos azuis-néon se estreitaram.

Só pode usar lentes de contato – pensou Butch – *ninguém tem os olhos dessa cor.*

– E por que queria me provocar? – perguntou o Loirinho.

– Se eu atacasse primeiro – Butch tentou colocar mais ar em seus pulmões –, seus colegas não nos teriam deixado brigar. Teriam me matado primeiro, antes de poder ter uma oportunidade com você.

Rhage afrouxou um pouco a opressão e riu, enquanto despojava Butch de sua carteira, das chaves e do celular.

– Sabem de uma coisa? Gostei desse bobalhão – disse o cara.

Alguém pigarreou ostensivamente.

O Loirinho ficou de pé, e Butch rolou sobre si mesmo, ofegante. Quando ergueu a vista, pareceu-lhe que estava tendo alucinações.

De pé, no vestíbulo, havia um velhinho uniformizado, trazendo uma bandeja de prata.

– Desculpem-me, cavalheiros. O jantar será servido dentro de quinze minutos.

– Ei, são aqueles crepes de espinafre que eu adoro? – perguntou o Loirinho, indo direto para a bandeja.

– Sim, senhor.

– Hum, que delícia!

Outros homens rodearam o mordomo, aceitando o que lhes oferecia, e também guardanapos, como se não quisessem deixar cair nada no chão.

Que diabos era aquilo?

– Posso lhes pedir um favor? – disse o mordomo.

O Sr. Normal concordou vigorosamente:

– Traga outra bandeja dessas delícias e mataremos quem você quiser.

Ah, então o cara não era tão normal assim. Só parecia.

O mordomo sorriu como se estivesse comovido.

– Se forem sangrar o humano, teriam a gentileza de fazê-lo no pátio dos fundos?

– Sem problema – o Sr. Normal meteu outro crepe na boca.

– Tem razão, Rhage. São mesmo deliciosos.

Capítulo 33

Wrath estava começando a se desesperar porque não conseguia que Beth voltasse a si.

E sua pele esfriava mais a cada instante. Sacudiu-a de novo.

– Beth! Beth! Está me ouvindo?

As mãos dela se contorceram, mas teve o pressentimento de que os espasmos eram involuntários. Aproximou o ouvido de sua boca. Ainda respirava, mas com muita dificuldade e debilmente.

– Droga! – descobriu os pulsos e estava a ponto de perfurá-los com as próprias presas quando se deu conta de que queria sustentá-la se pudesse beber.

Quando pudesse beber.

Tirou o coldre, puxou uma adaga e arrancou a camisa. Apalpou o próprio pescoço até que encontrou a jugular. Espetando a ponta da faca na pele, fez um corte. O sangue jorrou em profusão.

Umedeceu a ponta de um dedo e o levou aos lábios dela. Quando o deixou pingar em sua boca, a língua permaneceu inerte.

– Beth – sussurrou – Volte para mim.

Deu-lhe mais sangue.

– Droga, não morra! – as velas flamejaram por todo o quarto. – Eu amo você, *caramba*! *Droga, não se entregue!*

Sua pele estava começando a ficar azul; até ele conseguia enxergar a mudança de cor.

Uma oração frenética, que acreditava ter esquecido há tempos, saiu de seus lábios, pronunciada no antigo idioma.

Beth permanecia imóvel. Estava muito quieta.

Ela desfalecia.

Wrath gritou furioso e agarrou o corpo dela, sacudindo-o até descabelá-la.

– Beth! *Não deixarei que morra! Irei atrás de você...*

Interrompeu-se com um gemido, apertando-a contra o peito. Enquanto embalava seu corpo, seus olhos quase cegos se fixaram na parede negra diante dele.

Marissa se vestiu com esmero, decidida a descer para a primeira refeição da noite com o melhor aspecto possível. Depois de analisar seu guarda-roupa, escolheu um vestido longo de chiffon creme. Comprara-o da coleção Givenchy anterior, mas ainda não o tinha estreado. O corpete era justo e um pouco mais generoso do que de costume, embora a cintura alta assegurasse um efeito geral relativamente recatado.

Escovou os longos cabelos, deixando-os cair soltos por trás dos ombros. Estavam tão longos agora, que lhe chegavam quase aos quadris.

A visão deles trouxe Wrath à sua mente. Uma vez ele havia elogiado a maciez deles; por isso, deixara-os crescer acreditando que quanto maiores estivessem, mais ele teria para apreciar. E que, por tabela, ela própria o agradaria mais.

Agora, talvez devesse cortar suas louras madeixas. Livrar-se delas.

Sua ira, que havia arrefecido, acendeu-se de novo.

De repente, Marissa tomou uma decisão. Já não guardaria nada para si. Estava na hora de pôr tudo para fora.

Mas, então, pensou na imponente envergadura de Wrath: suas feições frias e duras; sua aterradora presença. Pensava, de fato, que pudesse enfrentá-lo?

Se não tentasse, jamais saberia. E não ia deixá-lo avançar alegremente para o incerto futuro que o aguardava sem lhe dizer o que pensava.

Consultou o relógio Tiffany. Se não descesse para jantar e depois ajudasse na clínica, como havia prometido, Havers suspeitaria. Era melhor esperar até mais tarde para procurar Wrath. Sabia que estava hospedado na casa de Darius.

Iria para lá e aguardaria até que ele voltasse para casa. Por algumas coisas, valia a pena esperar.

– Obrigado por me receber, *sensei.*

– Billy, como está? – o Sr. X deixou de lado o cardápio que estava olhando distraidamente. – Seu telefonema me preocupou. E, depois disso, não compareceu à aula.

Quando Riddle se sentou, não parecia tão atraente. Seus olhos ainda apresentavam hematomas, e o esgotamento se refletia em seu rosto.

– Alguém anda me perseguindo, *sensei* – Billy cruzou os braços sobre o peito. Fez uma pausa como se não tivesse certeza de que deveria contar toda a história.

– Isso tem alguma coisa a ver com seu nariz?

– Talvez. Não sei.

– Bem. Fico feliz que tenha me procurado, filho – outra pausa – pode confiar em mim, Billy.

Riddle respirou fundo, como se estivesse a ponto de mergulhar em uma piscina.

– Meu pai está na capital, para variar. Então, ontem à noite convidei uns amigos para fumar uns baseados...

– Não deveria fazer isso. As drogas não trazem nada de bom.

Billy se ajeitou no assento, pouco à vontade, brincando com a corrente de platina ao redor do pescoço.

– Eu sei.

– Continue.

– Meus amigos e eu estávamos na piscina, e um deles quis transar com a namorada. Disse-lhes que podiam usar a cabana, mas quando foram para lá, a porta estava fechada. Entrei em casa para procurar a chave, e ao voltar, um cara se meteu na minha frente, saído do nada. Era um filho-da-mãe grande pra ca... er, enorme. Cabelo negro longo, traje de couro...

Naquele momento, chegou a garçonete.

– Querem pedir?

– Mais tarde – disse o Sr. X , rude.

Quando ela se retirou bufando, ele fez sinal com a cabeça para Billy prosseguir.

Riddle pegou o copo de água do Sr. X e bebeu.

– Bem, o cara me deu um baita susto. Olhava-me como se quisesse acabar comigo. Mas, então, ouvi meu amigo me chamar impaciente porque não aparecia com a chave. O sujeito pronunciou meu nome e depois desapareceu, justo quando meu amigo chegava do jardim – Billy sacudiu a cabeça. – O caso é que não sei como conseguiu entrar. Meu pai construiu um muro enorme ao redor da propriedade no ano passado porque havia recebido ameaças terroristas ou algo assim. Tem quase quatro metros de altura. E as entradas da casa estão totalmente protegidas por um sistema de segurança.

O Sr. X baixou os olhos para as mãos de Billy. Estavam crispadas.

– Eu... eu estou assustado, *sensei.*

– E deveria estar mesmo.

Riddle pareceu vagamente nauseado ao ter seus temores confirmados.

– Então, Billy, quero saber uma coisa. Já matou alguma coisa?

Riddle franziu o semblante diante da brusca mudança de tema.

– Do que está falando?

– Você sabe: um pássaro, um esquilo, talvez um cão ou um gato.

– Não, *sensei.*

– Não? – o Sr. X olhou Billy nos olhos. – Não perco meu tempo com mentirosos, filho.

Billy pigarreou.

– Sim, talvez. Quando era mais novo.

– O que sentiu?

O sangue subiu pela nuca de Billy. Parou de retorcer as mãos.

– Nada. Não senti nada.

– Vamos, Billy. Tem de confiar em mim.

Os olhos de Billy brilharam.

– Está bem. Talvez eu tenha gostado.

– Ah, sim?

– Sim – Riddle arrastou a palavra.

– Bom – o Sr. X ergueu a mão para chamar a atenção da garçonete, que não teve pressa para atendê-los. – Falaremos sobre esse homem mais tarde. Primeiro, quero que me fale de seu pai.

– De papai?

– Já estão prontos para pedir? – perguntou a garçonete com má vontade.

– O que quer, Billy? É por minha conta.

Riddle enumerou a metade do cardápio. Quando a garçonete se retirou, o Sr. X o provocou:

– De papai.

Billy deu de ombros.

– Não o vejo muito. Mas ele é... você sabe... tanto faz. Um pai... quer dizer, o que importa como é?

– Escute, Billy – o Sr. X se inclinou para frente –, sei que você fugiu de casa três vezes antes de completar doze anos. Sei que seu pai o enviou para um colégio interno assim que enterraram a sua mãe. E também sei que quando o expulsaram de *Northfield Mount Hermon* foi para o *Groton*, e quando o chutaram de lá, ele colocou você em uma academia militar. Na minha opinião, acho que ele esteve tentando se livrar de você na última década.

– É um homem ocupado.

– E você foi um pouco difícil de controlar, não é?

– Talvez.

– Então, seria correto supor que você e seu papaizinho querido não se dão bem? – o Sr. X esperou. – Diga-me a verdade.

– Eu o odeio – deixou escapar Riddle.

– Por quê?

Billy cruzou os braços sobre o peito novamente. Seus olhos adquiriram uma expressão fria.

– Por que o odeia, filho?

– Porque respira.

Capítulo 34

Beth contemplou a alva vastidão. Encontrava-se numa paisagem dos sonhos, cujas bordas enevoadas sugeriam que o que havia à sua frente era o infinito.

Uma figura solitária, iluminada por trás, aproximou-se por entre a névoa. Soube que era do sexo masculino, e fosse quem fosse, não se sentiu amedrontada. Parecia conhecê-lo.

– Pai? – sussurrou, não muito segura entre estar se referindo ao dela, em particular, ou ao próprio Deus.

O homem ainda estava bem longe dela, mas lhe acenou, como se a tivesse ouvido.

Ela deu um passo adiante, mas, de repente, sentiu um sabor na boca totalmente desconhecido. Levou as pontas dos dedos aos lábios. Quando baixou a vista, tudo estava vermelho.

A figura baixou a mão. Como se soubesse o que significava aquela mancha.

Beth retornou de repente ao seu corpo. Parecia que havia sido catapultada e aterrissara sobre cascalho. Tudo lhe doía. Gritou. Quando abriu a boca, voltou a sentir aquele sabor. Engoliu por instinto.

Então, algo milagroso aconteceu. Sua pele se encheu de vida, como se fosse um balão inflando-se de ar. Seus sentidos despertaram.

Às cegas, agarrou algo sólido. A origem daquele sabor.

Wrath sentiu que Beth se sacudia como se estivesse sendo eletrocutada. E, então, começou a beber de seu pescoço com avidez. Os braços dela se apertaram em volta de seus ombros, as unhas se cravaram em sua carne.

Lançou um rugido triunfante enquanto se recostava na cama, pois, deitado, o sangue fluía melhor. Manteve a cabeça para o lado, deixando o pescoço à disposição dela, e ela escalou seu peito, espalhando o cabelo por cima dele. O som úmido de sua sucção e a noção de que lhe transmitia vida provocaram-lhe uma monstruosa ereção.

Sustentou-a suavemente, acariciando-lhe os braços. Animando-a a beber mais dele; a tomar o quanto lhe fosse necessário.

Passado muito tempo, Beth ergueu a cabeça. Lambeu os lábios. Abriu os olhos.

Wrath olhava para ela. Tinha uma ferida enorme no pescoço.

– Ai, meu Deus... O que fiz com você? – estendeu as mãos para estancar o sangue que emanava de sua veia.

Ele segurou as mãos e as levou aos lábios.

– Aceita-me como seu *hellren*?

– O quê? – sua mente ainda estava embaralhada.

– Case-se comigo.

Ela olhou o buraco em sua garganta e a visão lhe embrulhou o estômago.

– Eu... eu...

A dor chegou rápido e forte. Derrubou-a. Mergulhou-a numa escura agonia. Dobrou-se e rolou pelo colchão.

Wrath se calou e a embalou no colo.

– Estou morrendo? – gemeu ela.

– Oh, não, *leelan*. Claro que não. Isso vai passar – sussurrou ele. – Mas não será divertido.

Todo o seu aparelho digestivo se convulsionou até que ficou estendida de costas. Quase não podia distinguir o rosto de Wrath devido à dor, mas pôde ver em seus olhos uma grande preocupação. Ele segurou a mão dela e sentiu um forte aperto quando a próxima onda de espasmos torturantes a dominou.

Sua visão fraquejou, voltou, fraquejou novamente.

O suor escorria por seu corpo, ensopando os lençóis. Cerrou os dentes e se arqueou. Virava de um lado para o outro, tentando escapar.

Não sabia quanto tempo aquilo havia durado. Horas. Dias.

Wrath permaneceu ao lado dela o tempo todo.

Wrath respirou aliviado pouco depois das três da madrugada. Finalmente, ela estava em paz.

Não morta, mas tranquila.

Fora muito valente. Suportou a dor sem se queixar, sem chorar. Até ele havia implorado para que sua transição terminasse.

Ela emitiu um som rouco.

– O que foi, minha *leelan*? – baixou a cabeça à altura de sua boca.

– Banho.

– Está bem.

Levantou-se da cama, abriu o chuveiro e voltou para buscá-la, erguendo-a suavemente nos braços. Como não conseguia ficar de pé, sentou-a na bancada de mármore, tirou-lhe a roupa com delicadeza, e depois a ergueu nos braços novamente.

Ele entrou debaixo d'água, formando um escudo com seus ombros para protegê-la. Queria verificar se a mudança na umidade e temperatura a deixariam desconfortável. Quando viu que não protestava, introduziu o corpo dela gradualmente sob o jato d'água, começando pelos pés, para o caso da sensação lhe ser muito forte.

Parecia gostar da água, alçando o pescoço e abrindo a boca.

Viu suas presas, e achou-as lindas. Brancas, brilhantes, pontiagudas. Recordou a sensação que experimentara quando ela bebeu dele.

Wrath a apertou contra si por um instante, abraçando-a. Depois, deixou que seus pés tocassem o chão e sustentou seu corpo com um braço. Com a mão livre, pegou um vidro de xampu e esparramou um pouco sobre sua cabeça. Esfregou-lhe o cabelo até formar espuma e depois o enxaguou. Com um sabonete, massageou suavemente a sua pele o melhor que pôde, sem deixá-la cair, e depois se certificou de enxaguar até o último vestígio de espuma.

Embalando-a novamente nos braços, fechou a torneira, saiu e pegou uma toalha. Enrolou-a e a colocou outra vez sobre a bancada, sustentando-a entre a parede e o espelho. Com cuidado, secou-lhe o cabelo, o rosto, o pescoço, os braços. Depois os pés e as pernas.

Sua pele ficaria hipersensível durante certo tempo, assim como a vista e os ouvidos.

Durante a transição, ele procurara sinais de que seu corpo estivesse mudando e não encontrou. Tinha a mesma altura que antes. Sentia-a do mesmo tamanho quando a abraçava. Poderia sair durante o dia, perguntou-se.

– Obrigada – sussurrou ela.

Ele a beijou e a levou até o sofá. Depois, tirou da cama os lençóis úmidos e a capa do colchão. Teve dificuldades para encontrar outro jogo de lençóis e colocá-los corretamente foi-lhe extremamente difícil. Quando finalmente terminou, pegou-a no colo e a depositou sobre o fresco cetim.

Seu profundo suspiro foi o melhor cumprimento que poderia ter recebido.

Wrath se ajoelhou de um lado da cama, repentinamente consciente de que sua calça de couro e suas botas estavam encharcadas.

– Sim – sussurrou ela.

Ele a beijou na testa.

– Do que está falando, minha *leelan*?

– Quero me casar com você.

Capítulo 35

Butch passeou pela sala de estar mais uma vez, e parou junto à lareira. Baixou a vista para a lenha amontoada, imaginando como seria agradável o fogo ali, no inverno. Sentar-se em uma daquelas poltronas de seda a olhar as chamas trepidantes, enquanto o mordomo lhe servia um ponche quente ou algo assim.

Que diabos fazia um bando de marginais num lugar como aquele?

Escutou o barulho que faziam aqueles homens do outro lado do corredor. Tinham estado no que supunha ser a sala de jantar por horas. Pelo menos, a ideia deles de "música para jantar" era ótima: rap hardcore. 2Pac, Jay-Z, D-12. De vez em quando, alguma gargalhada se sobrepunha à música – brincadeiras de macho.

Olhou para a porta principal pela enésima vez.

Quando o tinham deixado na sala de estar sozinho, seu primeiro pensamento havia sido o de escapar quebrando uma janela com uma cadeira. Chamaria Jose. Traria toda a delegacia à porta deles.

Mas, antes que pudesse agir por impulso, uma voz lhe sussurrara ao ouvido:

– Espero que fuja.

Butch virara a cabeça, abaixando-se. O cara da cicatriz enorme e cabeça raspada estava ao lado dele, embora não o tivesse ouvido se aproximar.

– Vá em frente – aqueles olhos negros apavorantes haviam encarado Butch com a mesma intensidade fria de um tubarão – abra essa porta. Corra com toda a força desse seu coraçãozinho. Peça ajuda. Mas lembre-se que eu irei atrás de você – com um rabecão.

– Zsadist, deixe-o em paz – o cara do cabelo bonito mostrara a cabeça na sala.

– Wrath quer o humano vivo, por enquanto.

O da cicatriz lançara a Butch um último olhar.

– Tente. Apenas tente. Prefiro caçar você do que jantar com eles.

E depois tinha saído lentamente.

Apesar da ameaça, Butch estivera examinando cuidadosamente o que pôde ver da casa. Não encontrou um telefone e, a julgar pelo sistema de segurança que vislumbrara no vestíbulo, todas as portas e janelas deviam ter sensores de som. Sair dali discretamente não era uma opção.

E não queria deixar Beth para trás.

Meu Deus, se ela morresse...

Butch respirou profundamente, franzindo o semblante.

Que diabos era aquilo?

Os trópicos. Cheirava a oceano.

Virou-se.

Uma estonteante mulher se encontrava na soleira da porta. Esbelta, elegante, trajava um vestido fino e seus gloriosos cabelos louros caíam-lhe até os quadris. Todo o seu delicado rosto era perfeito e seus olhos azuis tinham a limpidez do cristal.

Ela deu um passo para trás, temerosa de sua presença.

– Não – disse ele, indo na direção dela, pensando nos homens que se encontravam no fim do corredor – não vá lá.

Ela olhou em volta, como se quisesse pedir ajuda.

– Não lhe farei mal – disse ele rapidamente.

– Como posso ter certeza?

Tinha um leve sotaque. Como todos eles. Russo, talvez? Ele ergueu as mãos com as palmas para cima, para mostrar que não levava armas.

– Sou policial.

Aquilo já não correspondia exatamente à verdade, mas queria que se sentisse segura.

Ela recolheu a saia, disposta a partir.

Que inferno, não devia ter mencionado aquela palavra. Se fosse a mulher de algum deles, o mais provável era que fugisse se achasse que a lei estava atrás deles.

– Não estou aqui em missão oficial – disse ele –, não carrego pistola, nem distintivo.

Repentinamente, ela soltou o vestido e endireitou os ombros como se tivesse recuperado a coragem. Avançou um pouco, com movimentos ligeiros e graciosos. Butch manteve a boca fechada e tentou parecer menor do que era, menos ameaçador.

– Normalmente, ele não permite que os de sua espécie venham aqui – disse ela.

Sim, podia imaginar que os policiais não visitavam aquela casa com muita frequência.

– Estou esperando... uma amiga.

Ela inclinou a cabeça para o lado. Ao se aproximar, sua beleza o deslumbrou. Sua estrutura facial parecia ter saído de uma revista de moda, seu corpo tinha aquele gracioso movimento das modelos nas passarelas. E o perfume que usava... penetrara em seu nariz, em seu cérebro. Cheirava tão bem que os olhos se encheram de lágrimas.

Era irreal, pensou ele. *Tão pura, tão limpa.*

Se pudesse, gostaria de escovar os dentes e se barbear antes de voltar a lhe dirigir a palavra.

Que diabos estaria fazendo no meio daqueles marginais? O coração de Butch se confrangeu ao pensar na utilidade que podiam lhe dar. Santo Deus. No mercado sexual, uma só hora com uma mulher como aquela poderia valer muitos milhares de dólares.

Não era de admirar que a casa estivesse tão bem disfarçada.

Marissa desconfiava do humano, sobretudo considerando seu tamanho. Havia escutado muitas histórias sobre eles. Como odiavam os vampiros. Como caçavam a sua raça.

Mas aquele parecia estar tomando muito cuidado para não assustá-la. Não se movia; quase não respirava. Só o que fazia era olhá-la embasbacado.

O que a deixava nervosa, e não só porque não estivesse acostumada a que a olhassem assim. Os olhos cor avelã do homem cintilavam em seu duro rosto sem perder um detalhe, examinando-a cuidadosamente.

Aquele humano era inteligente. Inteligente e... triste.

– Como se chama? – perguntou ele, com brandura.

Ela gostou de sua voz; profunda, grave e um pouco rouca.

Já estava muito perto dele, a uns poucos passos; por isso, parou.

– Marissa. Meu nome é Marissa.

– Butch – ele colocou a mão sobre o peito largo e se apresentou a ela com o seu nome verdadeiro. – Hum... Brian O'Neal. Mas todos me chamam de Butch.

Estendeu a mão, mas, imediatamente, retirou-a para esfregá-la vigorosamente sobre a perna da calça e estendê-la de novo.

Ela pareceu um tanto perturbada com aquilo. Tocá-lo já era demais. Deu um passo para trás.

Ele deixou cair a mão lentamente, sem se surpreender de ter sido rejeitado.

Mas, mesmo assim, continuou a encará-la.

– Por que me olha tão fixamente? – levou as mãos ao corpete do vestido, cobrindo-se.

O rubor lhe cobriu primeiro o pescoço e, depois, as bochechas.

– Sinto muito. Provavelmente está farta de que os homens a olhem fascinados.

Marissa negou com a cabeça.

– Nenhum macho me olha.

– Acho muito difícil de acreditar.

Era verdade. Todos temiam Wrath.

Deus, se soubessem como fora desprezada.

– Porque... – a voz do humano fraquejou –, caraca, você é tão... totalmente... linda.

Pigarreou, como se desejasse se retratar de suas palavras. Ela inclinou a cabeça, examinando-o. Havia algo que não podia decifrar em seu tom de voz, talvez uma certa amargura.

Ele passou a mão pelos grossos cabelos escuros.

– Fecharei a boca, agora, antes que a deixe ainda mais embaraçada.

Seus olhos permaneceram cravados no rosto dela.

Eram uns olhos muito bonitos, pensou ela. Tão intensos. E olhavam para ela com certo "quê" de melancolia. Como se não pudesse ter algo que desejasse.

Ela podia entender aquilo melhor do que ninguém.

O humano riu, com um som grave que lhe saiu do fundo do peito.

– E que tal eu também tentar parar de olhar assim para você? Seria bom, não é? – colocou as mãos nos bolsos da calça e se concentrou no chão. – Veja. Não estou olhando para você. Não estou olhando para você nem um pouquinho. Ei, que tapete bonito! Já havia reparado nele?

Marissa sorriu sutilmente e aproximou-se dele mais um pouco.

– Acho que gosto da forma como me olha – os olhos cor de avelã voltaram de novo a se concentrar no rosto dela –, é que não estou acostumada – explicou, levando a mão ao pescoço, mas desistindo no meio do caminho.

– Caramba, você não pode ser real – disse o humano, baixinho.

– Por que não?

– Não pode ser.

Ela riu um pouco.

– Bem, eu sou.

Ele pigarreou de novo, rindo com um só canto da boca.

– Você se incomodaria se eu lhe pedisse para me provar que é?

– Como?

– Posso tocar o seu cabelo?

Seu primeiro impulso foi recuar novamente. Mas, por que fazê-lo? Não estava atada a nenhum macho. Se aquele humano queria tocá-la, por que não?

Ainda mais porque ela também queria que ele o fizesse.

Inclinou a cabeça de tal maneira que algumas madeixas de seu cabelo deslizaram para frente. Pensou em lhe estender uma mecha. Mas, não. Permitiria que se aproximasse.

E foi o que o humano fez.

Estendeu sua grande mão na direção dela. Marissa perdeu o fôlego, mas ele não tocou nas madeixas que se destacaram. As pontas de seus dedos acariciaram uma mecha que descansava em cima de seu ombro.

Sentiu uma onda de calor na pele, como se ele a houvesse tocado com um fósforo aceso. Instantaneamente, aquela sensação febril se estendeu por todo seu corpo.

O que era aquilo?

O dedo do humano deslocou a mecha para o lado e, depois, logo toda a mão lhe roçou o ombro. A palma de sua mão era quente. Sólida. Forte.

Ela ergueu os olhos para ele.

– Não posso respirar – sussurrou.

Butch quase caiu de costas.

Santo Deus, pensou. Ela o desejava. E seu inocente assombro diante de seu toque foi melhor do que o melhor sexo que já experimentara.

Seu corpo reagiu imediatamente, e sua ereção pressionou suas calças, exigindo sair.

Mas isso não pode ser real, pensou. Devia estar brincando com ele. Ninguém podia ter a aparência que ela tinha, andar com caras como aqueles, e não ser escoltada.

Observou-a enquanto ela respirava com dificuldade. E, então, ela lambeu os lábios. A ponta de sua língua era cor rosa.

Santo Deus.

Talvez fosse apenas uma atriz fantástica. Ou a melhor prostituta que já existiu. Mas, quando ergueu os olhos para ele, ganhou-o irremediavelmente. Se ela quisesse lhe vender a Estátua da Liberdade, ele a compraria entusiasmado.

Deixou que seu dedo percorresse a lateral do pescoço da mulher. Sua pele era tão suave, tão clara, que temeu lhe deixar marcada só de tocar nela.

– Mora aqui? – perguntou ele.

Ela negou com a cabeça.

– Moro com o meu irmão.

Sentiu-se aliviado.

– Que bom.

Acariciou-lhe a face ternamente, sem conseguir despregar os olhos de sua boca.

Que sabor teria?

Baixou os olhos para os seios. Pareciam ter crescido, pressionando contra o corpete de seu elegante vestido.

A voz dela estava trêmula:

– Você me olha como se estivesse com sede.

Oh, Deus. Ela tinha razão. Estava ressecado.

– Mas eu achava que os humanos não se alimentavam – disse ela.

Butch franziu o semblante. Utilizava as palavras de uma maneira estranha, mas era óbvio que o inglês era o seu segundo idioma.

Moveu os dedos em direção à sua boca. Fez uma pausa, perguntando-se se ela retrocederia no momento em que tocasse seus lábios. *Provavelmente*, pensou. *Só para o jogo prosseguir.*

– Seu nome – disse ela – é Butch?

– Ele concordou.

– Do que tem sede, Butch? – sussurrou.

Os olhos dele se fecharam de repente, enquanto seu corpo oscilava.

– Butch – disse ela –, eu machuquei você?

Ah, sim, se considerar que o desejo ardente é uma dor, pensou ele.

Capítulo 36

Wrath se levantou da cama e colocou uma calça de couro limpa e uma camiseta escura.

Beth dormia profundamente ao seu lado. Quando a beijou, ela se mexeu.

– Vou ao primeiro andar – disse ele, acariciando-lhe a face – mas não sairei de casa.

Ela concordou, roçou-lhe a palma da mão com os lábios, e voltou a mergulhar no sono reparador que tanto necessitava.

Wrath colocou os óculos escuros, abriu o ferrolho da porta e se dirigiu às escadas. Sabia que mostrava um estúpido sorriso de satisfação no rosto e que seus Irmãos zombariam dele.

Mas ele estava pouco se importando.

Teria uma verdadeira companheira. E eles que se danassem.

Empurrou o quadro e passou para a sala de estar. Não pôde acreditar no que viu.

Marissa, com um longo vestido creme. O policial diante dela, acariciando seu rosto, completamente fascinado. Por toda a sala, o delicioso cheiro de sexo.

E, então, Rhage irrompeu no aposento com a adaga desembainhada. Evidentemente, o Irmão estava pronto para liquidar o humano por tocar quem ele supunha ser a companheira de Wrath.

– Tire as mãos...

Wrath deu um salto.

– Rhage! Espere!

O Irmão parou no ato, enquanto Butch e Marissa olhavam ao redor freneticamente.

Rhage sorriu e lançou a adaga para o Wrath, do outro lado da sala.

– Vá em frente, meu senhor. Ele merece a morte por colocar as mãos em cima dela, mas não podemos brincar com ele um pouco antes?

Wrath apanhou a adaga.

– Volte para a mesa, Hollywood.

– Ah, vamos lá. Sabe que é melhor com plateia.

Wrath sorriu com afetação.

– Só para você, meu Irmão. Agora, deixe-nos.

Jogou-lhe a adaga de volta e Rhage guardou-a, enquanto se retirava.

– Cara, você é um verdadeiro estraga prazeres, sabia? Um maldito estraga prazeres.

Wrath olhou para Marissa e o detetive. Sem dúvida, era louvável a forma como o humano usava o próprio corpo para protegê-la.

Talvez aquele cara fosse algo mais do que um bom oponente.

Butch encarou o suspeito e colocou os braços em guarda, tentando encurralar Marissa. Ela se recusou a ficar atrás dele. Na verdade, contornou-o e se posicionou na frente.

Como se ela o estivesse protegendo?

Butch a segurou por um dos delicados braços, mas ela resistiu.

Quando o assassino de cabelos negros se adiantou, ela se dirigiu a ele resolutamente em um idioma que Butch não reconheceu. Ela se inflamou. O homem balançou a cabeça várias vezes, concordando. Aos poucos, ela foi-se acalmando.

Então, o homem apoiou a mão sobre o ombro da mulher e se virou para olhar Butch.

Santo Deus, o pescoço daquele homem mostrava uma ferida em um dos lados, como se algo o tivesse mordido.

O homem falou. A resposta de Marissa foi hesitante, mas, então, ela repetiu as palavras em um tom mais forte.

– Que assim seja – disse o filho-da-mãe, sorrindo ligeiramente.

Marissa se deslocou e foi posicionar-se ao lado de Butch. Olhou para ele e corou.

Alguma coisa havia sido decidida. Alguma...

Com um rápido movimento, o homem agarrou a garganta de Butch.

Marissa gritou:

– Wrath!

Ah, droga, outra vez não, pensou Butch, enquanto lutava.

– Ela parece interessada em você – disse o assassino ao ouvido de Butch –, por isso, eu permitirei que você continue respirando. Mas, se magoá-la, eu o esfolarei vivo.

Marissa, agitada, falava com ele naquela língua estrangeira; sem dúvida, amaldiçoando-o.

– Estamos entendidos? – o homem perguntou.

Butch estreitou os olhos na direção daqueles óculos escuros.

– De mim, ela não tem nada a temer.

– Continue assim.

– Você, entretanto, é outra história.

O homem o soltou. Alisou a camisa de Butch e sorriu.

Butch franziu o semblante.

Caraca, havia algo extremamente estranho com os dentes daquele cara.

– Onde está Beth? – exigiu saber Butch.

– Está a salvo e bem.

– Não graças a você.

– Unicamente graças a mim.

– Então, você tem uma noção distorcida do significado dessas palavras que usou. Quero julgar por mim mesmo.

– Mais tarde. E só se ela quiser vê-lo.

Butch se encolerizou, aquele filho-da-mãe pareceu captar-lhe a emoção.

– Cuidado, tira. Agora está em meu mundo.

Sim, vá se danar, camarada.

Butch estava prestes a abrir a boca quando sentiu que algo puxava o seu braço. Olhou para baixo. O medo brilhava nos olhos de Marissa.

– Butch, por favor – sussurrou ela –, não.

O suspeito concordou.

– Se for educado, fica com ela – disse o homem. Sua voz se suavizou ao olhar para Marissa. – Ela está feliz em sua companhia, e merece essa felicidade. Quanto à Beth, veremos mais tarde.

O Sr. X levou Billy em casa, depois de terem ficado várias horas percorrendo a cidade de carro, conversando. O passado de Billy era perfeito, e não só por causa de seu caráter violento. Seu pai era exatamente o tipo de modelo masculino preferido do Sr. X. Um louco desvairado com complexo de Deus. Tinha sido jogador de futebol americano. Corpulento, agressivo e competitivo, e tinha oprimido Billy desde o berço.

Nada que seu filho fazia era bom o suficiente. Mas o que o Sr. X mais gostava era a história da morte da mãe de Billy. A mulher caiu na piscina depois de ter bebido muito, certa tarde, e Billy a tinha encontrado flutuando de barriga para baixo. Tirou-a da água e tentou reanimá-la antes de chamar o 911. Logo que levaram o corpo para o necrotério com uma etiqueta no dedão do pé, o distinto senador do grande estado de Nova York sugeriu que seu filho a tinha assassinado. Evidentemente, Billy deveria ter chamado primeiro a ambulância, em vez de tentar bancar o médico.

O Sr. X não questionava os méritos do matricídio. Mas, no caso de Billy, o rapaz havia recebido treinamento como salva-vidas e, de fato, tentara salvar a mulher.

– Odeio essa casa – murmurou Riddle, olhando as paredes, as colunas e as janelas bem iluminadas.

– É uma pena que esteja na lista de espera de todas essas universidades. Seria uma maneira de dar o fora daqui.

– Sim, bem, podia ter entrado em uma ou duas. Se ele não tivesse me obrigado a tentar somente as Ivies*.

– Então, o que você vai fazer daqui para frente?

Billy deu de ombros.

---

* As universidades que integram a chamada Ivy League, grupo de oito prestigiosas universidades particulares no nordeste dos EUA, também conhecidas como "as oito antigas". São elas: Brown, Columbia, Cornell, Dartmouth, Harvard, Pensilvânia, Princeton e Yale.

– Ele quer que eu me mude daqui, que consiga um emprego. Só que... não sei para onde ir.

– Diga-me uma coisa, Billy: você tem namorada?

Ele esboçou um sorrisinho.

– Algumas.

Sim, o Sr. X tinha certeza disso, bonito como o rapaz era.

– Alguém especial?

Os olhos de Billy piscaram.

– Só prestam para me divertir, mas não me deixam em paz. Ficam ligando, querendo saber onde eu estou, o que eu estou fazendo. Exigem muito de mim e eu... ah...

– Você o quê?

Billy estreitou os olhos.

– Vamos, filho. Não há nada que não possa me contar.

– Eu, ah, eu gosto mais quando são difíceis de conseguir... – limpou a garganta. – Na verdade, gosto quando tentam fugir.

– Você gosta de apanhá-las?

– Eu gosto de forçá-las. Entende?

O Sr. X assentiu, pensando que era mais um voto a favor de Riddle. Sem laços familiares. Sem vínculo sentimental. E sua disfunção sexual seria curada com a cerimônia de iniciação.

Riddle segurou a maçaneta da porta.

– De qualquer forma, obrigado, *sensei*. Foi ótimo.

– Billy.

Riddle fez uma pausa, olhando para trás com expectativa.

– Sim, *sensei*?

– Quer trabalhar comigo?

Os olhos de Riddle brilharam.

– Quer dizer, na academia?

– Algo assim. Deixe-me falar um pouco do que teria de fazer e, depois, você pode pensar com calma na oferta.

Capítulo 37

Beth rolou sobre a cama, procurando Wrath e, então, lembrou-se de que tinha ido ao andar de cima.

Sentou-se, tentando se preparar para a dor, no caso de ela voltar. Ao ver que nada lhe doeu, levantou-se. Estava nua, e olhou o seu corpo. Nada parecia ter mudado. Deu uma dançadinha. Tudo parecia funcionar bem.

Só que não estava enxergando muito bem.

Entrou no banheiro, tirou as lentes de contato e viu tudo perfeitamente.

Bem, eis aí uma vantagem.

Uau! Presas. Tinha presas.

Inclinou-se, apertou-as um pouco. Ia demorar a se acostumar a comer com aqueles dentes.

Seguindo um impulso, levantou as mãos e colocou os dedos em forma de garras e rugiu.

Legal.

O Halloween seria tremendamente divertido a partir de agora.

Escovou o cabelo, vestiu o roupão de Wrath e se dirigiu à escada. Quando chegou ao topo, não estava sem fôlego. Mais uma vantagem.

Agora tiraria de letra os exercícios na academia.

Ao sair pelo quadro, viu Butch sentado no sofá ao lado de uma loira estonteante. Ao longe, ouviu vozes masculinas e música pesada.

Butch ergueu a vista.

– Beth! – correu para ela, envolvendo-a em um abraço de urso. – Você está bem?

– Estou. De verdade, estou muito bem – o que era espantoso, considerando o estado em que se encontrava mais cedo.

Butch deu um passo para trás, e segurou o rosto dela entre as mãos. Observou atentamente seus olhos. Franziu o semblante.

– Não parece drogada.

– Por que pareceria?

Ele sacudiu a cabeça com tristeza.

– Não esconda isso de mim. Eu a trouxe aqui, lembra?

– Tenho de ir – disse a loira, levantando-se. Butch imediatamente se virou para ela.

– Não. Não vá.

Voltou para o sofá. Ao olhar para a mulher, sua expressão se transformou por completo. Beth nunca o tinha visto daquele jeito. Era evidente que estava fascinado.

– Marissa, quero que conheça uma *amiga*... – enfatizou a palavra – Beth Randall. Beth, essa é Marissa.

Beth acenou.

– Oi.

A loira a encarou do outro lado da sala, examinando Beth da cabeça aos pés.

– É a fêmea de Wrath – disse Marissa, com uma espécie de admiração. Como se Beth houvesse realizado uma grande façanha. – A quem ele quer.

Beth sentiu as faces quentes.

– Sim, bem, imagino que sou.

Houve um incômodo silêncio. Butch, olhou de uma para outra, franzindo o semblante, como se quisesse ficar por dentro do que estava rolando.

Beth também.

– Sabe onde está Wrath? – perguntou.

Butch fechou a cara, como se não quisesse nem escutar o nome dele.

– Está na sala de jantar.

– Obrigada.

– Escute, Beth. Temos de...

– Não irei a parte alguma.

Ele respirou fundo, soltando o ar com um lento chiado.

– Já esperava que dissesse isso – olhou para a loira – Mas, se precisar de mim, eu, ah... estarei aqui.

Ela sorriu para si mesmo enquanto Butch voltava a se sentar com a mulher.

Quando saiu para o corredor, o som das vozes masculinas e a batida do rap tornaram-se mais altos.

– Então, o que você fez com o *redutor*? – perguntou uma das vozes masculinas.

– Acendi seu cigarro com uma espingarda de cano serrado – respondeu outra. – Não desceu para tomar o café da manhã, sabe?

Houve um coro de gargalhadas. E o som de pancadas, como se punhos socassem a mesa.

Ela fechou as lapelas do roupão. Tinha a sensação de que seria mais prudente vestir-se primeiro, mas não queria esperar para ver Wrath.

Entrou.

No instante em que apareceu na soleira da porta, cessou toda conversa. Todos viraram a cabeça, com os olhos fixos nela. O rap preencheu o silêncio.

Meu Deus. Nunca vira tantos homens corpulentos com roupas de couro.

Deu um passo para trás justo no momento em que Wrath se levantou da cabeceira da mesa. Dirigiu-se até ela, olhando-a com intensidade. Sem dúvida, havia interrompido alguma espécie de rito masculino sagrado.

Tentou pensar em algo para dizer. Era provável que tentasse bancar o macho durão e despreocupado na frente dos Irmãos...

Mas Wrath a abraçou com delicadeza, afundando o rosto em seus cabelos.

– Minha *leelan* – sussurrou-lhe ao ouvido. Correu as mãos por suas costas, para cima e para baixo –, minha linda *leelan*.

Afastou-a um pouco e beijou-a nos lábios; depois, sorriu com ternura enquanto alisava o seu cabelo.

Beth sorriu de orelha a orelha. Estava claro que aquele homem não tinha problemas em demonstrar publicamente o seu afeto. Bom saber.

Inclinou a cabeça, olhando além do ombro dele.

A plateia era grande. E estava de boca aberta, totalmente.

Ela quase riu. Ver um bando de sujeitos com pinta de marginais violentos sentados ao redor de uma mesa com talheres de prata e porcelana já era bastante incongruente; mas vê-los com aquelas caras de assombro parecia simplesmente absurdo.

– Não vai me apresentar? – disse, fazendo um leve movimento com a cabeça na direção do grupo.

Wrath colocou o braço em torno dos seus ombros, atraindo-a para o peito.

– Essa é a Irmandade da Adaga Negra. Meus companheiros guerreiros. Meus Irmãos – apontou com o queixo o mais atraente.

– O Rhage você já conhece. O Tohr também. O de cavanhaque e gorro do Red Sox é o Vishous. A Rapunzel ali é o Phury – a voz de Wrath baixou até se converter num grunhido – e Zsadist já se apresentou.

Os dois que conhecia um pouco mais lhe sorriram. Os outros a cumprimentaram com a cabeça, exceto o da cicatriz, que se limitou a olhá-la.

Aquele cara tinha um irmão gêmeo, lembrou. Mas foi tremendamente difícil distinguir o seu irmão de sangue entre os outros Irmãos.

Embora aquele do cabelão e fantásticos olhos cor de mel se parecesse um pouco com ele.

– Cavalheiros – disse Wrath –, essa é Beth.

E, então, voltou a falar naquele idioma que ela não entendia.

Quando terminou, houve uma audível "oh". Ele baixou os olhos para ela, sorrindo.

– Precisa de alguma coisa? Está com fome, *leelan*?

Ela levou a mão ao estômago.

– Sabe de uma coisa? Estou sim. Estou com o desejo estranho de comer bacon com chocolate. Veja só...

– Eu a servirei. Sente-se – indicou-lhe uma cadeira e depois saiu pela porta de vaivém.

Ela deu uma olhada nos homens.

Que beleza. Ali estava ela, nua por baixo do roupão, sozinha com mais de quinhentos quilos de vampiros. Tentar agir naturalmente era impossível, então, dirigiu-se com certa inquietação à cadeira de Wrath. Não foi longe.

As cadeiras foram arrastadas para trás, os cinco homens se levantaram em uníssono e começaram a se aproximar dela.

Ela olhou para os dois que conhecia, mas as severas expressões em seus rostos não a animaram.

E, então, apareceram as facas.

Com um ruído metálico, cinco adagas negras foram desembainhadas.

Ela retrocedeu freneticamente tratando de se proteger com as mãos. Bateu contra a parede, e estava prestes a gritar chamando por Wrath, quando os homens se deixaram cair de joelhos formando um círculo à sua volta. Com um só movimento, como se tivessem ensaiado aquela coreografia, afundaram as adagas no chão a seus pés e baixaram a cabeça. O forte som do aço de encontro à madeira parecia tanto uma promessa como um grito de guerra.

Os cabos das facas vibraram.

O rap continuou pulsando.

Pareciam esperar dela alguma resposta.

– Hum. Obrigada – disse ela.

Os homens ergueram a cabeça. Estampada nas duras feições de seus rostos havia uma total reverência. Até o cara da cicatriz mostrava uma expressão respeitosa.

E, então, entrou Wrath, com uma garrafa de calda de chocolate Hershey.

– O bacon já vem – sorriu ele. – Ei, eles gostaram de você.

– Ainda bem – murmurou ela, olhando as adagas.

Capítulo 38

Marissa sorriu, pensando que, quanto mais tempo passava com o humano, mais bonito ele lhe parecia.

– Então ganha a vida protegendo a sua espécie. Isso é bom.

Ele se aproximou dela um pouco mais no sofá.

– Bem, de fato não sei o que vou fazer agora. Tenho o pressentimento de que terei de conseguir outro emprego.

Um relógio bateu as horas e a levou a se perguntar quanto tempo tinham ficado juntos. E quando nasceria o sol.

– Que horas são?

– Passa um pouquinho das quatro.

– Tenho de ir.

– Quando posso vê-la outra vez?

Ela se levantou.

– Não sei.

– Podemos sair para jantar? – levantou-se de um pulo – Almoçar? O que vai fazer amanhã?

Ela teve de rir.

– Não sei.

Nunca antes a tinham cortejado. Era bom.

– Ah, que inferno – murmurou ele. – Estou arruinando tudo me mostrando tão ansioso, não é? – levou as mãos aos quadris e baixou os olhos para o tapete, chateado consigo mesmo.

Ela deu um passo adiante. A cabeça de Butch se ergueu de repente.

– Vou tocá-lo agora – disse ela suavemente – antes de partir.

Os olhos do homem brilharam.

– Posso, Butch ?

– Onde quiser – sussurrou ele.

Ela ergueu a mão, pensando que só a pousaria sobre o seu ombro. Mas seus lábios a fascinavam. Observara-os moverem-se enquanto falava, e se perguntava como seria sua textura e seu sabor.

– Sua boca – disse ela – eu a acho...

– O quê? – perguntou ele com voz rouca.

– Maravilhosa.

Colocou as pontas dos dedos sobre seu lábio inferior. Ele inspirou com tal força que inalou o perfume da pele de Marissa, e quando o exalou com um estremecimento, ele voltou para ela quente e úmido.

– É macia – disse ela, roçando-a com o dedo indicador. E fechou os olhos.

Seu corpo emanava um perfume embriagador. Ela tinha percebido a sedutora fragrância no momento em que pusera os olhos nele pela primeira vez. Agora, saturava o ar.

Curiosa, deslizou o dedo para dentro de sua boca. Os olhos de Butch se arregalaram.

Sentiu-lhe os dentes dianteiros, estranhando a ausência de presas. Ao se aprofundar mais, sentiu o interior escorregadio, úmido, cálido.

Lentamente, os lábios dele se fecharam ao redor daquele dedo, lambendo a sua ponta com movimentos circulares.

Uma onda de prazer percorreu o corpo dela.

– Oh...

Os mamilos formigavam e alguma coisa acontecia entre as suas pernas. Sentiu-se dolorida. Faminta.

– Eu quero... – não soube o que dizer.

Ele segurou sua mão e jogou a cabeça para trás, sugando todo o dedo inteiro até que ele saiu de sua boca. Com os olhos fixos nos dela, virou-lhe a palma da mão para cima, lambeu o centro e pressionou os lábios contra sua pele.

Ela se reclinou nele.

– O que você quer? – perguntou ele em voz baixa. – Diga-me, doçura. Diga-me o que você quer.

– Eu... não sei. Nunca me senti assim.

Sua resposta pareceu quebrar o encanto. Butch fechou a cara, e soltou a mão dela. Uma maldição, suave e vil, desprendeu-se dele enquanto se distanciava.

Os olhos de Marissa faiscaram com aquela rejeição.

– Fiz algo que o aborreceu?

Santo Deus, ela era muito boa no que fazia.

– Aborrecer? Não, está indo muito bem. É uma verdadeira profissional – passou a mão na cabeça. Parecia estar lutando consigo mesmo, tentando retornar à normalidade vindo de algum lugar muito distante. – Só que o número de garota inocente está me perturbando um pouco.

– Número?

– Sabe, bancar a virgem de olhos assustados.

Ela deu uns passos para frente enquanto tentava pensar em uma resposta, mas ele estendeu as mãos para pará-la.

– Até aí está bom.

– Por quê?

– Por favor, doçura. Pare de representar.

Marissa fez cara feia.

–Você é incoerente.

– Ah, *verdade*? – disse ele. – Escute, você me excita só de ficar aí parada. Não tem de fingir ser algo que não é. E eu... não tenho problema com o que faz. Tampouco vou prender você por isso.

– Me prender por quê?

Enquanto ele revirava os olhos, ela tentava compreender a que ele se referia.

– Já vou – disse ela bruscamente. Sua irritação crescia a cada momento que passava.

– Espere – ele estendeu a mão, segurando-a por um braço. No instante em que a tocou, deixou cair o braço. – Gostaria de voltar a vê-la.

Ela franziu o semblante, com o olhar sobre a mão que a tocara. Ele a esfregava como se quisesse se desfazer daquela sensação.

– Por quê? – perguntou. – É óbvio que agora está desgostoso com o simples ato de me tocar.

– Aham. Sim, claro – lançou-lhe um olhar cínico. – Escute, quanto vai me custar você agir com normalidade?

Ela devolveu-lhe um olhar feroz. Antes de terminar com Wrath, talvez tivesse fugido. Mas já não queria fazê-lo.

– Não entendo você – disse.

– Como quiser, doçura. Diga-me, há tipos tão fissurados em virgindade que engolem esse número?

Marissa não entendeu aquele linguajar com precisão, mas acabou por captar a essência do que ele estava pensando. Horrorizada, empertigou-se.

– O que foi que disse?

Ele a olhou fixamente, como que paralisado. Então, soltou a respiração.

– Ah, que inferno – esfregou o rosto com a mão. – Escute, esquece, ok? Vamos esquecer que nos conhecemos...

– *Nunca* fui possuída. Meu *hellren* não gostava de minha companhia. Por isso, nunca fui beijada ou tocada, sequer abraçada por um macho que sentisse paixão por mim. Mas eu não sou... não sou indigna – sua voz fraquejou no final – nunca me desejaram antes.

Os olhos do homem se arregalaram como se ela o tivesse esbofeteado ou algo do gênero. Ela desviou o olhar.

– E nunca havia tocado um macho – sussurrou. – Simplesmente não sei o que fazer.

O humano deixou escapar um longo suspiro, como se estivesse exalando todo o oxigênio do corpo.

– Santa Maria, mãe de Deus – murmurou –, sinto muito. De verdade. Mesmo. Sou... sou um completo imbecil, e julguei-a completamente errado.

Seu horror pelo que havia lhe dito era tão evidente, que ela sorriu um pouco.

– Sério?

– Diabos, sim. Quer dizer, sim, claro. Espero não tê-la ofendido tanto a ponto de não poder me perdoar. Mas é impossível que não esteja ofendida. Caramba... Sinto muito mesmo – estava lívido.

Ela colocou a mão sobre o seu ombro.

– Perdoo você.

Ele sorriu, incrédulo.

– Não deveria. Teria de ficar zangada comigo durante algum tempo. Pelo menos uma semana, talvez um mês. Possivelmente mais tempo. Passei dos limites.

– Mas não quero me zangar com você – houve uma longa pausa. – Ainda quer me ver amanhã?

– Sim.

Ele mal podia acreditar na sorte que tinha.

– De verdade? Você vai ser canonizada, sabia? – estendeu a mão e lhe acariciou a face com a ponta dos dedos – Então, doçura? Onde quer que nos encontremos?

Ela pensou uns segundos. Havers teria um ataque se soubesse que estava saindo com um humano.

– Aqui. Verei você aqui. Amanhã à noite.

Ele sorriu.

– Está bem. E como voltará para casa? Precisa que eu a leve ou chame um táxi?

– Não, usarei meus próprios meios.

– Espere... antes que se vá – avançou para ela. O adorável aroma do homem chegou até ela, perturbando-a de novo. – Posso lhe dar um beijo de boa-noite? Mesmo que eu não o mereça?

Por hábito, ofereceu-lhe o dorso da mão.

Ele a segurou e puxou para si. As palpitações no sangue e entre as pernas retornaram.

– Feche os olhos – sussurrou ele.

Ela obedeceu.

Os lábios dele roçaram de leve a sua fronte e depois as têmporas.

Ela abriu a boca ao sentir de novo aquela doce sensação de sufocamento.

– Jamais poderia aborrecer-me – disse ele, com sua voz profunda.

E depois tocou-lhe a face com os lábios.

Ela esperou algo mais. Mas, ao não recebê-lo, abriu os olhos. Ele a olhava fixamente.

– Vá – disse –, vejo você amanhã.

Ela concordou. E se desmaterializou bem entre as suas mãos.

Butch lançou um grito, dando um tremendo salto para trás.

– Cacete!

Olhou a mão. Ainda conservava a sensação do contato de sua palma e sentia o seu perfume.

Mas ela desaparecera no ar. Em um segundo estava diante dele e, no seguinte...

Beth chegou correndo à sala.

– Você está bem?

– Bem uma ova – disse bruscamente.

O suspeito entrou atrás de Beth a passos largos.

– Onde está Marissa?

– Como vou saber? Desapareceu no ar! Diante de meus... Ela estava... eu segurava a sua mão e ela... – como estava começando a parecer um idiota frenético, fechou a boca.

Mas como não estar histérico? Gostava das leis da física tal como as conhecia. Com a gravidade mantendo tudo sobre o maldito planeta em seu lugar. Com a fórmula $E=mc^2$ lhe dizendo quão rápido podia chegar a um bar.

As pessoas não desapareciam no ar de uma maldita sala.

– Posso lhe contar? – perguntou Beth para o seu homem.

O suspeito deu de ombros.

– Normalmente, diria não, porque é melhor que não saibam. Mas considerando o que acaba de ver...

– Contar o quê? Que são um bando de...?

– Vampiros – murmurou Beth.

Butch a olhou, chateado.

– Sim, claro. Tenta outra coisa, doçura.

Mas, então, ela começou a falar, dizendo-lhe coisas que ele não podia acreditar.

Quando Beth terminou, tudo que Butch pôde fazer foi olhá-la fixamente. Seu instinto lhe dizia que não estava mentindo, mas era muito difícil de aceitar.

– Não acredito em nada disso – disse ele.

– Para mim também foi difícil de compreender.

– Aposto que sim.

Passeou pela sala, desejando poder beber algo, enquanto eles o olhavam em silêncio.

Finalmente, parou diante de Beth.

– Abra a boca.

Escutou um ruído surdo e desagradável atrás dele, ao mesmo tempo em que uma corrente de ar frio atingiu suas costas.

– Wrath, está tudo bem – disse Beth –, acalme-se.

Separou os lábios, revelando dois longos caninos que certamente não estavam ali antes. Butch sentiu os joelhos tremerem enquanto estendia a mão para tocá-los.

Uma grossa mão o agarrou pelo braço, com força suficiente para fraturar-lhe os ossos do pulso.

– Nem sonhe – grunhiu Wrath.

– Solte-o – ordenou ela suavemente, embora não abrisse a boca de novo quando a mão do detetive foi liberada. – São reais, Butch. Tudo isso... é real.

Butch ergueu a vista para o suspeito.

– Então, é realmente um vampiro, não é?

– Será melhor que acredite, tira – o enorme filho-da-mãe moreno sorriu, mostrando um monstruoso par de presas.

Essas sim são ferramentas de responsa, pensou Butch.

– Mordeu-a para convertê-la?

– Não funciona assim. Ou se nasce na nossa espécie ou não.

Os fãs do Drácula não iam ficar muito contentes. Nada de conversões por mordidas.

Butch desabou sobre o sofá.

– Matou aquelas mulheres? Para beber seu...

– Sangue? Não. O que há nas veias humanas não me manteria vivo durante muito tempo.

– Então, está me dizendo que não teve nada a ver com aquelas mortes? Quer dizer, nas cenas dos crimes encontram estrelas ninja iguais às que você levava na noite que o prendi.

– Eu não as matei, tira.

– E o homem do carro?

O vampiro negou com a cabeça.

– Minhas presas não são humanas. Minha luta nada tem a ver com seu mundo. E quanto à bomba... acabou com um dos nossos.

Beth emitiu um som forte e claro.

– Meu pai – sussurrou.

O homem a abraçou.

– Sim. E estamos procurando o filho-da-mãe que fez aquilo.

– Tem alguma ideia de quem apertou o botão? – perguntou Butch, deixando aflorar o policial que trazia em si.

Wrath deu de ombros.

– Temos uma pista. Mas é nosso assunto, não seu.

Sim, e, de qualquer forma, Butch não tinha motivo para perguntar, já que não pertencia mais à força.

O homem acariciou as costas de Beth e sacudiu a cabeça.

– Não vou mentir, detetive. Ocasionalmente, algum humano se interpõe em nosso caminho. E se alguém ameaça a nossa raça, é morto, não importa quem ou o que seja. Mas, não tolerarei baixas humanas como estava acostumado a fazê-lo, e não só pelo risco de ficarmos expostos – beijou Beth na boca, olhando-a nos olhos.

Nesse momento, o restante dos membros da Irmandade adentrou a sala. Seus olhares frios fizeram Butch sentir-se como uma mosca presa num copo. Ou um rosbife prestes a ser trinchado.

O Sr. Normal avançou e ofereceu-lhe uma garrafa de uísque escocês.

– Está parecendo que um pouco disso lhe cairia bem.

Não diga?

Butch tornou um gole.

– Obrigado.

– Já podemos matá-lo? – disse o de cavanhaque e gorro de beisebol.

Wrath falou com voz severa:

– Cai fora, V.

– Por quê? É só um humano.

– E minha companheira é meio humana. Esse homem não morrerá somente por não ser um de nós.

– Quem te viu, quem te vê...

– E você terá de se modernizar, *Irmão.*

Butch ficou de pé. Se fosse haver um debate sobre a sua morte, queria participar também.

– Aprecio a sua defesa – disse a Wrath – mas não preciso dela.

Dirigiu-se até onde estava o cara do gorro, agarrando com força o gargalo da garrafa se por acaso tivesse de quebrá-la na cabeça de um deles. Aproximou-se tanto do sujeito que seus narizes quase se tocaram. Podia sentir que o vampiro se inflamava, preparado para o combate.

– Eu adorarei me entender contigo, palhaço – disse Butch. – É muito provável que acabe perdendo, mas brigo sujo, então, farei com que sofra enquanto me mata – então, ergueu a vista para o gorro – Embora deteste encher de porrada um outro fã do Red Sox.

Uma gargalhada soou atrás dele. Alguém disse:

– Isso vai ser divertido.

O sujeito apertou os olhos até convertê-los em duas linhas.

– Diz a verdade sobre os Sox?

– Nascido e criado no Sul. Sou torcedor desde que me entendo por gente.

Houve um longo silêncio. O vampiro bufou.

– Não curto os humanos.

– Sim, bem, eu tampouco morro de amores por vocês, sanguessugas.

Outra longa pausa.

O sujeito alisou o cavanhaque.

– Como você chama vinte caras assistindo à Série Mundial?

– Os New York Yankees – respondeu Butch.

O vampiro caiu na gargalhada, tirou o gorro da cabeça e bateu na coxa com ele, quebrando a tensão.

Butch deixou escapar um longo suspiro, sentindo como se acabasse de se salvar de ser esmagado por um caminhão de dezoito rodas. Enquanto tomava outro gole da garrafa, percebeu que estava tendo uma noite tremendamente estranha.

– Vai me dizer que Curt Schilling não era um deus? – disse o vampiro.

Houve um muxoxo coletivo por parte dos outros homens. Um deles murmurou:

– Se começar a falar do Varitek, vou embora.

– Schilling era um verdadeiro guerreiro – disse Butch, tomando outro gole de uísque. Quando ofereceu o uísque ao vampiro, o sujeito apanhou a garrafa e bebeu um longo gole.

– Amém a isso – disse o vampiro.

Capítulo 39

Quando Marissa entrou em seu quarto, deu um pequeno rodopio, admirando o movimento de seu vestido ao fazê-lo.

– Onde esteve?

Deteve-se na metade do giro, e o tecido fez um rápido redemoinho no ar.

Havers estava sentado na poltrona, com a cara fechada.

– Perguntei: *onde esteve*?

– Por favor, não use esse tom...

– Foi ver a besta.

– Ele não é uma...

– Não o defenda para mim!

Ela não ia fazer isso. Ia contar ao irmão que Wrath havia escutado suas recriminações e admitido sua culpa. Que tinha se desculpado e seu arrependimento tinha sido evidente; e que embora suas palavras não pudessem compensar tudo que acontecera, ela se sentia liberada, e, finalmente, ouvida.

E que apesar de seu antigo *hellren* ter sido a razão pela qual havia ido à casa de Darius, não tinha permanecido ali por sua causa.

– Havers, por favor. As coisas estão muito diferentes – afinal de contas, Wrath havia dito a ela que tomaria uma companheira. E ela havia... conhecido alguém. – Tem de me escutar.

– Não, não tenho. Sei que ainda vai vê-lo. Isso é suficiente.

Havers se levantou da poltrona, caminhando sem sua elegância habitual. Quando a luz o iluminou, ela ficou horrorizada. Tinha a pele cinzenta e as faces encovadas. Nos últimos tempos, vinha emagrecendo muito. Mas, agora, parecia um esqueleto.

– Você está mal – sussurrou ela.

– Estou perfeitamente bem.

– A transfusão não funcionou, não é?

– Não tente mudar de assunto! – olhou-a furioso. – Deus, nunca pensei que chegaríamos a isso. Nunca pensei que esconderia coisas de mim.

– Não fiz isso!

– Disse-me que tinha rompido o compromisso.

– E fiz.

– Está *mentindo*.

– Havers, me escute...

– Não mais! – não a olhou no rosto quando abriu a porta – Você é tudo que me resta, Marissa. Não me peça que fique de braços cruzados educadamente e testemunhe a sua destruição.

– Havers!

A porta bateu.

Com implacável determinação, ela saiu correndo pelo corredor.

– Havers!

Ele estava no primeiro degrau, e se recusou a virar para olhá-la. Apenas lhe fez um gesto de repúdio.

Ela voltou para o seu quarto e sentou-se à penteadeira. Levou um longo tempo antes que o ritmo de sua respiração voltasse ao normal.

A ira de Havers era compreensível, mas assustadora tanto por sua intensidade como pela raridade. Nunca havia visto seu irmão em tal estado. Estava claro que não poderia ter uma conversa civilizada com ele até que se acalmasse.

No dia seguinte, falaria com ele. Contaria tudo, até sobre o novo macho que havia conhecido.

Olhou-se no espelho e pensou em como o humano a tocara. Ergueu a mão, sentindo de novo a sensação daqueles lábios sugando seu dedo. Queria mais dele.

Suas presas se alongaram sutilmente.

Que sabor teria seu sangue?

Depois de acomodar Beth na cama de seu pai, Wrath se dirigiu ao seu quarto e vestiu uma camisa branca e uma calça branca larga. Tirou uma fileira de enormes pérolas negras de uma caixa de ébano e se ajoelhou no chão ao lado de sua cama, sentando-se sobre os calcanhares. Colocou o colar, apoiou as mãos sobre as coxas com as palmas para cima e fechou os olhos.

Enquanto controlava sua respiração, seus sentidos se aguçaram. Pôde escutar Beth mudando de posição na cama do outro lado do corredor, suspirando enquanto afundava nos travesseiros. O resto da casa estava bastante tranquila, só lhe chegavam sutis vibrações. Alguns dos Irmãos foram dormir nos quartos do segundo andar, e podia perceber seus passos.

Podia apostar que Butch e V. ainda estavam falando de beisebol.

Wrath teve de sorrir. Aquele humano era uma figura. Um dos homens mais agressivos que conhecera.

E quanto à Marissa gostar do policial? Bem, teriam de ver onde aquilo iria dar. Ter qualquer tipo de relação com alguém da outra espécie era perigoso. Evidentemente, os Irmãos dormiam com muitas mulheres humanas, mas só uma noite, então, as lembranças eram fáceis de apagar. Uma vez que as emoções entravam em jogo e o tempo passava, era mais difícil fazer um bom trabalho de limpeza no cérebro humano. Algumas lembranças permaneciam e acabavam aflorando, criando problemas.

Diabos, talvez Marissa só estivesse brincando com o cara para depois sugá-lo até ficar seco. Isso, tudo bem. Mas até que ela ou o matasse ou ficasse com ele, Wrath iria vigiar a situação de perto.

Dominou seus pensamentos e pôs-se a entoar cânticos em seu antigo idioma, usando os sons para anular seus processos cognitivos. A princípio, como estava um pouco enferrujado, atrapalhou-se com as palavras. A última vez que tinha recitado aquelas orações tinha dezenove ou vinte anos. As lembranças de seu pai sentado junto a ele, ensinando-lhe o que dizer quase o distraíram de seu objetivo, mas se obrigou a esvaziar a mente.

As pérolas começaram a esquentar contra o seu peito.

Então, viu a si mesmo em um pátio. A branca arquitetura tinha um estilo clássico: a fonte, as colunas e o piso de mármore irradiavam uma leve luminosidade. A única nota de cor vinha de um bando de aves pousadas sobre uma árvore branca.

Deixou de rezar, e pôs-se de pé.

– Faz muito tempo, guerreiro – a majestosa voz feminina soou às suas costas.

Virou-se.

A diminuta figura que se aproximava estava completamente envolta em seda negra. A cabeça, o rosto, as mãos, os pés, tudo. Não caminhou até ele: simplesmente flutuou pelo ar. Sua presença o inquietou.

Wrath fez uma reverência com a cabeça.

– Virgem Escriba, como está?

– A questão é: como você está, guerreiro? Veio em busca de uma mudança, não é?

Ele assentiu.

– Eu...

– Deseja que o compromisso com Marissa seja anulado. Encontrou outra e quer que ela seja a sua companheira.

– Sim.

– Essa fêmea é a filha de seu Irmão Darius, que está no *Fade*.

– Você o viu?

Ela riu ligeiramente.

– Não cabe a você me interrogar. Deixei passar sua primeira pergunta porque estava sendo educado, mas tenha modos, guerreiro.

Droga.

– Peço-lhe que me desculpe, Virgem Escriba.

– Eu libero você e Marissa de seu compromisso.

– Obrigado.

Houve uma longa pausa.

Esperou que ela decidisse sobre a segunda parte de seu pedido. De maneira alguma ousaria formular outra pergunta.

– Diga-me algo, guerreiro. Pensa que sua espécie é indigna?

Ele franziu o semblante, mas se corrigiu rapidamente e adotou uma expressão neutra. A Virgem Escriba não toleraria ser olhada de cara feia.

– E então, guerreiro?

Ele não tinha a menor ideia de onde ela queria chegar com aquela pergunta.

– Minha espécie é uma raça feroz e orgulhosa.

– Não pedi uma definição. Quero saber o que você *acha* dos vampiros.

– Protejo-os com a minha própria vida.

– No entanto, não lidera seu povo. Assim sendo, só posso pensar que não lhe dá valor, e, portanto, luta porque gosta de fazê-lo ou porque deseja morrer. Qual das opções corresponde à verdade?

Desta vez, ele não se preocupou em suavizar sua expressão.

– Minha raça sobrevive graças ao que os Irmãos e eu fazemos.

– Parcamente. Na verdade, seu número diminui. Não prospera. A única colônia identificada é a que se estabeleceu na Costa Leste dos Estados Unidos, e até ali vivem isolados uns dos outros. Não há comunidades. Já não se celebram os festivais. Os rituais, quando se realizam, são observados privativamente. Não há ninguém que medeie disputas, ninguém que lhes dê esperanças. E a Irmandade da Adaga Negra está amaldiçoada. Não há ninguém nela que não sofra.

– Os Irmãos têm seus... problemas. Mas são fortes.

– E deveriam ser mais fortes – sacudiu a cabeça. – Falhou com sua linhagem, guerreiro. Falhou com o seu propósito. Então me diga, por que deveria conceder a você o desejo de tomar a uma mestiça como rainha? – a túnica da Virgem Escriba se moveu como se estivesse sacudindo a cabeça – É preferível que continue a servi-la com os membros de sua equipe do que impor a seu povo outra figura decorativa sem propósito algum. Vá agora, guerreiro. Terminamos.

– Gostaria de dizer algo em minha defesa – disse ele, rangendo os dentes.

– E eu não gostaria de escutá-lo – deu-lhe as costas e se afastou.

– *Rogo a sua clemência* – detestou pronunciar tais palavras, e adivinhou pelo som de sua risada que ela sabia disso...

A Virgem Escriba voltou a se aproximar dele.

Quando falou, seu tom era severo, tão claro como o contraste de sua túnica negra contra o mármore branco.

– Se for rogar, guerreiro, faça-o corretamente: de joelhos.

Wrath forçou seu corpo a descer ao chão, odiando-a.

– Prefiro você assim – murmurou ela, voltando a ser relativamente amável. – Agora, o que queria me dizer?

Ele engoliu as palavras hostis, obrigando-se a simular um equilíbrio que era totalmente falso.

– Eu a amo. Quero honrá-la, não usá-la simplesmente para esquentar minha cama.

– Então, trate-a bem. Mas não há necessidade de realizar uma cerimônia.

– Eu discordo – e acrescentou – respeitosamente.

Houve um longo silêncio.

– Não buscou meu conselho por todos esses séculos.

Ele levantou a cabeça.

– É isso que a incomoda?

– Não me questione! – disse ela, ríspida. – Ou tirarei essa mestiça de você mais rápido do que um piscar de olhos.

Wrath baixou a cabeça e apoiou os punhos sobre o mármore.

Esperou.

Esperou por tanto tempo, que ficou tentado a verificar se ela se fora.

– Terá de me fazer um favor – disse ela.

– É só dizer.

– Liderará seu povo.

Wrath olhou para cima, sentindo um nó na garganta. Não fora capaz de salvar seus pais, mal podia proteger Beth, e a Virgem Escriba queria que se responsabilizasse por toda sua maldita raça?

– O que me diz, guerreiro?

Como se tivesse escolha.

– Como desejar, Virgem Escriba.

– É uma ordem, guerreiro. Não é um desejo, tampouco um favor – emitiu um som de exasperação. – Levante-se. Os nós de seus dedos estão sangrando sobre o meu mármore.

Ele se ergueu e encarou-a. Permaneceu em silêncio, imaginando que, provavelmente, ela iria impor mais condições.

Dirigiu-se a ele em tom áspero:

– Você não deseja ser rei. Isso é óbvio. Mas é sua obrigação por nascimento, e já é hora de viver de acordo com o seu legado.

Wrath passou a mão pelo cabelo; a ansiedade retesava seus músculos.

A voz da Virgem Escriba se suavizou um pouco:

– Não se preocupe, guerreiro. Não o abandonarei nessa empreitada. Virá a mim e eu o ajudarei. Ser sua conselheira é parte de meu propósito.

O que era uma boa coisa, porque iria precisar de muita ajuda. Não tinha a mínima ideia de como governar. Podia matar de cem maneiras diferentes, sair-se bem em qualquer tipo de batalha, manter a cabeça fria quando o maldito mundo estava em chamas. Mas pedir a ele que discursasse a uma multidão de membros de seu povo? Seu estômago embrulhava.

– Guerreiro?

– Sim, virei consultá-la com frequência.

– Mas esse ainda não é o favor que me deve.

– Qual é...? – passou a mão pelo cabelo. – Perdão, retiro a pergunta.

Ela riu baixo.

– Sempre aprendeu rápido.

– Convém-me – se ia ser rei.

A Virgem Escriba flutuou para mais perto, e ele sentiu um perfume de lilases.

– Estenda a mão.

Ele o fez.

As negras pregas de seu traje se moveram quando seu braço se elevou. Algo caiu na mão dele. Um anel. Um pesado anel de ouro engastado com um rubi do tamanho de uma noz. Estava tão quente que quase o deixou cair.

O Rubi Saturnino.

– Dará isso a ela por mim. E eu presidirei a cerimônia.

Wrath apertou o presente com tanta força, que o cravou na palma da mão.

– Então, irá nos honrar com sua presença.

– Sim, mas tenho outra intenção.

– O favor.

Ela riu.

– Essa é boa. Uma pergunta travestida de afirmação. Não se surpreenderá, é obvio, que não responda a você. Vá agora, guerreiro. Vá para sua fêmea. Esperemos que ela seja uma boa escolha para você.

A figura se virou e afastou-se.

– Virgem Escriba?

– Terminamos.

– Obrigado.

Ela parou ao lado da fonte.

As negras pregas se agitaram quando ela estendeu a mão para a água. Quando a seda escorregou para trás, revelou uma luz ofuscante, como se seus ossos brilhassem e sua pele fosse translúcida. No momento em que tocou a água, um arco-íris saiu de suas mãos e tomou o pátio branco.

Wrath chiou em choque quando, de repente, sua visão clareou. O pátio, as colunas, as cores, *ela*... tudo entrou em foco. Fixou o olhar no arco-íris. Vermelho, laranja, amarelo, verde, azul, anil e violeta. As resplandecentes cores eram tão vivas que cortavam o ar. Entretanto, sua vívida beleza não feriu seus olhos. Absorveu aquela imagem, embrulhou-a na mente, reteve-a.

A Virgem Escriba o encarou, e deixou cair a mão. Instantaneamente, as cores se desvaneceram e sua visão enfraqueceu novamente.

Percebeu que ela havia lhe dado um pequeno presente. Do mesmo modo que colocara o anel em sua mão para Beth.

– Você está certo – disse ela suavemente. – Esperava estar mais perto de você. Seu pai e eu tínhamos um vínculo, e esses solitários séculos foram longos e difíceis. Nada de adorações nem cânticos, ou história a preservar. Sou inútil. Fui esquecida. Mas o pior – continuou – é que posso ver o futuro, e ele é funesto. A sobrevivência da raça não está assegurada. Não conseguirá fazer isso sozinho, guerreiro.

– Aprenderei a pedir ajuda.

Ela assentiu.

– Começaremos de novo, você e eu. E trabalharemos juntos, como deve ser.

– Como deve ser – murmurou ele, arrastando as palavras.

– Irei a você e seus Irmãos esta noite – disse ela – e a cerimônia se realizará de forma apropriada. Você assumirá o compromisso adequado, guerreiro, e do jeito certo. Caso a fêmea o aceite.

Teve a sensação de que a Virgem Escriba estava sorrindo.

– Meu pai me disse seu nome – falou. – Eu o usarei, se assim o desejar.

– Faça-o.

– Nos veremos, então, Analisse. Farei os preparativos.

Capítulo 40

O Sr. X observou Billy Riddle entrar no escritório. Estava vestido com uma polo azul escuro e bermuda cáqui; bronzeado, saudável, forte.

– *Sensei* – Billy fez uma reverência com a cabeça.

– Como está, filho?

– Pensei no assunto.

O Sr. X aguardou a resposta, surpreso por se importar tanto com qual seria ela.

– Quero trabalhar para você.

O Sr. X sorriu.

– Isso é bom, filho. Muito bom.

– Então, o que terei de fazer? Terei de preencher formulários para a academia?

– É algo mais complicado que isso. Na realidade, não trabalhará para a academia.

– Mas achei que havia dito...

– Billy, há mais algumas coisas que você terá de entender. E há o pequeno detalhe da iniciação.

– Quer dizer um trote? Porque isso não é problema. Já passei por alguns, por causa do futebol.

– Receio que seja um pouco mais delicado. Mas não se preocupe, eu passei por isso e sei que se sairá bem. Direi a você o que terá de trazer, e eu estarei ao seu lado. O tempo todo.

Afinal de contas, ver Ômega em plena ação não era algo que se pudesse perder.

– *Sensei*, eu, ah... – Riddle pigarreou – só quero que saiba que não o decepcionarei.

O Sr. X sorriu devagar, pensando que essa era a melhor parte de seu trabalho.

Ficou de pé e se aproximou de Billy. Pousando a mão sobre o ombro do rapaz, deu-lhe um apertão, e o olhou fixamente nos grandes olhos azuis que encontraram os seus.

Billy entrou suavemente num transe.

O Sr. X se inclinou para frente e removeu-lhe com cuidado o brinco de diamante. Depois, segurou o macio lóbulo entre o polegar e o indicador, e o massageou.

Sua voz era grave e calma:

– Quero que telefone para o seu pai e fale que vai sair de casa, e que o fará imediatamente. Diga a ele que encontrou um emprego e que tem de fazer um estágio intensivo de preparação.

O Sr. X tirou de Riddle o Rolex de aço inoxidável e depois abriu-lhe a gola da camisa. Introduziu a mão pela abertura e buscou a corrente de platina que Billy usava no pescoço. Abriu o fecho, e deixou-a deslizar para a palma de sua mão. O metal estava morno pelo contato com a pele.

– Quando falar com o seu pai, permanecerá calmo, não importa o que ele disser. Tratará de tranquilizá-lo, dizendo que seu futuro é promissor e que foi escolhido entre muitos candidatos para desempenhar um papel importante. Dirá a ele que sempre poderá entrar em contato com você pelo celular, mas que não poderá vê-lo porque você viajará muito.

O Sr. X correu a mão pelo peito de Billy, sentindo-lhe os músculos, o calor da vida, sua juventude. Quanta força nesse corpo, pensou. Quanta força maravilhosa.

– Não mencionará a academia. Não revelará minha identidade. E não lhe dirá que irá viver comigo – o Sr. X falava diretamente ao ouvido de Billy. – Dirá a seu pai que lamenta todas as coisas más que fez. Dirá que o ama. E, depois, eu irei buscá-lo e o levarei comigo.

Enquanto Billy respirava profundamente em pacífica submissão, o Sr. X recordou sua própria cerimônia de iniciação. Durante um efêmero instante, desejou ter pensado um pouco mais naquela oferta que tinha aceitado décadas atrás.

Agora seria um velho. Talvez tivesse netos, se tivesse encontrado uma mulher que tivesse suportado permanecer ao seu lado durante certo tempo. E teria tido uma vida normal, talvez trabalhando em uma das fábricas de papel ou em um posto de gasolina. Teria sido mais um entre centenas de milhões de homens anônimos com esposas rabugentas, bebendo com seus colegas e passando seus valiosos dias perdidos na insatisfação e na consciência de sua insignificância.

Mas estaria vivo.

Ao olhar nos brilhantes olhos azuis de Billy, o Sr. X se perguntou se realmente tinha saído ganhando com a mudança. Porque já não era dono de si mesmo. Era um servo dos caprichos de Ômega. O servo principal, é verdade, mas, mesmo assim, servo.

E sua morte nunca seria chorada.

Ou porque nunca deixaria de respirar... ou porque ninguém sentiria sua falta quando exalasse seu último suspiro.

De qualquer forma, já não importava muito, porque não havia volta. E isso era a primeira coisa que Riddle aprenderia aquela noite.

O Sr. X liberou a mente e o corpo de Riddle.

– Então, está tudo claro?

Billy concordou, zonzo. Baixou a vista e se olhou, como se se perguntasse o que havia acontecido.

– Bem, agora me dê seu celular – quando Billy lhe entregou o aparelho, o Sr. X sorriu. – Como é que se diz, filho?

– Sim, *sensei*.

Capítulo 41

Beth despertou na cama de Wrath. Em algum momento do dia, ele fora até lá e a carregara para o próprio quarto.

O peito dele estava contra as suas costas. O braço, ao redor de seu corpo. A mão, entre as suas pernas.

Sua ereção, pesada e quente, contra seu quadril.

Virou-se para ele: tinha os olhos fechados e a respiração profunda e lenta. Ela sorriu, pensando que até dormindo Wrath a desejava.

– Amo você – ela sussurrou.

Suas pálpebras se abriram de repente. Era como ser iluminada por dois refletores.

– O que foi, *leelan*? Sente-se bem? – e, então, retirou a mão bruscamente, como se acabasse de se dar conta de onde ela se encontrava. – Sinto muito, eu, ah... Provavelmente ainda não está preparada para... Tão pouco tempo depois de...

Ela agarrou sua mão e a guiou entre suas coxas, pressionando-lhe os dedos contra seu corpo.

As presas dele desceram até o lábio inferior enquanto respirou fundo.

– Estou mais do que pronta para você – murmurou ela, pegando o grosso pênis em sua palma.

Quando ele gemeu e se aproximou, ela pôde sentir os batimentos de seu coração, o fluxo de seu sangue, seus pulmões enchendo-se. Era muito estranho. Podia perceber exatamente quanto a desejava, e não só porque o estava masturbando.

E quando ele deslizou os dedos para dentro dela, seu próprio corpo respondeu, e pôde senti-lo ainda mais excitado. Cada beijo, cada carícia, cada lambida e estremecimento foram ampliados.

Wrath forçou-os a irem mais devagar. Quando ela o montou, deitou-a novamente de costas e lhe deu prazer, embora seu próprio corpo clamasse por alívio urgente. Foi muito meigo com ela, muito carinhoso.

Finalmente, colocou-se sobre suas coxas abertas, apoiando seu peso nos grossos braços. Seu longo cabelo escuro se esparramou e se misturou ao dela.

– Gostaria de poder enxergar o seu rosto com nitidez – disse ele, apertando os olhos como se estivesse tentando focar melhor – só por uma vez, desejaria...

Ela pousou as mãos em suas faces, sentindo a aspereza de sua barba incipiente.

– Direi o que veria – murmurou ela –, "eu amo você". É isso que veria.

Ele fechou os olhos e sorriu. A expressão transformou seu rosto. Resplandecia.

– Ah, *leelan*, não há como você me dar mais prazer do que já dá.

Beijou-a. E lentamente introduziu seu corpo no dela. Quando estavam completamente unidos, ficou imóvel, sussurrando palavras em seu idioma que traduziu imediatamente.

A parte "amo você, minha esposa" iluminou o rosto de Beth com um sorriso radiante.

Butch virou-se, meio adormecido. Aquela cama não era a sua. A dele era de casal, aquela era de solteiro, par de outra adjacente. E os travesseiros também eram diferentes, extraordinariamente macios, como repousar a cabeça sobre um miolo de pão fofinho. E os lençóis, então? Coisa muito fina.

Mas foi o ronco ao seu lado que acabou com qualquer dúvida. Definitivamente, não estava em sua casa.

Abriu os olhos. As janelas estavam cobertas com grossas cortinas, mas a luz que vinha do banheiro foi suficiente para perceber algumas coisas. O quarto todo era extremamente chique. Antiguidades, quadros, papel de parede...

Deu uma olhada para o lugar de onde viera o ronco. Na outra cama, havia um homem profundamente adormecido, cabelos escuros enterrados no travesseiro e os lençóis e cobertas puxados até o queixo.

Tudo voltou.

Vishous. Seu novo amigo.

Torcedor do Red Sox como ele. Um assassino perverso, mas muito inteligente.

Um maldito vampiro.

Butch levou a mão à testa. Virou-se muitas vezes, desassossegado pela companhia ao lado.

Aquilo já era demais.

Como haviam...? Ah, ok. Apagaram depois de esvaziar a garrafa de uísque de Tohr.

Tohr. Diminutivo de Tohrment.

Caraca, já estava até sabendo o nome de todos. Rhage, Phury e aquele maluco assustador, Zsadist.

Vampiro que é vampiro não usa nomes como Tom, Dick ou Harry.

Mas, honestamente, dava para imaginar um sanguessuga letal chamado Howard? Ou Eugene?

Oh, não, Wallie, por favor, não me morda...

Ai, ai, devia estar ficando louco.

Que horas seriam?

– Ei, tira, que horas são? – Vishous perguntou, meio grogue de sono.

Butch estendeu a mão para a mesinha de cabeceira. Junto ao seu relógio de pulso havia um gorro do Red Sox, um isqueiro de ouro e uma luva de motoqueiro.

– Cinco e meia.

– Legal – o vampiro se virou. – Não abra as cortinas nas próximas duas horas. Ou eu viro churrasco e meus Irmãos acabam com a sua raça.

Butch sorriu. Vampiros ou não, compreendia aqueles caras. Falavam a mesma língua que ele. Viam o mundo da mesma maneira. Sentia-se confortável com eles.

Que assustador.

– Está sorrindo – disse Vishous.

– Como sabe?

– Sou muito sensível às emoções. Não vai me dizer que você é desses tipos irritantes que sempre acordam alegres pelas manhãs?

– Não mesmo. E não é de manhã.

– Para mim, é, tira – Vishous virou de lado e olhou para Butch.

– Sabe de uma coisa? Mandou bem ontem à noite. Não conheço muitos humanos que enfrentariam o Rhage ou a mim, e muito menos diante dos outros Irmãos.

– Ah, não: pode ir parando com esse papinho meloso. Não vou me apaixonar por você – mas a verdade era que Butch se sentia comovido por aquela manifestação de respeito.

Mas, então, Vishous estreitou os olhos. Seu intelecto era implacável, ser avaliado por ele era como ser despido por completo.

– Você tem uma vontade danada de morrer – não foi uma pergunta.

– Sim, talvez – respondeu Butch. Esperou que o outro lhe perguntasse a razão. Como isso não aconteceu, ficou surpreso.

– Todos nós temos – murmurou Vishous –, é por isso que não lhe pergunto os detalhes.

Ficaram em silêncio um momento.

Os olhos de Vishous se estreitaram novamente.

– Não voltará para a sua antiga vida, tira. Tem consciência disso, não é? Sabe muito sobre nós. Jamais poderíamos apagar completamente sua memória.

– Está me dizendo para eu já ir escolhendo o meu caixão?

– Espero que não. Mas não depende de mim. Depende bastante de você – fez uma pausa –, não tem muitos motivos para voltar, tem?

Butch olhou para o teto.

Quando os Irmãos deixaram que checasse suas mensagens naquela manhã, só encontrou uma. Era do capitão, ordenando que se apresentasse para os resultados da investigação da Assuntos Internos.

Não era precisamente um compromisso que desejasse cumprir. Sabia perfeitamente qual seria o resultado. Seria despedido e serviria como bode expiatório para combater a imagem da violência policial. Ou o colocariam para pastar num trabalho administrativo.

E quanto à sua família? Mamãe e papai, com a graça de Deus, ainda viviam em uma casa igual às dos vizinhos em South Boston*, rodeados pelos filhos e filhas ainda vivos que tanto amavam. Embora ainda estivessem de luto por Janie, eram felizes em sua aposentadoria. E os irmãos de Butch estavam tão ocupados tendo bebês, criando-os e pensando em ter mais filhos, que se encontravam totalmente imersos em suas obrigações familiares. No clã O'Neal, Butch era só uma nota de rodapé. A ovelha negra que fracassara em procriar.

Amigos? Jose era o único que podia, ainda que remotamente, considerar seu amigo. Abby sequer era isso. Tratava-se, simplesmente, de uma boa transa de vez em quando.

E depois de conhecer Marissa na noite anterior, tinha perdido interesse pelo sexo casual.

Voltou a olhar para o vampiro.

– Não, não tenho.

– Sei bem o que é isso – Vishous se revirou na cama, tentando ficar confortável. Finalmente, deitou-se de costas, colocando um dos pesados braços sobre os olhos.

Butch franziu o semblante quando viu a mão esquerda do vampiro. Estava coberta de tatuagens: desenhos intrincados que, do dorso, desciam à palma e terminavam ao redor de cada um dos dedos. Devia ter doído à beça para ser feita.

– V.?

– O quê?

– Qual é a das *tattoos*?

– Eu não me meto na sua vida miserável e você não se mete na minha, falou? – Vishous retirou o braço. – Se eu ainda não tiver acordado às oito, me chame, beleza?

---

* Ou Southie, como é chamado por seus moradores, é um conhecido e populoso bairro operário de Boston, cuja maioria da população é de ascendência irlandesa.

– Sim. Beleza.

Butch fechou os olhos.

Capítulo 42

No quarto do piso subterrâneo, Beth fechou o chuveiro, estendeu a mão para a toalha e derrubou sem querer o anel de noivado da bancada de mármore.

– Oh, isso não é bom. *Realmente*, nada bom... – fechou a mão nervosa, pensando que tinha sorte por Wrath estar no andar de cima fiscalizando os preparativos para a cerimônia. Mas o barulho que a pesada peça fez ao bater no chão fora tão forte que talvez tivesse sido ouvida lá.

Preparou-se antes de olhar para baixo, convencida de que a pedra ou se soltara do engaste ou lascara. Mas estava em perfeito estado.

Não que estivesse ávida a voltar a colocá-lo no dedo. Nunca gostara de usar anéis, mas teria de se acostumar a usar aquele.

Quem dera se todas as dificuldades da vida fossem como aquela, pensou ironicamente. *O noivo colocara uma pedra preciosa de incalculável valor em seu dedo. Que chateação.*

Teve de rir enquanto se secava. Wrath estava tão orgulhoso ao fazê-lo. Havia dito que era um presente de alguém a quem conheceria naquela noite.

Em seu casamento.

Parou de se secar um instante. Meu Deus, aquela palavra. Casamento. Quem haveria de pensar que ela...?

Alguém bateu na porta do quarto.

– Olá, Beth. Está aí? – a desconhecida voz feminina soou abafada.

Beth vestiu o roupão de Wrath e se dirigiu para lá, mas não abriu a porta.

– Sim?

– Sou Wellsie. A companheira de Tohr. Pensei que você gostaria que alguém a ajudasse a se preparar para esta noite, e trouxe para você um vestido de cerimônia, se por acaso não tiver nenhum. Bem, acontece que também sou daquelas fêmeas típicas, bem curiosas, e estava louca para conhecer você.

Beth abriu a porta.

Uau!

Wellsie não tinha nada de típica. Cabelo vermelho incandescente, rosto de deusa grega, transpirando autoconfiança. Seu vestido de um azul vivo ressaltava seu colorido como o céu de outono contra as folhas avermelhadas das árvores.

– Ah, oi – disse Beth.

– Oi para você também – os olhos cor de uva de Wellsie eram astutos sem serem frios. Especialmente quando sorria.

– Você é fabulosa. Não é à toa que Wrath caiu de quatro por você.

– Quer entrar?

Wellsie entrou no quarto, carregando uma caixa grande e achatada e uma bolsa grande. Tinha um ar de superioridade, mas, por alguma razão, não parecia autoritária.

– Tohr quase não me conta o que estava acontecendo. Wrath e ele estão meio brigados.

– Por quê?

Wellsie revirou os olhos, fechou a porta do outro lado do quarto e depositou a caixa sobre a mesinha de centro.

– Machos como eles sempre estão cheios de ressentimento, e de vez em quando sentem vontade de se matar. É inevitável. Tohr não quis me dizer a causa do desentendimento deles, mas posso imaginar. Honra, coragem no campo de batalha ou nós, suas fêmeas – Wellsie abriu a caixa, revelando "toneladas" de cetim vermelho. – Nossos rapazes têm bom coração, mas de vez em quando perdem a cabeça e falam o que não devem.

Virou-se e sorriu.

– Já chega de falar deles. Está preparada para logo mais?

Normalmente, Beth era reticente com os estranhos. Mas sentiu que valia a pena confiar naquela mulher de conversa franca e olhar perspicaz.

– Talvez não – riu Beth – quer dizer, não conheço o Wrath há muito tempo, mas sinto que ele é o cara para mim. Sei disso por instinto, não racionalmente.

– Foi a mesma coisa com o Tohr – o rosto de Wellsie se suavizou –, assim que o vi ele me ganhou.

Passou a mão na barriga, distraidamente.

Está grávida, pensou Beth.

– Para quando é o bebê?

Wellsie ficou vermelha, mais de ansiedade do que de alegria, ao que pareceu.

– Falta muito. Um ano. Se conseguir manter a gravidez – inclinou-se e pegou o vestido. – E então, gostaria de experimentá-lo? Temos quase o mesmo tamanho.

O vestido era uma autêntica antiguidade, com pedraria negra sobre renda no corpete e as camadas da saia caindo em cascata. O cetim vermelho flamejava à luz das velas, conservando o brilho na profundidade de suas dobras.

– É... espetacular – Beth estendeu as mãos e acariciou o tecido.

– Minha mãe mandou fazer para mim. Casei-me com ele há quase duzentos anos. Podemos eliminar o espartilho se quiser, mas trouxe as anáguas. São tão divertidas... E ouça: se não gostou ou planejava vestir outra coisa, não me sentirei nem um pouco ofendida.

– Está doida? Até parece que vou recusar essa maravilha para poder me casar de short.

Beth pegou o vestido e praticamente correu para o banheiro. Vestir a roupa foi como viajar ao passado, e quando voltou para o quarto não podia parar de afofar a saia. O corpete ficara um pouco justo, mas não fazia mal, contanto que não enchesse completamente os pulmões.

– Está esplendorosa – disse Wellsie.

– Sim, porque é a roupa mais linda que já vesti na vida. Pode me ajudar com os últimos botões nas costas?

Os dedos de Wellsie executaram a tarefa de forma hábil e rápida. Quando terminou, inclinou a cabeça para um lado e juntou as mãos.

– Faz-lhe justiça. A combinação de vermelho e negro faz um jogo perfeito com seu cabelo. Wrath vai desmaiar quando a vir.

– Tem certeza de que quer emprestá-lo? – e se derramasse algo nele?

– As roupas são feitas para serem usadas. E esse vestido não cumpre a sua função desde 1814 – Wellsie consultou seu relógio de diamantes. – Vou lá em cima para ver como vão os preparativos. É muito provável que Fritz esteja precisando de ajuda. Os Irmãos sabem muito bem como comer, mas sua habilidade na cozinha é deplorável. Poderiam ser melhores com uma faca, se considerarmos como levam a vida.

Beth virou-se.

– Se você me der uma mãozinha com esses botões, vou com você.

Depois de ajudá-la a tirar o vestido, Wellsie hesitou.

– Escute, Beth... Estou feliz por você. De verdade. Mas acho que devo ser sincera. Ter um desses machos como companheiro não é fácil. Espero que me chame se necessitar de alguém para desabafar.

– Obrigada – disse Beth, pensando que certamente o faria. Sem dúvida, Wellsie podia dar bons conselhos. Aquela mulher passava a impressão de ter tudo sob controle em sua própria vida, e parecia muito... competente.

Wellsie sorriu.

– E é provável que eu também recorra a você de vez em quando. Como esperei para ter alguém com quem falar e que possa me compreender!

– Nenhum dos outros Irmãos tem esposa?

– Você e eu somos as únicas, querida.

Beth sorriu.

– Então, será melhor nos unirmos.

Wrath subiu ao segundo andar, perguntando-se quem dormira onde. Bateu na porta de um dos quartos de hóspedes, e Butch respondeu. O humano estava secando o cabelo com uma toalha. Tinha outra amarrada ao redor da cintura.

– Sabe onde está V.? – perguntou Wrath.

– Sim, está se barbeando – o policial apontou com o queixo por cima do ombro e se afastou para um lado.

– Precisa de mim, chefe? – perguntou V. em voz alta, do banheiro.

Wrath deu uma risadinha.

– Mas que cena mais meiga...

O "vá se danar!" chegou em uníssono, ao mesmo tempo em que Vishous entrava no quarto, de cueca. Suas bochechas estavam cobertas de espuma de barbear e ele usava uma navalha antiga. Tinha ambas as mãos descobertas.

Meu Deus. A mão esquerda estava ao ar livre, com suas tatuagens sagradas pressagiando graves consequências a qualquer um que entrasse em contato com ela. Wrath se perguntou se o humano fazia alguma ideia do que V. podia fazer com aquilo.

Provavelmente, não. Ou o tira não estaria tão relaxado zanzando pelo quarto seminu.

– Ouça, V. – disse Wrath –, há um pequeno problema que preciso resolver antes de me casar.

Geralmente trabalhava só, mas, se ia cuidar de Billy Riddle, queria que Vishous o ajudasse. Os humanos não se desintegravam ao serem esfaqueados, mas a mão esquerda de seu Irmão podia dar um jeito no corpo. Um momento de trabalho, e aquele cadáver evaporava.

V. sorriu abertamente.

– Só preciso de cinco minutos e já estarei pronto.

– Combinado – Wrath pôde sentir os olhos de Butch sobre ele. Era evidente que o policial queria saber do que se tratava.

– Não vai querer saber disso, detetive. Principalmente, levando-se em conta a sua vocação.

– Estou fora da corporação. Só para que saibam.

Interessante, pensou Wrath.

– Importa-se de me dizer por quê?

– Fraturei o nariz de um suspeito.

– Em uma briga?

– Durante o interrogatório.

Já era de se esperar.

– E por que faria algo assim?

– Ele tentou estuprar a sua futura esposa, vampiro. Não senti vontade de ser gentil quando disse que ela pediu por aquilo.

Um rugido saiu da garganta de Wrath. O som foi como algo vivo brotando de suas vísceras.

– Billy Riddle.

– Beth lhe contou sobre esse cara?

Wrath se precipitou para a porta.

– Mova-se V. – disse bruscamente.

Quando chegou ao andar inferior, sentiu a presença de Beth e a encontrou atravessando o quadro. Dirigiu-se para ela e a envolveu com os braços, apertando-a com força. Seria vingada antes da cerimônia. Não merecia menos de seu *hellren*.

– Você está bem? – sussurrou ela.

Ele fez que sim com a cabeça mergulhada nos cabelos dela e, então, viu a companheira de Tohr.

– Olá, Wellsie. Que bom que veio.

A fêmea sorriu.

– Imaginei que ela precisaria de uma ajuda.

– E me alegra que esteja aqui – afastou-se de Beth o tempo suficiente para beijar a mão de Wellsie.

Vishous entrou a passos largos, armado até os dentes.

– Wrath. Vamos, cara?

– Aonde vai? – perguntou Beth.

– Preciso cuidar de um assunto – correu a mão pelo braço dela –, os outros ficarão aqui para ajudar com os preparativos. A cerimônia começará à meia-noite, e eu estarei de volta antes.

Pareceu que ela iria contestar, mas olhou para Wellsie. As duas fêmeas se entenderam, de alguma forma.

– Cuide-se – disse Beth, finalmente – Por favor.

– Não se preocupe – beijou-a longamente. – Amo você, *leelan*.

– O que significa essa palavra?

– Algo muito parecido com *minha amada.*

Pegou sua jaqueta que estava sobre uma cadeira e deu-lhe mais um beijo rápido antes de sair.

Capítulo 43

Butch se penteou, pôs um pouco de colônia e vestiu um traje que não era dele. Da mesma forma que o armário do banheiro estava repleto de diferentes loções e cremes de barbear, os armários estavam abarrotados de roupas masculinas novinhas em folha, em tamanhos grandes. Tudo de grife.

Jamais havia usado Gucci.

Apesar de não gostar de ser um parasita, não podia ver Marissa com a mesma roupa que usara na noite anterior. Mesmo que fosse elegante – o que não era – agora certamente estaria cheirando mal: uma mistura do tabaco turco de V. e uísque.

Queria estar especial para ela. E conseguiu.

Butch deu uma volta diante de um espelho de corpo inteiro, sentindo-se um "frutinha", mas incapaz de fazer coisa alguma para evitá-lo. O traje negro risca de giz caía-lhe muito bem. A impecável camisa branca de colarinho aberto ressaltava seu bronzeado. E o bonito par de sapatos Ferragamo que encontrara em uma caixa acrescentava o toque final.

Estava bastante atraente, pensou. Desde que ela não olhasse muito de perto seus olhos injetados.

As quatro horas de sono e a grande quantidade de uísque se faziam notar.

Batidas leves soaram na porta.

Sentindo-se meio ridículo, esperou que não fosse um dos Irmãos.

Ao abrir, o mordomo ergueu a vista com um sorriso.

– Senhor, está muito elegante. Boas escolhas, boas escolhas.

Butch deu de ombros, ajeitando o colarinho.

– Sim, bem...

– Mas precisa de um lenço no bolso do terno. Posso?

– Ah, claro.

O velhinho se dirigiu a uma cômoda, abriu uma das gavetas e buscou o que tinha em mente.

– Esse será perfeito.

Suas mãos nodosas dobraram o tecido branco como se fosse uma obra-prima de origami, e o ajeitaram no bolso frontal de Butch.

– Agora já está preparado para a sua convidada. Ela está aqui. Vai recebê-la?

Recebê-la?

– Caramba, claro.

Enquanto se encaminhavam para o vestíbulo, o mordomo sorriu de leve.

– Pareço um idiota, não é? – disse Butch.

O rosto de Fritz ficou sério.

– Nem um pouco, senhor. Estava pensando como Darius teria gostado disso tudo. Gostava de ter a casa cheia de gente.

– Quem é Dar...?

– Butch?

A voz de Marissa os fez parar de chofre. Encontrava-se no alto da escada, e deixou Butch sem fôlego. Trazia o cabelo preso, e seu elegante vestido de festa era rosa claro. Seu tímido prazer ao vê-lo fez com que seu peito estufasse de satisfação.

– Olá, doçura – avançou para ela, consciente de que o mordomo sorria de orelha a orelha.

Ela brincou um pouco com o vestido, como se estivesse nervosa.

– Provavelmente, devia ter esperado lá embaixo. Mas todos estão tão ocupados. Pareceu-me estar atrapalhando.

– Quer ficar um pouco aqui em cima?

Ela concordou.

– Se não se importar. É mais tranquilo.

O mordomo interveio:

– Há um terraço no segundo andar. No final do corredor.

Butch lhe ofereceu o braço.

– Que tal? Vamos?

Ela deslizou a mão por seu cotovelo. Quando seus olhos se encontraram com os dele, seu rubor foi encantador.

– Parece ótimo. Sim, vamos.

Queria ficar a sós com ele.

Butch pensou que era um bom sinal.

Enquanto Beth levava uma travessa de aperitivos para o salão, estava convencida de que Fritz e Wellsie podiam governar juntos um país pequeno. Haviam colocado os membros da fraternidade para trabalhar, pondo a mesa da sala de jantar, substituindo as velas usada por novas, colaborando com a comida. E só Deus sabia o que estava acontecendo no quarto de Wrath. A cerimônia aconteceria ali, e Rhage tinha permanecido uma hora no quarto.

Beth deixou a travessa sobre o aparador e retornou à cozinha. Encontrou Fritz tentando alcançar um grande recipiente de cristal no alto de um armário de alimentos.

– Espere, eu ajudo.

– Oh, obrigado, minha senhora.

Ela apoiou o recipiente na bancada e Fritz o encheu de sal.

Problemas de hipertensão à vista, pensou Beth.

– Beth? – chamou Wellsie.

– Pode ir à despensa e pegar três frascos de pêssegos em conserva para a guarnição do presunto?

Beth entrou na pequena sala quadrada e acionou o interruptor de luz. Havia latas e frascos do chão até o teto, de todas as formas e tamanhos. Estava procurando os pêssegos quando escutou que a porta se abria.

– Fritz, você sabe onde...?

Virou-se e topou diretamente com o musculoso corpo de Zsadist.

Ele chiou, e ambos deram um salto para trás enquanto a porta se fechava, deixando-os fechados ali.

Zsadist fechou os olhos como se estivesse sentindo dor, ao mesmo tempo em que abria os lábios revelando as presas e os dentes.

– Sinto muito – sussurrou ela, tratando se afastar. Não havia muito espaço, nem escapatória. Ele bloqueava a saída – Não tinha visto você. Sinto muito de verdade.

Ele estava usando outra camisa de mangas longas muito justa, por isso, quando fechou os punhos a tensão de seus braços e de seus ombros ficou evidente. Ele já era alto, mas a força de seu corpo o fazia parecer maior ainda.

Abriu as pálpebras. Quando aqueles olhos negros a olharam, ela estremeceu.

Frio. Muito frio.

– Caramba, já sei que sou feio – disse bruscamente –, mas não tenha medo de mim. Não sou um completo selvagem.

Então, pegou alguma coisa e saiu.

Beth se recostou contra os frascos e latas e olhou para o espaço vazio lá no alto que ele havia deixado na prateleira. Pepinos japoneses. Levara uma lata de pepinos japoneses.

– Beth, encontrou...? – Wellsie parou de chofre na soleira da porta.

– O que aconteceu?

– Nada. Não foi... nada.

Wellsie lançou-lhe um olhar perspicaz enquanto ajustava o avental sobre seu vestido azul.

– Está mentindo, mas é o dia de seu casamento, assim deixarei para lá – localizou o presunto e desceu algumas latas.

– Ouça, por que não vai para o quarto de seu pai e descansa um pouco? Rhage já terminou, assim pode ficar ali um momento, tranquila. Precisa relaxar um pouco antes da cerimônia.

– Sabe? Acredito que é uma ótima ideia.

Butch se recostou na cadeira de balanço de vime, cruzou as pernas e deu impulso com o pé. A cadeira rangeu.

À distância, brilhou um relâmpago. O jardim lá embaixo perfumava a noite.

Havia também o perfume de oceano de Marissa.

Do outro lado do terraço, a mulher inclinou a cabeça para trás para olhar o céu. Uma leve brisa de verão despenteou-lhe ligeiramente o cabelo ao redor de seu rosto.

Ele percebeu que poderia passar o resto da vida ali, contemplando-a, e não seria o suficiente.

– Butch?

– Sinto muito. O que disse?

– Disse que está muito atraente com esse traje.

– Esse trapo? Vesti isso sem pensar.

Ela riu, exatamente como havia sido sua intenção, mas assim que ouviu sua risada cristalina, ficou sério.

– Você sim que é linda.

Ela levou a mão ao pescoço. Não parecia saber o que fazer com os elogios, como se nunca tivesse recebido muitos.

Embora parecesse difícil de acreditar que tal coisa fosse verdade.

– Fiz esse penteado para você – disse ela –, pensei que você gostaria desse jeito.

– Eu gosto de todos os jeitos. Todos.

Ela sorriu.

– Também escolhi este vestido para você.

– Também gostei. Mas sabe de uma coisa, Marissa? Não precisa se esforçar comigo.

Marissa baixou os olhos.

– Estou acostumada a me esforçar.

– Então, já não tem de fazê-lo. Você é perfeita.

Um largo sorriso iluminou o seu rosto, e ele a ficou olhando fascinado.

A brisa aumentou um pouco, açoitando sua saia de chiffon ao redor da graciosa curva de seus quadris. E, de repente, já não estava pensando apenas em quão adorável ela era.

Butch quase riu. Nunca pensara que o desejo podia arruinar um momento como aquele, mas não lhe importaria de modo algum adiar suas necessidades físicas durante aquela noite, ou até mais. Na realidade, queria tratá-la bem. Ela era uma mulher digna de ser adorada, querida, e merecia ser feliz.

Butch ficou sério. Sim, mas como iria fazer aquilo? Quer dizer, a parte de fazê-la feliz? Pois as outras duas já estavam garantidas.

Uma vampira virgem... era uma categoria feminina da qual não sabia absolutamente nada.

– Marissa, sabe que não sou de sua espécie, não é?

Ela concordou.

– Desde o momento em que o vi pela primeira vez.

– E isso não a... – *decepciona?* – não a incomoda?

– Não. Eu gosto da forma como me sinto quando estou perto de você.

– E como é isso? – perguntou ele.

– Sinto-me segura. Sinto-me bela – fez uma pausa, olhando os lábios do homem – e, às vezes, sinto outras coisas.

– Como o quê? – apesar de suas boas intenções, realmente desejava saber que outras emoções provocava nela.

– Sinto uma espécie de calor. Sobretudo aqui – tocou os seios – e aqui – suas mãos roçaram a junção de suas coxas.

Butch começou a ver duplo, seu coração disparou. Enquanto suspirava fundo, teve certeza de que sua cabeça iria explodir.

– Sente algo? – perguntou ela.

– Pode estar certa que sim.

Sua voz soava pastosa. *É o que o desespero faz a um homem.*

Marissa atravessou o terraço, aproximando-se dele.

– Eu gostaria de beijá-lo, se não tiver objeção.

Objeção? Estava disposto a implorar só para poder continuar olhando para ela!

Descruzou as pernas e se endireitou na cadeira, pensando que só o que poderia mantê-lo na linha era que aparecesse alguém naquele momento. Estava a ponto de ficar de pé quando ela se ajoelhou diante dele.

E colocou o corpo diretamente entre suas pernas.

– Uau, calminha aí – deteve-a antes que fizesse contato com sua ereção. Não estava seguro de que ela estivesse preparada para aquilo. Não estava seguro que *ele* estivesse preparado. – Se formos... Temos de fazer isso com calma. Quero que seja bom para você.

Ela sorriu e ele vislumbrou as pontas de suas presas. Seu membro latejou.

Quem haveria de pensar que aquilo o excitaria?

– Ontem à noite sonhei com isso – murmurou ela.

Butch pigarreou.

– Verdade?

– Imaginei que vinha à minha cama e se inclinava sobre mim.

Oh, Deus, ele também imaginava. Exceto que em sua fantasia ambos estavam nus.

– Você estava nu – sussurrou ela, apoiando-se nele, como se lesse seu pensamento. – E eu também. Sua boca procurava a minha. Tinha um sabor penetrante, como o de uísque. Eu gostei disso – seus lábios se encontravam a poucos centímetros dos dele – Eu gostei de você.

Santo Deus. Ele estava a ponto de explodir, e nem haviam se beijado ainda.

Ela se moveu, tentando se aproximar, mas ele a deteve no último momento. Ela era "muita areia para o caminhãozinho dele". Muito adorável. Muito sensual... Muito, muito inocente...

Tinha consciência de que, ao longo de sua vida, desapontara muita gente. Não queria que Marissa passasse a fazer parte dessa lista. Ela merecia um príncipe, não um ex-policial fracassado vestido com roupa emprestada. Não tinha a menor ideia de como se desenvolvia a vida particular dos vampiros. Mas estava completamente seguro de que ela merecia alguém muito superior a ele.

– Marissa?

– Hum? – seus olhos não se separavam dos lábios de Butch. Apesar de sua inexperiência, parecia disposta a devorá-lo.

E ele queria ser devorado.

– Não me deseja? – sussurrou ela, afastando-se um pouco. Parecia preocupada. – Butch?

– Oh, não, doçura. Não é isso.

Mudou as mãos de seus ombros para a nuca, sustentando-lhe firmemente a cabeça. Depois, inclinou a própria cabeça e pousou os lábios em sua boca.

Ofegante, levou o fôlego dele para os seus pulmões, como se quisesse reter uma parte dele em seu interior. Ele murmurou de satisfação, mas se controlou e continuou a acariciá-la suavemente. Quando ela oscilou o corpo na direção dele, Butch traçou o contorno de seus lábios com a língua.

Deve ter um sabor tão doce, pensou ele, preparando-se para ir mais fundo enquanto ainda podia se controlar.

Mas Marissa se adiantou, capturando sua língua com a boca e sugando-a.

Butch gemeu, seus quadris se sacudiram na cadeira. Ela interrompeu o beijo.

– Não gostou disso? Eu adorei quando fez a mesma coisa com o meu dedo ontem à noite.

Ele afrouxou o colarinho. Onde diabos foi parar todo o ar desta parte da América do Norte?

– Butch?

– Claro que eu gostei – disse ele com uma voz gutural. – Acredite-me. Gostei, *de verdade*.

– Então, farei de novo.

Equilibrou-se para frente e tomou a boca do homem em um ardente beijo, oprimindo-o contra o respaldo de vime, impactando-o como uma tonelada de tijolos. Ele se encontrava em tal estado de choque, que a única coisa que pôde fazer foi se agarrar aos braços da cadeira. Aquilo foi poderoso. Erótico. Mais ardente que o inferno. Praticamente subiu por seu peito enquanto explorava-lhe a boca, e ele preparou o corpo, deslocando seu peso para as palmas das mãos.

De repente, houve um estrondo.

E, depois, ambos rolaram pelo chão.

– Que dro...? – Butch elevou a mão esquerda, e ali apareceu o braço de vime ao qual se segurava.

A cadeira se partira em duas.

– Você está bem? – disse ele sem fôlego, atirando longe o pedaço do móvel.

– Oh, sim – ela sorriu. Seu vestido havia ficado preso entre as pernas de Butch. E seu corpo estava colado ao dele. Quase no lugar exato onde ele necessitava que estivesse.

Ao olhá-la, estava pronto para tudo, preparado para se meter por baixo de seu vestido, separar suas coxas com os quadris, e enterrar-se em seu calor até se perderem totalmente.

Mas, em seu atual estado de excitação, o mais provável era que a possuísse com afã, sem a delicadeza que ela merecia. E estava enlouquecido o bastante para fazê-lo ali mesmo, no terraço, ao ar livre.

Por isso, necessitava *urgentemente* de uma trégua.

– Ajudarei você a se levantar – disse ele bruscamente.

Marissa se moveu mais rápido que ele, ficando de pé num salto. Quando estendeu a mão para ajudá-lo, ele a pegou sem levar muita fé, diante de sua aparente fragilidade. Mas, viu-se erguido do chão como se não pesasse mais do que uma folha de papel.

Ele sorriu enquanto limpava o paletó.

– É mais forte do que parece.

Ela pareceu envergonhada e se concentrou em arrumar o vestido.

– Não é assim.

– Isso não é ruim, Marissa.

Os olhos dela voltaram a se fixar nos de Butch e logo, lentamente, desviaram-se para seu corpo.

Envergonhado, ele se deu conta da selvagem ereção que se destacava em sua calça. Virou-se, para poder disfarçá-la.

– O que está fazendo?

– Nada – virou-se para ela, imaginando se seu pulso se normalizaria algum dia.

Por Deus, se seu coração podia aguentar um beijo dela, provavelmente poderia correr uma maratona. Arrastando um automóvel por uma corda. Fora da pista.

– Gostei disso – disse ela.

Ele teve de rir.

– Eu também. Mas é difícil acreditar que seja vir...

Butch fechou a boca de repente. Esfregou as sobrancelhas com o polegar. Com razão não saía com garotas. Tinha a educação de um chimpanzé.

– Quero que saiba – murmurou – que às vezes eu meto os pés pelas mãos. Mas farei um esforço por você.

– Os pés pelas mãos?

– Ponho tudo a perder. Estrago tudo. Quer dizer... ai, que inferno – olhou para a porta. – Escute, o que acha de descermos para espiar como andam os preparativos para a festa?

Porque se permanecessem ali só mais um minuto, jogaria-se em cima dela como um alucinado.

– Butch?

Ele voltou a olhá-la.

– Sim, doçura?

Os olhos dela brilhavam. Lambeu os lábios.

– Quero mais de você.

Butch prendeu a respiração, perguntando-se se ela estava se referindo ao seu sangue.

Ao olhar seu belo rosto, reviveu o que havia sentido quando ela o empurrou contra a cadeira, e imaginou que em lugar de beijá-lo estava afundando aquelas presas brancas em seu pescoço.

Não podia pensar em uma forma mais doce de morrer que em seus braços.

– Tudo o que quiser de mim – murmurou – pode tomar.

Capítulo 44

Wrath observou Billy Riddle sair da mansão e se ocultou atrás das colunas da fachada. O cara descarregou uma bolsa de lona e olhou para o céu.

– Perfeito – disse Wrath a Vishous.

– Temos tempo suficiente para matá-lo e retornar.

Mas antes que saíssem das sombras, um Hummer negro se aproximou lentamente pelo caminho da entrada. Ao passar junto a eles, o cheiro adocicado de talco de bebês escapou pelas janelas.

– Isso só pode ser brincadeira – murmurou Wrath.

– É um *redutor*, Irmão.

– E quer apostar que está recrutando pessoal?

– Bom candidato.

Billy saltou para dentro do automóvel.

– Devíamos ter trazido meu carro – murmurou V. – Assim poderíamos segui-los.

– Não há tempo para perseguições. A Virgem Escriba se apresentará à meia-noite. Faremos agora. Aqui.

Wrath saltou diante do Hummer e plantou as mãos sobre o capô, obrigando-o a parar. Olhou através do para-brisas enquanto Vishous se aproximava pela lateral, avançando furtivamente para a porta do motorista.

Wrath sorriu quando o veículo mudou a marcha para estacionar. No interior do carro, pôde detectar medo e surpresa. Sabia qual dos dois era Billy Riddle. O sujeito estava tenso. Já o *redutor*, estava preparado para lutar.

Mas havia algo mais. Algo que não estava certo.

Wrath deu uma olhada rápida ao seu redor.

– Cuidado, V.

O rugido do motor de um carro ressoou na noite, e um grupo de homens foi iluminado pelos faróis.

Um sedan parou adiante, e dois homens saltaram dele com as armas em punho.

– Polícia estadual. Mãos para cima. Você, do carro, saia daí.

Wrath olhou para a porta do motorista. O homem que saiu dali era grande e enérgico. E, por baixo do cheiro de talco, trazia o fedor maligno de um *redutor*.

Quando o membro da Sociedade ergueu as mãos, ficou olhando fixamente a insígnia na jaqueta de Wrath.

– Por Deus. Pensava que fosse um mito. O Rei Cego.

Wrath mostrou as presas.

– Nada do que ouviu sobre mim é um mito.

Os olhos do *redutor* faiscaram.

– Isso é inspirador.

– E me parte o coração termos de nos separar agora. Mas voltaremos a nos encontrar com você e com o novo recruta. Em breve.

Wrath inclinou a cabeça em direção a Vishous, apagou completamente as lembranças dos humanos, e se desmaterializou.

O Sr. X estava atônito.

O Rei Cego existia.

Durante séculos haviam circulado histórias sobre ele. Acreditava que era uma lenda. Ninguém jamais o vira, ao menos desde que o Sr. X se unira à Sociedade. De fato, abundavam os rumores sobre a morte daquele guerreiro, mas eram conclusões apoiadas, sobretudo, na desintegração da sociedade dos vampiros.

Mas não, o rei estava vivo.

Santo Deus. Esse sim seria um bom troféu para colocar sobre o altar de Ômega.

– Eu lhes disse que ele estava vindo – explicava Billy aos policiais. – Ele é meu mestre de artes marciais. Por que nos pararam?

Os oficiais guardaram as armas e se concentraram no Sr. X.

– Posso ver sua identificação, senhor? – perguntou um deles.

O Sr. X sorriu e entregou sua carteira de motorista.

– Billy e eu íamos jantar e talvez ir ao cinema.

O homem estudou a fotografia e depois o rosto do *redutor*.

– Sr. Xavier, aqui está a sua carteira. Lamento o incômodo.

– Não há problema, policial.

O Sr. X e Billy retornaram ao Hummer.

Riddle praguejou.

– São uns idiotas. Por que nos pararam?

Porque fomos abordados por dois vampiros, pensou o Sr. X. *Você não se lembra, e nem esses dois policiais.*

Complexos jogos mentais. Complicados, complicados.

– O que a polícia do estado está fazendo aqui? – perguntou o Sr. X, colocando o carro em movimento.

– Meu pai recebeu outra ameaça terrorista e decidiu passar um tempo em Washington. Virá para casa esta noite. Eles estarão rondando por toda a propriedade até que papai retorne à capital.

– Falou com seu pai?

– Sim. Pareceu aliviado.

– Estou certo que sim.

Billy procurou qualquer coisa em sua bolsa de lona.

– Trouxe o que me pediu. Tirou um jarro de cerâmica de boca larga e com tampa.

– Está ótimo, Billy. O tamanho é perfeito.

– Para que é?

O Sr. X sorriu.

– Logo saberá. Está com fome?

– Não, estou muito nervoso para comer – Billy entrelaçou as mãos e apertou-as, flexionando os músculos. – Só queria que soubesse que não me rendo facilmente. Aconteça o que acontecer esta noite, não abandonarei a luta.

É o que veremos, pensou o Sr. X, enquanto se dirigia para sua casa. A cerimônia seria realizada no celeiro, e a mesa de torturas seria de grande ajuda. Assim poderia amarrar Billy melhor.

Quando deixaram para trás a zona urbana, o Sr. X surpreendeu a si mesmo sorrindo.

O Rei Cego.

Em Caldwell.

Virou-se para olhar Riddle.

Em Caldwell e procurando o Billy.

Por que seria?

Capítulo 45

Beth colocara outra vez o vestido. E se sentia poderosa.

– Não tenho sapatos – disse ela.

Wellsie tirou da boca outro grampo e o prendeu no coque de Beth.

– Não é mesmo para usá-los. Bem, deixe-me ver como você está – Wellsie sorriu enquanto Beth dançava pelo quarto de seu pai; a saia de cetim vermelho resplandecia ao seu redor como o fogo.

– Vou chorar – Wellsie cobriu a boca com a mão –, eu sei. Assim que ele a vir, começarei a chorar. Está muito linda, E esse é o primeiro acontecimento feliz desde... nem lembro mais.

Beth parou, o traje esvoaçou até fazer o mesmo.

– Obrigada. Por tudo.

Wellsie sacudiu a cabeça.

– Não fale assim comigo, ou começarei a chorar agora mesmo.

– Falo sério. Sinto-me como se... não sei, como se me casasse em família. E nunca tive uma família verdadeira.

O nariz de Wellsie ficou vermelho.

– Somos sua família. É uma de nós. E fique quieta agora! Ou fará com que eu comece...

Alguém bateu na porta.

– Tudo bem aí dentro? – perguntou uma voz masculina do outro lado.

Wellsie foi até lá e mostrou apenas a cabeça, mantendo a porta o mais fechada possível.

– Sim, Tohr. Os Irmãos já estão prontos?

– Que diab...? Esteve chorando? – quis saber Thorment. – Está bem? Santo Deus, é o bebê?

– Tohr, relaxe. Sou uma fêmea. Choro nos casamentos. Faz parte de nossas obrigações.

Ouviu-se o som de um beijo.

– É que não quero que nada a perturbe, *leelan.*

– Então me diga que os Irmãos estão prontos.

– Já estamos.

– Bem. Vou levá-la.

– *Leelan?*

– O quê?

Palavras murmuradas em seu belo idioma.

– Sim, Tohr – sussurrou Wellsie. – E depois de duzentos anos, casaria com você de novo, apesar de roncar e deixar suas armas espalhadas por todo o quarto.

A porta se fechou e Wellsie se virou.

– Estão prontos para você. Vamos?

Beth ajeitou o corpete e olhou para o anel de rubi.

– Nunca pensei que faria isso.

– A vida está cheia de maravilhosas surpresas, não?

– Sou prova disso.

Saíram do quarto de seu pai e entraram no quarto de Wrath.

Toda a mobília fora removida. Onde era a cama, os Irmãos de Wrath se encontravam alinhados contra a parede. Tinham um aspecto magnífico. Todos vestiam jaquetas negras de cetim idênticas e calças folgadas, e traziam à cintura adagas com o punho coberto de pedras preciosas. Houve uma exclamação geral quando a viram chegar. Os Irmãos se moveram inquietos, baixaram a vista. Olharam-na de novo. Até uns tímidos sorrisos transpareceram em seus rostos duros. Com exceção de Zsadist, que a olhou uma vez e depois baixou a vista para o chão.

Butch, Marissa e Fritz se encontravam de um lado. Saudou-os com um breve aceno. Fritz sacou o lenço.

E havia alguém mais no quarto.

Uma pessoa diminuta vestida de negro da cabeça aos pés.

Beth piscou. Sob as pregas negras, refletia-se uma luz sobre o chão, como se a figura brilhasse.

Mas onde estava Wrath?

Wellsie a guiou até que se posicionou diante dos homens. O da exuberante cabeleira, Phury, deu um passo à frente.

Beth baixou a vista, tentando ganhar forças, e notou que o vampiro tinha uma prótese no lugar onde devia haver o pé.

Ergueu a vista até encontrar-se com seus olhos cor mel, embora não quisesse ser indiscreta. Ao ver seu sorriso, ela se sentiu um pouco mais tranquila.

Sua voz era sonora; as palavras, escolhidas cuidadosamente:

– Sempre que possível, falaremos em seu idioma, para que possa entender. Está preparada para começar?

Ela concordou.

– Meu senhor, pode vir – disse em voz alta.

Beth olhou por cima do ombro.

Wrath se materializou na soleira da porta do corredor e ela levou a mão à boca. Estava resplandecente: usava uma túnica negra bordada com fio escuro, arrematada por uma faixa. Uma longa adaga com cabo de ouro pendia lateralmente de sua cintura e, na cabeça, trazia uma singela coroa de rubis engastados em metal fosco.

Avançou a passos largos, movendo-se com aquela elegância que a encantava, enquanto seu cabelo se agitava sobre os ombros largos.

Só tinha olhos para Beth. Quando se colocou diante dela, sussurrou:

– Fiquei sem ar ao vê-la.

Ela começou a chorar.

O rosto de Wrath parecia preocupado quando estendeu as mãos.

– *Leelan*, qual é o problema?

Beth sacudiu a cabeça, sem conseguir falar. Sentiu que Wellsie colocava um lenço de papel em sua mão.

– Ela está bem – disse a mulher – Acredite-me, está bem. Não é verdade?

Beth assentiu, secando as lágrimas.

– Sim.

Wrath tocou-lhe a face.

– Podemos parar tudo.

– Não! – respondeu rápido. – Amo você e vamos nos casar. Agora.

Alguns dos Irmãos riram baixinho.

– Parece que isso ficou claro – disse um deles, com tom respeitoso.

Quando ela recuperou o controle, Wrath olhou para Phury, e lhe fez um sinal com a cabeça, indicando que podia prosseguir.

– Faremos a apresentação à Virgem Escriba – disse o Irmão.

Wrath a segurou pela mão e guiou-a até a figura vestida de negro.

– Virgem Escriba, essa é Elizabeth, filha do guerreiro da Adaga Negra de nome Darius, neta do *princeps* Marklon, bisneta do *princeps* Horusman...

A lista continuou por um momento. Quando Wrath se calou, Beth impulsivamente estendeu a mão para a figura, oferecendo-a.

Houve um grito de alarme e Wrath segurou-lhe o braço, empurrando-o para trás. Vários dos Irmãos deram um salto à frente.

– Foi minha culpa – disse Wrath, com os braços estendidos como se estivesse protegendo-a – Não a preparei adequadamente. Não foi sua intenção ofender.

Uma risada suave, cálida e feminina brotou das pregas negras.

– Não tema, guerreiro. Ela está bem. Venha aqui, fêmea.

Wrath pôs-se de lado, mas permaneceu perto.

Beth se aproximou da figura, preocupada com cada um de seus movimentos. Sentiu-se inspecionada.

– Esse macho pede que o aceite como seu *hellren*, filha. Aceitá-lo-á como seu se for digno?

– Oh, sim – Beth olhou para Wrath. Ele ainda estava tenso – Sim, eu o aceitarei.

A figura assentiu.

– Guerreiro, essa fêmea o respeitará. Dará prova de seu valor por ela?

– Eu o farei – a profunda voz de Wrath ressoou no quarto.

– Sacrificar-se-á por ela?

– Eu o farei.

– Defendê-la-á contra aqueles que pretendam lhe fazer mal?

– Eu o farei.

– Me dê sua mão, filha.

Beth a estendeu, indecisa.

– Com a palma para cima – sussurrou Wrath.

Ela girou o punho. As pregas se moveram e lhe cobriram a mão. Sentiu uma estranha cócega, como uma pequena descarga elétrica.

– Guerreiro.

Wrath estendeu a mão, que também foi encoberta pela túnica negra.

De repente, o calor rodeou Beth, envolvendo-a. Olhou para Wrath, que sorria para ela.

– Ah – disse a figura –, essa é uma boa união. Uma excelente união.

Deixaram as mãos penderem. Wrath a rodeou com os braços e a beijou. Os assistentes começaram a aplaudir. Alguém assoou o nariz.

Beth se agarrou a seu novo marido tão forte como pôde. Já tinha acontecido. Era real. Estavam...

– Quase terminamos, *leelan*.

Wrath deu um passo para trás, desfazendo o nó de sua faixa. Tirou a túnica, revelando o peito nu.

Wellsie se aproximou e segurou a mão de Beth.

– Tudo sairá bem. Só respire comigo.

Beth, olhou ao redor nervosamente enquanto Wrath se ajoelhava diante dos Irmãos e baixava a cabeça. Fritz trouxe uma mesa pequena sobre a qual havia um recipiente de cristal cheio de sal, um jarro de água e uma pequena caixa laqueada.

Phury parou ao lado de Wrath.

– Meu senhor, qual é o nome de sua companheira?

– Chama-se Elizabeth.

Com um som metálico, Phury desencapou sua adaga negra. E se inclinou sobre as costas nuas de Wrath.

Beth deu um grito sufocado, e se inclinou para frente enquanto a lâmina descia.

– Não...

Wellsie a manteve em seu lugar.

– Fique quieta.

– O que está...?

– Está desposando um guerreiro – sussurrou Wellsie, enérgica –, deixe que mostre sua honra diante de seus Irmãos.

– Não!

– Escute-me, Wrath está dando a você seu corpo e todo o seu ser. Todo ele é seu agora. Esse é o propósito da cerimônia.

Phury deu um passo para trás. Beth viu um fio de sangue correndo pelo flanco de Wrath.

Vishous se adiantou.

– Qual é o nome de sua companheira?

– Chama-se Elizabeth.

Quando o Irmão se inclinou, Beth fechou os olhos e apertou com força a mão de Wellsie.

– Não precisa fazer isso para provar seu valor para mim.

– Você o ama? – perguntou Wellsie.

– Sim.

– Então, deve aceitar seus costumes.

Zsadist avançou a seguir.

– Devagar, Z. – disse Phury suavemente, permanecendo perto de seu irmão gêmeo.

Oh, Deus, já chega.

Os Irmãos continuaram passando, fazendo a mesma pergunta. Quando terminaram, Phury pegou a jarra de água e a derramou no recipiente de sal. Depois, derramou o espesso líquido sobre as costas de Wrath.

Beth cambaleava quando viu que os músculos de seu amado se contraíam. Não podia imaginar aquela agonia, mas, além de fechar seus punhos, Wrath não emitiu um som. Enquanto suportava a dor, seus Irmãos grunhiram de aprovação.

Phury se inclinou e abriu a caixa laqueada, tirando um pedaço de tecido branco. Secou as feridas, depois enrolou o tecido e o colocou novamente na caixa.

– Levante-se, meu senhor – disse.

Wrath se ergueu. Cruzando seus ombros, formando um arco com letras antigas, estava o nome dela.

Phury apresentou a caixa a Wrath.

– Dê isso à sua companheira, como símbolo de sua força; assim saberá que é digno dela e que seu corpo, seu coração e sua alma estão agora às suas ordens.

Wrath se virou. Ao se aproximar, ela explorou ansiosamente seu rosto. Estava bem. Mais do que bem. Na verdade, resplandecia de amor.

Caindo de joelhos diante dela, inclinou a cabeça e ofereceu-lhe a caixa.

– Tomar-me-á como seu? – perguntou, olhando-a por cima dos óculos escuros. Seus pálidos olhos cegos faiscavam. As mãos dela tremeram quando aceitou a caixa.

– Sim, tomarei.

Wrath se levantou, e ela se jogou em seus braços, tomando o cuidado de não tocar suas costas.

Os Irmãos entoaram um cântico em voz baixa, cujas palavras ela não entendeu.

– Você está bem? – perguntou ele ao seu ouvido.

Ela concordou, lamentando que não a tivessem chamado de Mary. Ou Sue.

Mas *não*, tinha de ser Elizabeth. Nove letras.

– Espero que não tenhamos que fazer isso nunca mais – disse ela, enterrando a cabeça no ombro dele.

Wrath riu suavemente.

– Será melhor que se prepare se tivermos filhos.

As graves vozes masculinas elevaram o volume do cântico.

Ela olhou os Irmãos, os altos e ferozes homens que agora eram parte de sua vida. Wrath virou-se e a envolveu nos braços. Juntos, balançaram-se seguindo aquele ritmo que enchia o ar. Prestando aquela homenagem, os Irmãos pareciam uma só voz, um único e poderoso ser.

Então, uma voz forte destacou-se entre as demais, alcançando notas cada vez mais altas. O som do tenor era tão claro, tão puro, que arrepiava a pele, era como um cálido desejo no peito. As doces notas alcançavam o teto com toda sua glória, convertendo o aposento em uma catedral, e os Irmãos em seu altar.

Trazendo o céu tão próximo que quase era possível tocá-lo.

Era Zsadist.

Cantava com os olhos fechados, a cabeça para trás e a boca completamente aberta.

Aquele homem coberto de cicatrizes, e sem alma, tinha a voz de um anjo.

CAPÍTULO 46

Durante o banquete de casamento, Butch maneirou com o álcool. Não foi difícil. Estava muito ocupado desfrutando da companhia de Marissa.

E também observando Beth com seu novo marido. Caraca, estava tão feliz! E aquele vampiro com cara de mau ao qual se unira tinha a mesma expressão de felicidade. Não podia soltá-la, não podia parar de olhá-la. Durante toda a noite, ele a manteve sentada em seu colo, na mesa, dando-lhe de comer na boca, enquanto acariciava-lhe o pescoço.

Quando a festa estava terminando, Marissa se levantou.

– Tenho de voltar para a casa de meu irmão. Ele está me esperando para jantar.

Então fora por isso que não comera coisa alguma. Butch franziu o semblante, não queria que se fosse.

– Quando retornará?

– Amanhã à noite?

Maldição, uma eternidade. Afastou seu guardanapo.

– Bem, estarei aqui. Esperando por você.

Meu Deus, estava com os quatro pneus arriados por ela.

Marissa se despediu dos convidados e desapareceu.

Butch alcançou sua taça de vinho e tentou fingir que sua mão não tremia. Em relação ao sangue e às presas, quase se acostumara. Mas aquela coisa de desaparecer ia levar mais algum tempo.

Dez minutos depois, deu-se conta de que estava só na mesa.

Não tinha o menor interesse em voltar para sua casa. No período de um único dia, simplesmente abandonara sua vida real, varreu-a para um canto de sua mente. Era como um aparelho quebrado, que não tinha vontade de examinar, consertar nem usar de novo.

Olhou ao seu redor, para as cadeiras e pensou nas pessoas – eh... nos vampiros – que até então estavam sentados ali.

Ele era um estranho no mundo deles. Um intrometido.

Embora, na realidade, ser um indivíduo estranho não era nada novo para ele. Os outros policiais eram bons sujeitos, mas nunca haviam sido mais do que colegas de trabalho, inclusive Jose. Nunca havia sido convidado para jantar na casa dos Cruz nem nada do tipo.

Enquanto olhava os pratos vazios e as taças de vinho meio cheias, deu-se conta de que não tinha para onde ir. Não havia lugar no qual queria estar. O isolamento nunca o incomodara antes. Ao contrário, o fizera sentir-se mais seguro e protegido. Mas, agora, não deixava de parecer estranho sentir que estar só não fosse a melhor coisa do mundo.

– Ouça, tira. Vamos ao Screamer's. Quer ir?

Butch olhou para a porta principal. Vishous estava no corredor com Rhage e Phury atrás dele. Os vampiros tinham um ar de expectativa, como se sinceramente quisessem que os acompanhasse.

Butch, de repente, encontrou-se sorrindo de orelha a orelha, como um garotinho novo no colégio que, no final das contas, não ia precisar comer sua merenda sozinho.

– Sim, é uma boa.

Ao levantar, perguntou-se se devia pôr algo mais informal. Os Irmãos haviam trocado de roupa e vestiram seus trajes de couro, mas ele odiaria tirar seu terno. Adorara aquela coisa.

Dane-se. Gostava daquele visual e era com ele que sairia. Mesmo que não fosse muito adequado à sua personalidade.

Butch abotoou o paletó, alisando-o sobre o peito, checou para ver se o lenço ainda estava perfeitamente dobrado.

– Vamos lá, detetive, está fabuloso – disse Rhage, com um sorriso ardente – e eu estou louco por um pouco de companhia, se é que me entende...

Sim, podia imaginar.

Butch rodeou a mesa.

– Mas tenho de adverti-los, rapazes. Alguns tipos que prendi frequentam o Screamer's. O tempo pode fechar.

Rhage lhe deu uns tapinhas nas costas.

– Por que você acha que queremos que vá?

– É isso aí – V. sorriu, enterrando o gorro do Red Sox na cabeça –, nada melhor do que uma briga para terminar a noite. Butch revirou os olhos e depois olhou para Phury com expressão séria.

– Onde está seu irmão?

Phury empertigou-se.

– Z. não vai.

Bem. Butch não tinha problema em sair com os outros. Tinha certeza de que se quisessem matá-lo, já estaria debaixo da terra. Mas aquele sujeito... Zsadist... levava jeito de perder a cabeça facilmente. E se isso acontecesse, preferia não estar ao seu alcance. Embora fosse obrigado a reconhecer que o cara cantava muito.

A caminho da porta principal, Butch murmurou:

– Que cordas vocais tem esse filho-da-mãe. Canta bem pra caramba.

Os Irmãos concordaram, e Rhage passou um de seus enormes braços ao redor dos ombros de Phury. Ele inclinou a cabeça por um instante, como se carregasse algo muito pesado e precisasse descansar.

Saíram e foram em direção a um Cadillac Escalade ESV negro. As luzes piscaram quando o destravaram.

– Ah, droga. Esqueci – Butch parou de repente. Os vampiros também pararam e olharam para ele.

– Peguei vocês!

Correu ao redor do veículo. Phury e Rhage também se puseram a correr atrás dele, xingando-o. Do outro lado, começaram a discutir, mas ele já estava com a mão na porta, e não tinha intenção de sair dali.

– Os humanos vão atrás!

– Sobre o capô!

– Escutem aqui, seus sanguessugas, ganhei...

– V., eu vou morder esse cara!

A risada de Vishous cortou o ar da noite enquanto sentava ao volante. Seu primeiro movimento foi ligar o som a um volume tão alto que o carro inteiro começou a pulsar.

Estava tocando *Hypnotize* do Notorious B.I.G.

Enquanto entrava no carro, Butch não teve dúvida de que estava dando para ouvir o rapper até em Montreal.

– Caraca, Irmão – disse Rhage, entrando na parte de trás – esse som é novo?

– Ajoelhem-se aos meus pés, cavalheiros – V. acendeu um cigarro enrolado à mão. Fechou a tampa do isqueiro de ouro – e pode ser que eu deixe vocês brincarem com os botões.

– Por isso vale até bajulação.

Os faróis se acenderam.

Zsadist apareceu iluminado pelas luzes.

Phury abriu a porta imediatamente e abriu espaço para ele.

– Decidiu nos acompanhar?

Zsadist lançou a Butch um olhar maligno ao entrar na parte de trás, mas Butch não tomou como algo pessoal. O vampiro tampouco parecia muito contente em ver os outros.

V. deu marcha à ré e arrancou.

A conversa se manteve apesar da música, mas a atmosfera tinha mudado.

O que fazia sentido, considerando que agora levavam uma granada ambulante no carro que podia explodir a qualquer momento.

Butch voltou a olhar para Zsadist. Seus olhos negros pareciam soltar faíscas. O sorriso no rosto do vampiro estava ansioso por pecado e pronto para o mal.

Havers largou o garfo quando Marissa entrou na sala de jantar. Preocupou-se ao não vê-la na mesa, mas não se atreveu a ir procurá-la em seu quarto. Em seu atual estado de espírito, não lidaria muito bem com a ausência dela.

– Desculpe-me pelo atraso – disse ela, beijando-o na face. Acomodou-se na cadeira como um passarinho, arrumando o vestido e a si mesma com graça – Espero que possamos conversar.

O que era aquele cheiro que exalava?, perguntou-se ele.

– Esse cordeiro parece delicioso – murmurou ela, quando Karolyn lhe serviu o prato.

Loção de barbear. Sua irmã cheirava a loção de barbear. Tinha estado com um macho.

– Onde esteve esta noite? – perguntou.

Ela hesitou.

– Na casa de Darius.

Ele colocou o guardanapo sobre a mesa e se levantou. Sua cólera era tão intensa, que, curiosamente, tinha-o deixado anestesiado.

– Havers, por que está indo embora?

– Como pode ver, já terminei de jantar. Desejo-lhe um bom descanso, irmã.

Ela o segurou pela mão.

– Por que não fica?

– Tenho um assunto urgente para resolver.

– Certamente poderá esperar – disse ela, com olhos suplicantes.

– Não. Não mais.

Havers se dirigiu ao vestíbulo, sentindo-se orgulhoso de ter controlado sua ira. Reuniu coragem e se desmaterializou.

Quando tomou forma de novo, sentiu um calafrio. Algumas regiões do centro da cidade eram asquerosas. Verdadeiramente asquerosas.

O beco que tinha escolhido ficava justamente ao lado do Screamer's. Soubera, por intermédio de alguns vampiros civis que havia tratado, que os Irmãos frequentavam aquele lugar. Ao examinar a multidão humana que tentava entrar, compreendeu a razão. Era uma manada agressiva que recendia a luxúria. Depravação.

Sem dúvida, servia bem aos baixos padrões dos Irmãos em busca de companhia.

Havers fez menção de se apoiar no edifício, mas, pensou melhor. Os tijolos estavam sujos e úmidos. Examinou todo o beco. Cedo ou tarde, encontraria quem estava procurando.

Ou quem estava procurando o encontraria.

O Sr. X fechou com chave a porta dianteira e partiu pela noite. Estava contente pela forma como havia transcorrido a cerimônia. Billy havia ficado chocado, para dizer o mínimo, mas aceitara levar a iniciação até o final. Especialmente quando soube que era aquilo ou terminaria morto sobre a mesa.

Meu Deus, a expressão no rosto de Billy quando viu Ômega não tinha preço. Ninguém espera que o mal tenha aquela aparência e pode até ser enganado. Bem, pelo menos, até ver Ômega cair sobre alguém. Então, pode ter uma prévia do que vai ser a própria morte.

Quando tudo terminou, o Sr. X carregou Billy até sua casa, e Riddle ficou descansando no quarto de hóspedes. Mais ou menos. Naquele exato momento, estava vomitando, e aquele mal-estar duraria pelo menos duas horas, enquanto o sangue de Ômega substituía o que esteve circulando pelas veias de Billy durante seus dezoito anos de vida. Riddle também tinha uma ferida no peito, um profundo corte da garganta até o esterno, que tinha sido fechado pela ponta do dedo de Ômega. Isso tudo doeria muito até a manhã seguinte. Entretanto, de noite estaria forte o bastante para sair.

O Sr. X entrou no Hummer e se dirigiu para o sul. Tinha ordenado a um dos esquadrões principais que cobrisse a área do centro da cidade, e queria observá-los em ação. Detestava admiti-lo, mas, talvez o Sr. O. tivesse razão quanto à motivação. Além disso, precisava ver como era o grupo em uma situação de combate. Com o desaparecimento do Sr. M, estava pensando na hipótese de Riddle engrossar as suas fileiras, mas queria ter uma ideia da dinâmica atual do esquadrão antes de tomar qualquer decisão.

Também precisava ver como Billy respondia. Como o treinara em artes marciais, o Sr. X confiava em suas habilidades para a luta. Mas não estava certo de como reagiria em seu primeiro assassinato. O Sr. X suspeitava que sentiria um grande entusiasmo, mas nunca se sabe. Desejava fervorosamente que Riddle o fizesse sentir-se orgulhoso.

O Sr. X sorriu, corrigindo-se.

Desejava que o Sr. R o fizesse sentir-se orgulhoso.

Havers estava começando a sentir uma grande inquietação. Os humanos que rondavam pelo beco não representavam ameaça alguma para ele, mas não podia suportar seus vícios. Na parte de trás, dois deles estavam se beijando, ou algo pior, e outro estava fumando crack. Entre os gemidos e o cheiro horrível, Havers estava louco para voltar para casa.

– Ora, ora se não é um magnata.

Havers recuou, encolhendo-se. A fêmea humana que parara na frente dele estava vestida para o sexo, com uma estreita faixa que lhe cobria os seios e uma saia tão curta que mal lhe cobria a virilha.

Uma propaganda ambulante para prótese peniana. Ficou arrepiado.

– Procurando companhia? – perguntou ela, passando a mão pela barriga e, depois, pelo cabelo curto ensebado.

– Não, obrigado – retrocedeu uns passos, entrando no beco. – Muito obrigado, mas não.

– E também é um cavalheiro.

Santo Deus. Ela ia tocá-lo.

Ergueu as mãos. E continuou a se mover. Quanto mais penetrava no beco, mais forte a música se tornava, como se estivesse se aproximando da porta dos fundos da casa noturna.

– Por favor, vá embora – disse, atordoado por uma música horrível, carregada de obscenidades.

De repente, a mulher empalideceu e saiu correndo, como se estivesse fugindo da cena de um crime.

– Que diabos você está fazendo aqui? – disse por trás dele uma voz masculina sinistra e desagradável.

Havers virou-se devagar. Seu coração batia descontroladamente.

– Zsadist.

Capítulo 47

Wrath não tinha o menor interesse em saber quem estava batendo na porta de seu quarto. Seu braço estava ao redor da cintura de sua companheira e a cabeça metida em seu pescoço. Não iria a parte alguma a menos que alguém estivesse morrendo.

– Que droga – saltou da cama, pegou os óculos escuros e atravessou o quarto completamente nu.

– Wrath, não os machuque – disse Beth, brincando. – Se o estão incomodando esta noite, deve ser porque têm uma boa razão.

Ele respirou fundo antes de abrir a porta.

– É melhor estar sangrando – franziu o semblante – Tohr.

– Temos um problema, meu senhor.

Wrath praguejou e assentiu, mas não convidou o Irmão para entrar. Beth estava nua sobre a cama.

Apontou o outro extremo do corredor.

– Espere-me ali.

Wrath colocou uma cueca, beijou Beth e trancou o quarto. Depois, foi para o quarto de Darius.

– O que aconteceu, Irmão? – não estava muito contente com a interrupção, e ainda que um disco voador tivesse aterrissado no pátio traseiro, dava no mesmo. Mas era bom que Tohr estivesse ali. Talvez as coisas estivessem melhorando entre eles.

Tohr se apoiou sobre a escrivaninha de D.

– Fui ao Screamer's para me reunir com os Irmãos. Cheguei tarde.

– Então perdeu o Rhage dando um amasso em alguma garota num canto escuro? Que pena.

– Vi o Havers em um beco.

Wrath franziu o semblante.

– O que o bom doutor estava fazendo nessa parte da cidade?

– Pediu ao Zsadist que matasse você.

Wrath fechou a porta suavemente.

– Ouviu-o dizer isso? Claramente?

– Pois é. E lhe ofereceu muito dinheiro.

– O que respondeu Z.?

– Disse que o faria de graça. Vim aqui imediatamente, se por acaso decidisse agir rápido. Já sabe como trabalha. Não perderá tempo pensando.

– Sim, é eficiente. É uma de suas habilidades.

– E só temos meia hora até o amanhecer. Não é suficiente para tomar medidas, a menos que apareça aqui nos próximos dez minutos.

Wrath olhou o chão, levando as mãos aos quadris. Segundo a lei dos vampiros, Z. devia ser condenado à morte por ameaçar a vida do rei.

– Terá de ser eliminado por isso. E se a Irmandade não se encarregar da execução, a Virgem Escriba o fará.

Meu Deus, Phury. Seu Irmão não vai receber isso muito bem.

– Isso vai devastar Phury – murmurou Tohr.

– Eu sei.

E, então, Wrath pensou em Marissa. No final das contas, Havers também havia assinado a própria sentença de morte, e sua perda ia destroçá-la.

Sacudiu a cabeça tristemente ao pensar que teria de matar alguém a quem ela amava tanto, depois de tudo o que tinha suportado como sua companheira.

– A Irmandade deve ser informada – disse finalmente.

– Reunirei todos os membros.

Tohr se levantou da beira da escrivaninha.

– Escute, quer que Beth fique comigo e Wellsie até que isso tenha terminado? Estará mais segura em nossa casa.

Wrath ergueu a vista.

– Obrigado, Tohr. Farei isso. Eu a enviarei depois do pôr-do-sol.

Tohrment concordou e se dirigiu à porta.

– Tohr?

O Irmão o olhou por cima do ombro.

– Antes de me casar com Beth, já lamentava o que disse a você. Sobre você e Wellsie e sua devoção a ela. Agora... eu, ah... compreendi por experiência própria. Beth é tudo para mim. É até mais importante que a Irmandade – Wrath pigarreou, incapaz de continuar.

Tohr foi até ele e estendeu-lhe a mão.

– Está perdoado, meu senhor.

Wrath segurou a mão estendida para ele – puxou seu Irmão para abraçá-lo. Ambos se deram fortes palmadas nas costas.

– Tohr, quero que faça algo, mas terá de mantê-lo em segredo para os Irmãos por ora. Quando a morte de Darius estiver vingada, eu me retirarei.

Tohr franziu o semblante.

– Como disse?

– Não lutarei mais.

– Que diabos? Vai se dedicar a bordar ou algo assim? –Tohr passou a mão pelos cabelos curtos. – Como vamos...?

– Quero que lidere os Irmãos.

Tohr ficou boquiaberto.

– O quê?

– Terá de haver uma reorganização total da Irmandade. Quero vocês centralizados e dirigidos como uma unidade militar, e não lutando por conta própria. E precisamos recrutar membros. Quero soldados. Batalhões completos de soldados e instalações de treinamento, o melhor do melhor – Wrath o olhou fixamente. – Você é o único que pode fazer esse trabalho. É o mais sensato e equilibrado de todos.

Tohr sacudiu a cabeça.

– Não posso... Por Deus, não posso fazer isso. Sinto muito...

– Não estou lhe pedindo isso. É uma ordem. E quando a tornar pública, passará a ser lei.

Tohr deixou escapar o ar com um lento gemido.

– Meu senhor?

– Fui um péssimo rei. De fato, nunca desempenhei esse trabalho. Mas agora tudo vai ser diferente. Precisamos construir uma civilização, meu Irmão. Ou melhor, reconstruir a que temos.

Os olhos do Tohr lacrimejaram. Afastou a vista e esfregou as pálpebras com os polegares com ar indiferente, como se não fosse nada, só uma pequena irritação. Pigarreou.

– Subirá ao trono.

– Sim.

Tohr caiu ao chão sobre um joelho, inclinando a cabeça.

– Graças a Deus – disse com voz rouca –, nossa raça está unida de novo. Você será nosso líder.

Wrath se sentiu nauseado. Era exatamente isso que não queria. Não podia suportar a responsabilidade de ter em suas mãos a segurança de seu povo. Não sabia Tohr que ele não era suficientemente bom, nem suficientemente forte? Deixara seus pais morrerem e agira como um doente covarde, não como um macho digno. O que mudara depois? Só o seu corpo. Não sua alma.

Desejaria escapar daquele fardo que lhe cabia por direito de nascimento, só escapar...

Tohr estremeceu.

– Muito tempo... esperamos muito tempo para que você nos salvasse.

Wrath fechou os olhos. O desesperado alívio na voz de seu Irmão o fez se dar conta do muito que necessitavam de um rei, quão desesperançados muitos deles estavam. E enquanto Wrath estivesse vivo, ninguém mais poderia desempenhar aquele papel.

Vacilante, estendeu a mão e a colocou sobre a cabeça inclinada de Tohr. O peso do que tinha pela frente, do que todos tinham, era imenso demais para ser compreendido.

– Salvaremos a nossa raça juntos – murmurou – todos nós.

Horas depois, Beth despertou faminta. Soltou-se suavemente do pesado abraço de Wrath, vestiu uma camiseta e o roupão por cima.

– Aonde vai, *leelan*? – a voz de Wrath soou profunda, preguiçosa, relaxada. Ela escutou o ombro dele ranger, como quando se espreguiçava.

Levando em conta o número de vezes que haviam feito amor, surpreendeu-se que pudesse ainda se mexer.

– Procurar algo para comer.

– Chame o Fritz.

– Já trabalhou muito ontem à noite e merece um descanso. Já volto.

– Beth – a voz de Wrath demonstrava sua preocupação –, são cinco da tarde. O sol ainda não se pôs.

Ela fez uma pausa.

– Mas disse que poderia sair durante o dia.

– Teoricamente, é possível.

– Então, poderei averiguar agora.

Já estava na porta quando Wrath meteu-se na frente dela. Seus olhos eram ferozes.

– Não precisa saber nesse momento.

– Nada demais. Só vou subir...

– Não irá a parte alguma – grunhiu ele. Seu enorme corpo emanava sinais de perigo.

– Eu a proíbo de sair deste quarto.

Beth fechou a boca lentamente.

Proíbe? Ele me proíbe?

Vamos ter de esclarecer uma série de coisas, pensou ela, enquanto erguia um dedo na frente do rosto dele.

– Saia da minha frente, Wrath, e corte essa palavra de seu vocabulário quando falar comigo. Estamos casados, mas não me dará ordens como se eu fosse sua filha. Está certo?

Wrath fechou os olhos. A preocupação se refletiu nos duros traços de seu rosto.

– Ouça, não acontecerá nada – disse ela, aproximando-se de seu corpo e envolvendo seu pescoço com os braços. – Só apontarei a cabeça na sala de estar. Se nada acontecer, descerei imediatamente. Ok?

Ele a segurou, apertando-a com força.

– Odeio não poder acompanhá-la.

– Não poderá me proteger de tudo.

Ele voltou a soltar outro grunhido.

Ela o beijou na parte interior do queixo e começou a subir a escada antes que ele pudesse discutir de novo. Ao chegar ao patamar, deteve-se um instante com a mão sobre o quadro.

Escutou o celular tocar lá embaixo. Wrath permanecia na soleira da porta do quarto, olhando-a. Beth empurrou o quadro, que se abriu com um rangido. A luz perfurou a escuridão.

Escuto-o praguejar e fechar a porta. Wrath olhou furioso para o seu celular até que deixou de tocar. Andou de um lado para o outro. Sentou-se no sofá. Voltou a se levantar.

E, então, a porta se abriu. Beth estava sorridente:

– Posso sair – disse.

Ele foi correndo até ela, tocou-lhe a pele. Estava fresca, saudável.

– Não se queimou, não sentiu calor?

– Não, a claridade feriu meus olhos quando saí...

– *Foi lá fora?*

– Sim – Beth o segurou pelo braço quando seus joelhos fraquejaram. – Santo Deus, está pálido. Venha, deite-se aqui.

Fez o que ela disse.

Santo Deus. Havia saído em plena luz do dia. Sua Beth estivera lá fora valsando sob a luz do sol. Onde não poderia alcançá-la. Se ao menos tivesse permanecido na sala de estar, teria tido a oportunidade...

Podia ter sido incinerada.

Umas mãos frias afastaram seu cabelo dos olhos.

– Wrath, estou bem.

Ele ergueu a vista e olhou-a nos olhos.

– Acho que vou cair desmaiado.

– O que é fisicamente impossível, porque está deitado.

– Droga, *leelan*. Amo tanto você que nunca fiquei tão assustado – quando ela pressionou os lábios dele com os seus, Wrath segurou-lhe a nuca, imobilizando-a. – Não acredito que possa viver sem você.

– Espero que não tenha de fazê-lo. Agora me diga uma coisa: qual é a palavra que utilizam para marido?

– *Hellren*, acho. A abreviação é *hell**.

---

* Inferno, em inglês.

Ela riu alegremente.

– Posso imaginar por quê.

O celular começou a tocar de novo. Ele mostrou as presas para o maldito aparelho.

– Atenda enquanto vou à cozinha – disse ela. – Quer algo?

– Só você.

– Já me tem.

– E dou graças a Deus por isso.

Viu Beth sair, observou o balanço de seus quadris e pensou que quando retornasse queria possuí-la de novo. Nunca parecia estar satisfeito. Dar prazer a essa fêmea era o primeiro vício que tinha.

Pegou o celular sem se incomodar em consultar o identificador de chamadas.

– *O que foi?*

Houve uma pausa.

E logo o grunhido de Zsadist vibrou em seu ouvido.

– Está satisfeito com a sua fêmea? Sua noite de núpcias foi boa?

Bem. Aquilo ia ser interessante.

– Tem algo em mente, Z.?

– Soube que convocou toda a Irmandade hoje cedo. Todos menos eu. Perdeu meu número? É, só pode ser isso.

– Sei exatamente onde localizá-lo.

Z. emitiu um som de frustração.

– Já estou farto de que me tratem como um cão. É sério.

– Então, não se comporte como um.

– Vá para o inferno.

– Sim, sabe de uma coisa, Z.? Você e eu chegamos ao fim da linha.

– E o que levou a isso? – Z. soltou uma gargalhada áspera – Nem precisa me dizer. Não me importa; além disso, não temos tempo para discutir esse assunto. Não é? Você tem de retornar para sua fêmea, e eu não o chamei para me queixar porque não me consideram.

– Então, por que me chamou?

– Tem de saber algo.

– De você? – perguntou Wrath lentamente.

– Sim, de mim – murmurou Z. como resposta. – O irmão da Marissa quer sua cabeça em uma estaca. E estava disposto a me pagar milhões para fazê-lo. Até mais.

A ligação foi cortada.

Wrath deixou cair o celular sobre a cama e massageou a testa.

Seria maravilhoso acreditar que Z. havia ligado seguindo seu próprio impulso. Porque não queria cumprir aquele trato, ou talvez porque, finalmente, tivesse encontrado sua consciência atrás de cem anos, ou mais, de total imoralidade.

Mas havia esperado várias horas, e isso só podia significar que Phury o advertira. E o convencera a confessar. De que outra maneira podia Z. ficar sabendo que os Irmãos haviam sido convocados?

Wrath pegou o telefone e chamou o número de Phury.

– Seu irmão gêmeo acaba de ligar.

– Ele fez isso? – pôde perceber um alívio total na voz do Irmão.

– Não poderá salvá-lo desta vez, Phury.

– Não lhe disse que você sabia. Wrath, precisa acreditar em mim.

– O que acredito é que faria qualquer coisa por ele.

– Ouça. Recebi a ordem expressa de não dizer nada e obedeci. Foi muito difícil, mas não disse nada. Z. o chamou por conta própria.

– Então, por que sabia que os outros haviam sido convocados?

– Meu telefone tocou e o dele não. Adivinhou.

Wrath fechou os olhos.

– Tenho de eliminá-lo, você sabe disso. A Virgem Escriba não exigirá menos do que isso por sua traição.

– Não pôde evitar que lhe fizessem essa proposta. Contou o que tinha acontecido. Se há alguém que merece morrer, é Havers.

– E morrerá. Mas seu gêmeo aceitou uma oferta para me matar. Se o fez agora, poderá fazê-lo de novo. E, talvez, da próxima vez não se arrependa depois que você o convença, entende?

– Juro por minha honra que ligou para você por conta própria.

– Phury, queria acreditar em você. Mas uma vez você disparou na própria perna para salvá-lo. Tratando-se de seu gêmeo, faria ou diria qualquer coisa.

A voz de Phury tremeu.

– Não faça isso, Wrath. Eu lhe imploro. Z. melhorou muito ultimamente.

– E o que me diz dessas mulheres mortas, Irmão?

– Sabe que é a única maneira que tem de se alimentar. Precisa sobreviver de algum jeito. E apesar dos rumores, nunca matou os humanos dos quais se alimenta. Não sei o que aconteceu com essas duas prostitutas.

Wrath praguejou.

– Meu senhor, ele não merece morrer por algo que não fez. Não é justo.

Wrath fechou os olhos. Finalmente, disse:

– Traga-o com você esta noite. Darei a ele a oportunidade de falar diante da Irmandade.

– Obrigado, meu senhor.

– Não me agradeça por isso. Deixar que ele fale não significa que vá ser perdoado.

Wrath desligou o telefone.

Era evidente que não tinha concedido aquele encontro pelo bem de Zsadist, mas sim por Phury. A Irmandade precisava dele, e Wrath sabia que o guerreiro não permaneceria com eles a menos que visse que seu Irmão fora tratado com justiça.

Wrath pensou em Zsadist, lembrando-se de sua figura.

Havers havia escolhido bem o assassino. Era notório que Z. não tinha laços com ninguém nem com nada, de modo que o bom doutor tinha razão em supor que o guerreiro não teria problema em trair a Irmandade. Como também estava claro, para qualquer observador, que Z. era um dos poucos machos do planeta suficientemente letal para matar Wrath.

Mas havia uma coisa que não se encaixava. Z. não se importava com bens materiais. Como escravo, nunca os tivera. Como guerreiro, nunca os quis. Por isso, era difícil acreditar que o dinheiro fosse motivação para ele.

Mas também sabia que era perfeitamente capaz de matar por diversão.

Wrath ficou imóvel quando o nariz começou a coçar.

Franzindo o semblante, foi até um dos dutos de ventilação que levavam ar fresco ao quarto. Inalou profundamente.

Havia um *redutor* na propriedade.

O mesmo que estava no Hummer, na casa de Billy Riddle.

Beth colocou uma fatia de carne e um pouco de molho de rabanete entre duas fatias de pão. Quando deu uma mordida, sentiu-se no paraíso. A comida tinha um gosto melhor ainda, agora.

Enquanto comia, ficou observando uma árvore pela janela da cozinha, um bordo. Suas folhas verde-escuro estavam totalmente imóveis. Ainda era verão. Não soprava sequer uma leve brisa, como se o próprio ar tivesse exausto pelo calor.

Não, algo se movia.

Um homem estava atravessando a cerca, aproximando-se da casa pela propriedade vizinha. Sua pele pinicou em sinal de advertência.

Mas era ridículo. O cara usava um uniforme cinza da Companhia de Gás e Eletricidade de Caldwell e trazia uma prancheta na mão. Não aparentava ser particularmente ameaçador, com seu cabelo claro e maneiras tranquilas. Era grande, mas se movia com naturalidade. Com certeza, tratava-se de mais um entediado leitor de medidores que preferiria trabalhar em um escritório em vez de suportar aquele calor.

O telefone da parede soou, sobressaltando-a.

Atendeu-o, com os olhos ainda fixos no homem. Ele se deteve assim que a viu.

– Alô – disse ela ao telefone. O sujeito do gás começou a caminhar de novo, aproximando-se da porta traseira.

– Beth, desça aqui *agora* – gritou Wrath.

Nesse momento, o homem dos medidores olhava através das vidraças da porta da cozinha. Seus olhos se encontraram. Ele sorriu e ergueu a mão.

Ela sentiu calafrios na pele.

Não está vivo, pensou. Não tinha certeza de como sabia aquilo; simplesmente sabia.

Deixou cair o telefone e correu.

Ouviu a porta sendo arrombada atrás dela e, em seguida, leves estouros. Algo a espetou no ombro. Logo depois, sentiu outra pontada de dor.

Seu corpo começou a ficar lento.

Caiu de barriga para baixo sobre as lajotas da cozinha.

Wrath gritou quando ouviu Beth ser derrubada no chão. Subiu a escada rapidamente e irrompeu na sala de estar.

O sol tocou sua pele, queimando-a como ácido, obrigando-o a retornar à escuridão. Correu para o quarto, pegou o telefone e ligou para o andar de cima. Tocou e tocou. Ninguém atendia.

Respirava com dificuldade, seu peito subia e descia com violentas contrações.

Enjaulado. Estava enjaulado ali embaixo enquanto ela... Pronunciou seu nome com um rugido.

Podia sentir que sua aura enfraquecia. Levavam-na para algum lugar, longe dele.

Seu coração deixou escapar toda sua fúria, uma onda de frio negro e profundo que estilhaçou o espelho do banheiro em mil pedaços.

Fritz atendeu o telefone.

– Alguém entrou na casa! Butch está...

– Deixe-me falar com o detetive! – gritou Wrath.

Butch pegou o telefone um momento depois. Estava ofegante.

– Não pude apanhar o sujeito...

– Viu Beth?

– Não está com você?

Wrath soltou outro rugido, sentindo que as paredes em volta dele o esmagavam. Estava completamente indefeso, acuado pela luz solar que inundava a terra acima dele.

Obrigou-se a respirar fundo. Só conseguiu fazê-lo uma vez antes de voltar a arquejar.

– Detetive, eu preciso de você. Preciso... de você.

Capítulo 48

O Sr. X pisou fundo no acelerador da *minivan*. Não podia acreditar. Simplesmente, não podia acreditar.

Tinha a rainha. Havia raptado a rainha.

Era uma oportunidade única para um *redutor*. E acontecera de uma forma tão natural, como se fosse mesmo para acontecer.

Quando se aproximara da casa, tinha em mente apenas uma missão de reconhecimento. Parecera-lhe muita coincidência que o endereço que o vampiro lhe dera na noite anterior no beco fosse o mesmo do guerreiro que ele explodira. Afinal de contas, o que faria o Rei Cego na mansão de um guerreiro morto?

Caso fosse uma armadilha, o Sr. X se armara até os dentes e havia ido à casa de Darius antes do anoitecer. Queria inspecionar o exterior do edifício, ver se alguma das janelas do andar superior estava protegida da luz do sol e checar os veículos na entrada.

Então, vira uma mulher morena na cozinha, com o Rubi Saturnino no dedo. O anel da rainha.

O Sr. X ainda não havia conseguido entender por que a luz do dia não fazia mal a ela. A menos que fosse meio humana. Mas, quais seriam as chances disso?

Em todo caso, ele não havia hesitado. Apesar de não ter planejado entrar na casa, arrombara a porta, mostrando-se surpreso e agradecido de que o sistema de segurança não soasse. A mulher pusera-se a correr, mas não suficientemente rápido. E os dardos funcionaram com eficiência, agora que havia conseguido ajustar a dose adequada.

Virou-se para olhar a parte traseira.

Ela estava adormecida no chão da *minivan*. Aquela noite iria ser intensa. Não tinha a menor dúvida de que seu macho iria procurá-la. E como, certamente, o sangue do Rei Cego corria em suas veias, ele poderia encontrá-la em qualquer lugar para onde a levasse.

Graças a Deus, ainda era dia e tinha tempo para proteger seu celeiro.

Esteve tentado a chamar reforços. Embora confiasse em sua capacidade, sabia do que o Rei Cego era capaz. Destruir a propriedade por completo, arrasando a casa e o celeiro e tudo o que havia neles, era o mínimo que faria.

O problema era que se o Sr. X convocasse os outros membros, estaria expondo a sua vulnerabilidade.

Além disso, contava com seu novo recruta.

Não, faria aquilo sem testemunhas indesejadas, ansiosos de receber medalhas. Qualquer ser que respirasse podia ser eliminado, até aquele temível guerreiro. E o Sr. X estava disposto a apostar que, com aquela fêmea em jogo, contava com uma grande vantagem. Indubitavelmente, o rei se entregaria para proteger a sua rainha.

O Sr. X riu baixo. O Sr. R ia ter uma noite de estreia infernal.

Butch saiu do quarto de Wrath e correu até o quarto de hóspedes onde Vishous e ele haviam dormido na noite anterior.

V. andava de um lado para o outro, preso no segundo andar porque não podia chegar ao piso inferior sem passar pela luz. Afinal de contas, aquela mansão fora projetada para ser usada como residência particular, não como quartel-general.

E essa questão representava um grave problema em emergências desse tipo.

– O que está acontecendo? – perguntou V.

– Seu chefe, Wrath, encontra-se em um estado terrível, mas chamou-me para contar algo sobre o sujeito do Hummer que conheceram ontem à noite. Esse loiro está me parecendo o instrutor que fui interrogar há alguns dias em uma academia de artes marciais. Vou para lá agora.

Butch pegou as chaves de seu carro.

– Leve isso, cara – Vishous lançou algo no ar.

O detetive pegou a pistola com um movimento rápido. Checou-a. A Beretta estava carregada, mas não pôde reconhecer aquela munição.

– Que espécie de balas são essas? – eram negras, transparentes na ponta, e brilhavam como se tivessem óleo dentro.

– Não está indo atrás de um humano, detetive. Se um desses *redutores* o atacar, dispare no peito, entendeu? Não vá ser idiota de atirar em qualquer outra região, mesmo em plena luz do dia. Mire bem no peito.

Butch olhou para cima. Sabia que se aceitasse aquela arma estaria cruzando uma linha desconhecida. Passaria para outro lado do mundo e não poderia voltar atrás.

– Como os reconhecerei, V.?

– Exalam um cheiro adocicado, como talco de bebês, e o atravessam com os olhos, olhando-o diretamente na alma. Costumam ter o cabelo, os olhos e a pele claros, embora nem sempre sejam assim.

Butch colocou a semiautomática no cinto, deixando para trás, com aquele gesto, a sua antiga vida, para sempre.

Era estranho; não fora tão difícil tomar essa decisão.

– Tudo claro, tira? – Vishous lhe deu um tapinha no braço.

– Sim.

Quando Butch se dirigia à porta, V. disse algo no antigo idioma.

– O quê? – perguntou Butch.

– Trate de mirar bem, beleza?

– Até agora nunca falhei.

Capítulo 49

Marissa estava ansiosa para ver Butch. Pensara nele o dia todo e, finalmente, chegara a hora de ir se encontrar com ele.

Mas, embora tivesse muita pressa, antes de sair pararia para falar com Havers. Havia esperado por seu regresso na noite anterior, passando o tempo ajudando as enfermeiras na clínica e, depois, lendo em seu quarto. Finalmente, desistira e deixara para ele uma nota sobre a cama, pedindo que fosse vê-la assim que chegasse. Entretanto, ele não o fez.

E essa falta de comunicação já durava bastante tempo.

Tentou sair de seu quarto. Surpreendeu-se quando a porta não abriu. Franziu o semblante. A maçaneta não se movia. Tentou de novo, sacudindo-a e usando toda a sua força. Estava obstruída ou trancada.

E as paredes do quarto estavam recobertas de aço, de modo que não podia se desmaterializar.

– Olá! – chamou em voz alta, socando a porta. – Olá! Havers! Tem alguém aí? Alguém pode me tirar daqui? Olá!

Afinal, desistiu, sentindo que um calafrio se condensava em seu peito.

Assim que se calou, a voz de Havers infiltrou-se em seu quarto, como se, durante todo aquele tempo, houvesse esperado do outro lado.

– Lamento que tenha de ser desta maneira.

– Havers, o que está fazendo? – disse ela, contra os painéis da porta.

– Não tenho alternativa. Não posso mais permitir que vá com ele.

Ela se certificou de que suas palavras fossem ouvidas com clareza:

– Escute-me. Wrath não é a razão pela qual saí. Ele acaba de se casar com alguém que ama, e eu não lhe guardo rancor algum. Eu... conheci um macho. Alguém de quem eu gosto. Alguém que me quer.

Houve um longo silêncio.

– Havers? – golpeou a porta com o punho. – Havers! Ouviu o que eu disse? Wrath se casou e eu o perdoei. Não estava com ele.

Quando o irmão finalmente conseguiu falar, soou como se alguém o estivesse asfixiando.

– Por que não me disse isso?

– Não me deu oportunidade de fazê-lo! É o que venho tentando nas duas últimas noites! – golpeou a porta de novo. – Agora me deixe sair. Devo me encontrar com... com alguém na casa de Darius.

Havers sussurrou alguma coisa.

– O quê? – perguntou ela. – O que disse?

– Não posso deixar que vá até lá.

A angústia na voz de Havers apagou sua ira, e o alarme fez com que um suor frio deslizasse por sua nuca.

– Por que não?

– Aquela casa já não é segura. Eu... Santo Deus.

Marissa bateu as palmas contra a porta.

– Havers, o que foi que você fez?

Mas do outro lado da porta só havia silêncio.

– Havers! Diga-me o que fez!

Beth sentiu que algo atingia seu rosto com força. Uma mão. Alguém a tinha esbofeteado.

Atordoada, abriu os olhos. Estava em um celeiro, amarrada a uma mesa com placas metálicas ao redor dos pulsos e dos tornozelos.

E Billy Riddle estava ao seu lado.

– Acorda, vagabunda.

Beth lutou, tentando se soltar. Ao olhá-la, os olhos dele se fixaram em seus seios, enquanto apertava os lábios até formar uma linha reta.

– Sr. R? – outra voz masculina. – Quero que recorde que já está fora do negócio dos estupros.

– Sim. Eu sei – o olhar do Billy se fez mais sinistro – Fico com vontade de machucá-la só de pensar nisso.

Beth pôde ver, então, o homem de cabelo claro que a tinha raptado. Apoiava uma espingarda em cada ombro, com o cano para cima.

– Deixarei você matá-la, o que acha? Mas, primeiro, pode brincar um pouco com ela.

Billy sorriu.

– Obrigado, *sensei*.

O loiro se virou para as portas duplas do celeiro. Estavam escancaradas, deixando ver a fraca luz do céu.

– Sr. R, precisamos estar concentrados – disse. – Quero essas armas carregadas e alinhadas com caixas de munição sobre essa mesa de trabalho. Deveríamos colocar umas facas, também. E vá procurar a lata de gasolina na garagem, assim como o maçarico que está junto ao Hummer.

Billy deu outra bofetada em Beth. E depois fez o que o outro lhe ordenara.

A mente de Beth despertava lentamente. Ainda se sentia entorpecida por causa das drogas e tudo aquilo lhe parecia um sonho, mas a cada inspiração, a névoa ia se dissipando. E ela se fortalecia.

A violência de Wrath era tão profunda, tão feroz, que cobriu de geada as paredes de seu quarto. As velas piscavam lentamente no denso ar, emitindo luz, mas não calor.

Sempre soube que era capaz de gerar uma ira monumental. Mas a que ia descarregar sobre aqueles que levaram Beth seria registrada nos livros de história.

Alguém bateu na porta.

– Wrath?

Era o policial. O vampiro abriu a porta com a mente. O humano pareceu momentaneamente desconcertado pela temperatura no quarto.

– Eu... fui à Academia de Artes Marciais de Caldwell. O nome do cara é Joseph Xavier. Ninguém o viu hoje. Telefonou avisando que não iria, para que alguém o substituísse em suas aulas. Disseram-me onde morava, e dei uma passada lá, de carro. Um condomínio na parte oeste da cidade. Arrombei a casa. Estava limpa. Limpa demais. Nada na geladeira, nada na garagem. Não havia correspondências, nem revistas. Tampouco havia pasta de dente no banheiro, ou qualquer evidência de que precisou partir apressadamente. Ele é o proprietário, mas, certamente, não vive lá.

Wrath tinha dificuldades para se concentrar. A única coisa em que podia pensar era em sair daquele maldito buraco subterrâneo e localizar Beth. Quando o fizesse, iria senti-la. Seu sangue correndo pelas veias dela agia como um GPS. Poderia encontrá-la em qualquer lugar do planeta.

Pegou o celular e fez uma chamada. Butch fez menção de sair, mas Wrath o deteve, indicando com um gesto que ficasse. O policial se acomodou no sofá de couro, com os olhos alertas e o corpo calmo. Preparado para tudo.

Ao ouvir a voz de Tohrment do outro lado da linha, Wrath disse:

– Às dez da noite, levará os Irmãos à Academia de Artes Marciais de Caldwell. Entrarão lá, vasculharão o lugar de cima a baixo e, depois, farão soar o alarme. Esperarão a chegada dos *redutores* e, então, os matarão e queimarão o edifício até o chão. Compreendeu? Cinzas, Tohr. Quero que tudo fique reduzido a cinzas.

Não houve hesitação.

– Sim, meu senhor.

– Vigie Zsadist. Mantenha-o ao seu lado o tempo todo, mesmo que tenha de acorrentá-lo ao seu braço – Wrath se virou para olhar Butch. – O tira vigiará o edifício a partir de agora até o crepúsculo. Se vir algo interessante, ligará para você.

Butch concordou, pôs-se de pé e se dirigiu à porta.

– Vou para lá – disse, por cima do ombro.

Houve uma pausa no celular.

– Meu senhor, precisa de nós para que o ajudemos a encontrar...?

– Eu me encarregarei de nossa rainha.

Capítulo 50

Por quase uma hora, Beth observou seus dois sequestradores correndo de um lado para o outro como se estivessem convencidos de que Wrath viria procurá-la a qualquer momento. Mas como saberia ele onde estava? Não era provável que o cara loiro houvesse deixado uma nota de resgate. Pelo menos, não que ela tivesse notado.

Tentando se livrar uma vez mais daquelas tiras metálicas que a prendiam, olhou para o outro lado do celeiro. O sol estava se pondo, as sombras começavam a se alongar sobre a grama e o caminho de cascalho. Enquanto Billy fechava as portas duplas, ela pôde vislumbrar uma última imagem do céu escurecendo, e, então, o viu correr as grossas trancas da porta.

Não tinha dúvida de que Wrath viria procurá-la. Não tinha a menor dúvida. Mas, certamente demoraria horas para encontrá-la, e não estava certa de que tivesse tanto tempo. Billy Riddle olhava seu corpo com tanto ódio, que temia que mais cedo ou mais tarde perdesse a razão. Provavelmente, mais cedo.

– Agora é esperar – disse o homem loiro, consultando o seu relógio. – Não demorará muito. Quero você armado. Coloque uma pistola na cintura e prenda uma faca no tornozelo.

Billy armou-se com verdadeiro entusiasmo. E teve fartura para escolher. Havia semiautomáticas, espingardas e facas afiadas para equipar todo um destacamento militar.

Depois de escolher uma faca de caça de trinta centímetros, virou-se para olhá-la.

As palmas das mãos dela, antes frias, agora estavam úmidas de suor.

Ele deu um passo adiante.

De repente, Beth aguçou o ouvido e olhou para a direita, ao mesmo tempo em que os dois homens. O que era aquele som?

Era como um ribombar. Um trovão? Um trem?

Cada vez soava mais forte.

E logo ouviu um estranho tilintar, como o agitar de um sino dos ventos. Sobre a mesa onde se encontrava a munição alinhada, balas soltas quicavam e se chocavam entre si.

Billy olhou fixamente para o líder.

– Que diabos é isso?

O homem respirou fundo enquanto a temperatura ambiente caía vertiginosamente.

– Prepare-se, Billy.

O som se converteu em um rugido. E o celeiro tremia com tamanha violência, que o pó das vigas caía, formando uma fina neve que se espalhava pelo ar, turvando a visão como uma espessa névoa.

Billy ergueu as mãos para proteger a cabeça.

As portas do celeiro se despedaçaram ao serem totalmente abertas por uma fria explosão de fúria. A construção inteira se moveu sob a força do impacto, vigas e tábuas estremeceram e rangeram.

Wrath ocupava a soleira da porta, o ar ao seu redor vinha carregado de vingança, de ameaça, de promessa de morte. Beth sentiu seus olhos fixos nela, e logo um estrondoso rugido de guerra saiu de sua garganta, tão forte que lhe feriu os ouvidos.

A partir de então, Wrath fez a festa.

Com um movimento tão rápido que seus olhos não puderam acompanhá-lo, dirigiu-se para o loiro, agarrou-o e o arremessou contra a porta de um estábulo. O homem pareceu não se alterar e atacou Wrath com um murro no queixo. Os dois lutaram e golpearam-se mutuamente, chocando-se contra as paredes, quebrando tudo que encontravam em seu caminho. Apesar das armas que levavam, preferiram o combate corpo a corpo, a expressão selvagem, os lábios apertados e seus tremendos corpos causando estrago e sofrendo golpes.

Ela não queria olhar, mas não podia afastar a vista.

Ainda mais quando Billy pegou uma faca e partiu com ela em direção às costas de Wrath. Com um giro feroz, ele o agarrou e arremessou pelos ares. O corpo de Riddle voou até aterrissar no outro extremo do celeiro.

Billy lutou para se levantar, zonzo. O sangue escorria por seu rosto.

Wrath recebeu tremendos chutes no corpo, mas não arrefeceu. E conseguiu conter o loiro por tempo suficiente para abrir uma das tiras metálicas que prendiam os pulsos de Beth. No mesmo instante, ela passou a trabalhar no lado oposto e livrou a outra mão.

– Os cães! Solte os cães – gritou o homem loiro.

Billy saiu do celeiro cambaleando. Um momento depois, dois pitbulls chegaram correndo. Foram direto para os tornozelos de Wrath, no momento em que o loiro puxava uma faca.

Beth livrou ambos os pés e saltou da mesa.

– Corra! – gritou-lhe Wrath, arrancando um dos cães de sua perna, enquanto acertava-lhe um murro no focinho.

Uma ova!, pensou ela, pegando a primeira coisa que encontrou, que parecia ser uma marreta.

Beth se colocou atrás do homem loiro no exato momento em que Wrath perdia o equilíbrio e caía. Erguendo a marreta o mais alto que pôde, concentrou todas as suas forças na ferramenta e atingiu em cheio a nuca dele.

Ouviu o barulho de ossos quebrados e o sangue jorrando.

Então, um dos cães deu a volta e a mordeu na coxa.

Gritou quando os dentes rasgaram sua pele e cravaram em seus músculos.

Wrath tirou o corpo do *redutor* de cima dele e pôs-se de pé em um salto.

Um dos cães estava sobre Beth com a boca ao redor de sua coxa. O animal estava tentando derrubá-la para poder atacar sua garganta. Wrath mergulhou na direção deles, mas parou bem a tempo: se arrancasse o cão dali, o animal podia levar com ele uma parte da coxa de Beth.

Wrath se lembrou das palavras de Vishous: "*Dois guardiões torturados combaterão entre si*".

Wrath agarrou o cão que mordia seu tornozelo e o lançou para o que estava atacando Beth. O outro animal se soltou ao ser atingido. E os dois pitbulls se viraram um contra o outro.

Wrath correu em sua direção quando ela caiu. Estava sangrando.

– Beth...

Uma espingarda disparou.

Wrath escutou um assobio e sentiu que o pescoço queimava como se o tivessem golpeado com uma tocha acesa.

Beth gritou quando ele se virou. Billy Riddle reposicionou a arma no ombro.

A fúria fez Wrath se esquecer de tudo. Partiu na direção do novo recruta sem se deter, embora a espingarda estivesse apontada para o seu peito. Billy apertou o gatilho, enquanto Wrath se desviou para um lado antes de se lançar contra ele. Mordeu a garganta do *redutor*, rasgando-a. Depois, girou a cabeça de Billy até que ouviu os ossos se partindo.

Wrath virou-se para Beth.

Mas caiu de joelhos.

Confuso, olhou para o próprio corpo. Havia um buraco do tamanho de um melão em seu abdômen.

– Wrath! – Beth foi mancando até ele.

– Fui... atingido, *leelan*.

– Oh, Meu Deus – arrancou o roupão e o comprimiu contra o estômago dele – Onde está o seu celular?

Ele ergueu a mão debilmente enquanto rolava de lado.

– No bolso.

Ela agarrou o aparelho e chamou o número da casa de Darius.

– Butch? Butch! Ajude-nos! Atiraram em Wrath na barriga! Não... não sei onde estamos...

– Estrada 22 – murmurou Wrath –, um rancho com um Hummer negro parado na frente.

Beth repetiu suas palavras, pressionando o roupão na ferida.

– Estamos no celeiro. Venha rápido! Ele está sangrando.

Ouviram um rosnado à esquerda deles.

Wrath olhou para lá ao mesmo tempo que Beth. O pitbull sobrevivente, ensanguentado, mas ainda furioso, avançava para eles.

Beth não hesitou. Desembainhou uma das adagas de Wrath e ficou agachada.

– Venha logo, Butch. *Agora* – fechou a tampa do celular e deixou-o cair. – Venha, seu monstro. Venha!

O cão deu uma volta, e Wrath pôde sentir seu olhar fixo nele. Por alguma razão, o animal queria a ele, certamente porque estava perdendo muito sangue. Beth acompanhou o deslocamento do pitbull com os braços abertos.

Sua voz tremeu.

– Quer pegá-lo? Só por cima do meu cadáver. O cão saltou sobre Beth, e como se tivesse sido treinada para matar, ela se jogou contra o chão e empurrou a faca para cima, no peito do animal, que caiu no chão como uma pedra.

Largou a faca onde estava e se apressou a voltar para perto de Wrath. Tremia tanto, que suas mãos pareciam duas asas batendo, quando ergueu de novo o pano para comprimi-lo no estômago dele.

– Não está doendo – sussurrou ele, farejando-lhe as lágrimas.

– Oh, Wrath – segurou-lhe a mão, apertando forte. – Você está em choque.

– Sim, é provável. Não posso vê-la, onde está?

– Estou aqui – passou-lhe os dedos pelo rosto – pode me sentir?

Quase nada, mas foi o suficiente para mantê-lo vivo.

– Queria que estivesse grávida – disse ele, com voz rouca. – Não quero que fique sozinha.

– Não diga isso!

– Peça a Tohr e a Wellsie que a deixem morar com eles.

– *Não.*

– Prometa-me isso.

– Não – disse ela num tom feroz –, você não irá a parte alguma.

Estava completamente enganada quanto a isso, pensou ele. Podia sentir que sua hora havia chegado.

– Amo você, *leelan*.

Beth começou a soluçar. Seus gemidos abafados foram os últimos sons que ele escutou enquanto lutava contra a maré e perdia.

Beth não ergueu os olhos quando o celular começou a tocar.

– Wrath? – repetiu uma vez mais –, Wrath?

Colocou o ouvido sobre o peito dele. Seu coração ainda batia, embora muito fracamente, e sua respiração se tornou lenta e pesada. Ela estava desesperada para ajudá-lo, mas não podia praticar a massagem cardíaca até que seu coração parasse por completo.

– Oh, Deus...

O celular continuava tocando.

Pegou-o do chão, tentando ignorar a enorme poça de sangue que se formou ao redor do corpo de Wrath.

– Alô!

– Beth! É o Butch. Estou com o V. Chegaremos logo, mas ele precisa falar com você.

Ao fundo, podia ouvir um ronronar, como o motor de um carro.

A voz de Vishous era nervosa:

– Beth, eis o que precisa fazer. Tem uma faca?

Ela olhou a outra adaga que ainda estava embainhada no peito de Wrath.

– Sim.

– Quero que corte seu pulso. Faça-o verticalmente no antebraço, não horizontalmente, do contrário, só atingirá o osso. Depois, leve-o à boca de Wrath. É a única opção que tem para sobreviver até que consigamos ajuda – houve uma pausa. – Largue o telefone e pegue a faca. Eu irei dizendo o que terá de fazer.

Beth estendeu o braço e retirou a lâmina do coldre de Wrath. Não vacilou ao abrir o pulso. A dor a fez dar um grito abafado, mas esqueceu imediatamente a sensação de ardência e colocou a ferida sobre a boca de Wrath. Pegou o telefone com a mão livre.

– Não está bebendo.

– Já fez o corte? Boa garota.

– Não está... não está engolindo.

– Esperemos que esteja caindo algo pela garganta.

– Também está sangrando por aí.

– Santo Deus... estou dirigindo o mais rápido que posso.

Butch localizou o Hummer.

– Ali!

Vishous parou o carro em cima do gramado, saltaram do veículo e correram para o celeiro.

Butch não podia acreditar na cena que viu no interior. Um par de cães dilacerados. Sangue por toda parte. Alguém *realmente* morto – caramba, era Billy Riddle.

E, então, viu Beth.

Usava uma camiseta larga coberta de sangue e sujeira. Com os olhos enlouquecidos, estava ajoelhada junto ao corpo de Wrath, com um de seus pulsos nos lábios dele. Quando os ouviu se aproximar, emitiu uma espécie de silvo e empunhou a faca, pronta para lutar.

Vishous avançou, mas Butch o segurou pelo braço.

– Deixe-me ir primeiro.

Lentamente, Butch caminhou para ela.

– Beth? Beth, somos nós.

Mas quanto mais se aproximava de Wrath, mais enlouqueciam seus olhos.

Afastou o punho da boca do homem, disposta a defendê-lo.

– Fique tranquila. Não vamos lhe fazer mal. Beth, sou eu.

Ela piscou.

– Butch?

– Sim, querida. Vishous e eu.

Deixou cair a faca e começou a chorar.

– Calma, calma garota. Tentou envolvê-la com os braços, mas ela se deixou cair no chão junto de Wrath.

– Espere. Deixe que V. o examine, certo? Vamos, só demorará um minuto.

Ela permitiu que a afastassem. Enquanto Butch rasgava sua camisa e a enrolava ao redor da cintura dela, fez um sinal com a cabeça na direção de V.

Vishous examinou Wrath. Quando ergueu a vista do estômago do outro vampiro, tinha os lábios apertados.

Beth desabou, colocando o pulso de volta sobre os lábios dele.

– Ele vai ficar bem, não é? Só terá de levá-lo a um médico. A um hospital. Certo? Vishous, não é assim? – o desespero a fez chiar.

De repente, deram-se conta de que não estavam sós. Marissa e um homem distinto de aspecto frenético surgiram do nada.

O homem se aproximou do corpo de Wrath e ergueu o roupão ensopado de sangue.

– Nós temos de levá-lo à minha sala de cirurgia.

– Meu carro está lá na frente – disse V. – Voltarei para limpar tudo isso quando ele estiver a salvo.

O médico praguejou quando examinou a ferida do pescoço. Olhou para Beth.

– Seu sangue não é suficientemente forte. Marissa, venha aqui.

Beth lutou para conter as lágrimas quando afastou o pulso da boca de Wrath e levantou a vista para a mulher loira. Marissa hesitou.

– Não se importa que o alimente?

Beth lhe ofereceu a adaga de Wrath, sustentando-a pela lâmina.

– Não me importa de quem bebe se com isso puder se salvar.

Marissa se cortou facilmente, como se o tivesse feito muitas vezes. Depois, levantou a cabeça de Wrath e pressionou a ferida contra sua boca.

Seu corpo deu uma sacudida, como se o tivessem conectado a uma bateria de automóvel.

– Muito bem, vamos transportá-lo – disse o homem que assumira o comando. – Marissa, mantenha esse punho exatamente onde está.

Beth agarrou a mão de Wrath enquanto os homens o levantavam do chão do celeiro. Carregaram-no o mais gentilmente que puderam para o carro de Vishous e o colocaram deitado na parte traseira. Marissa e Beth entraram com Wrath enquanto Butch e Vishous se sentaram nos bancos dianteiros. O outro homem desapareceu.

Enquanto o Escalade rugia pelas estradas, Beth acariciava o braço de Wrath, percorrendo suas tatuagens com os dedos. Sua pele estava fria.

– Você o ama tanto... – murmurou Marissa.

Beth ergueu a vista.
– Ele está bebendo?
– Não sei.

Capítulo 51

Na sala de espera da sala de cirurgia, Havers tirou as luvas de látex e jogou-as em um contêiner de lixo hospitalar. Suas costas doíam depois de passar horas inclinado sobre Wrath, costurando-lhe o intestino e cuidando da ferida em seu pescoço.

– Ele irá viver? – perguntou Marissa, quando o viu sair da sala de cirurgia. Estava fraca por todo o sangue que havia lhe dado. Pálida, mas enérgica.

– Logo saberemos. Espero que sim.

– Eu também – fez menção de se afastar, negando-se a olhá-lo nos olhos.

– Marissa...

– Sei que sente muito. Mas não é a mim que deve oferecer seu arrependimento. Poderia começar com Beth. Se é que algum dia estará pronta para ouvi-lo.

Enquanto a porta se fechava com um leve chiado, Havers fechou os olhos.

Oh, santo Deus, a dor no peito. A dor por ações que nunca poderiam ser desfeitas.

Havers deslizou contra a parede lentamente até ficar sentado no chão, e tirou a touca cirúrgica da cabeça.

Por sorte, o Rei Cego tinha a constituição de um verdadeiro guerreiro. Era forte de corpo e de força de vontade. Embora não tivesse sobrevivido sem o sangue quase puro de Marissa.

Ou, possivelmente, sem a presença de sua companheira. Beth tinha permanecido ao seu lado durante toda a operação. E, apesar de o guerreiro ter estado o tempo todo inconsciente, sua cabeça permaneceu virada para ela. Beth falara com ele durante horas, até quase ficar rouca.

E ainda se encontrava ali com ele, tão esgotada que quase não podia sentar-se ereta, mas tinha se negado a deixar que examinassem as suas feridas, e não quis comer.

Não queria se separar de seu *hellren*.

Havers se levantou e, cambaleando, dirigiu-se até a pia do laboratório. Abriu a torneira de aço inoxidável e inclinou-se, olhando fixamente a água correndo. Sentiu vontade de vomitar, mas seu estômago estava vazio.

Os Irmãos estavam lá fora. Esperando que ele levasse notícias.

E sabiam o que ele havia feito.

Antes que Havers começasse a operar, Tohrment o tinha pegado pela garganta. Se Wrath morresse na mesa de operações, o guerreiro jurara que os Irmãos o pendurariam pelos pés e o golpeariam com os punhos nus até sangrá-lo. Ali, em sua própria casa.

Não havia dúvida de que Zsadist lhes contara tudo.

Deus, se pudesse retornar àquele beco, pensou Havers. *Se nunca tivesse ido ali.*

E nunca deveria ter se aproximado de um membro da Irmandade com uma proposta tão ultrajante. Nem mesmo daquele que não tinha alma.

Depois de fazer a proposta a Zsadist, o Irmão o olhara fixamente com seus terríveis olhos negros, e Havers se deu conta imediatamente de que cometera um engano. Zsadist podia estar cheio de ódio, mas não era um traidor, e se ofendeu com a proposta.

– Mataria de graça – grunhira Zsadist –, mas só se você fosse o alvo. Caia fora daqui, antes que eu saque minha faca.

Nervoso, Havers havia se afastado dali apressado, para perceber que estava sendo seguido pelo que supôs ser um *redutor*. Era a primeira vez que se encontrava perto de um morto-vivo, e se surpreendeu que os membros da Sociedade tivessem a pele e o cabelo tão claros. Mesmo assim, aquele homem representava a maldade em estado puro e estava preparado para matar. Encurralado em um canto do beco, enlouquecido pelo medo, Havers começara a falar, não só para conseguir seu objetivo, mas também para evitar ser assassinado. O *redutor* se mostrou cético a princípio, mas Havers sempre fora persuasivo, e a palavra rei, usada deliberadamente, havia atraído sua atenção. Informações foram passadas. Quando o *redutor* partiu, a sorte estava lançada.

Havers respirou fundo, preparando-se para sair para o vestíbulo.

Ao menos podia assegurar aos Irmãos que fizera o que pôde na cirurgia, e não com a intenção de salvar a própria vida. Sabia que não tinha escapatória. Seria executado pelo que havia feito. Era só uma questão de tempo.

Na sala de cirurgia, dera o melhor de si, porque era a única maneira de compensar a atrocidade que havia cometido. E, além disso, os cinco machos armados até os dentes e aquele humano feroz que esperavam lá fora pareciam ter o coração devastado.

Mas o que mais o motivara a lutar com todas as suas forças pela vida de Wrath fora a pungente dor que vira refletida nos olhos de Beth. Ele conhecia bem aquela expressão horrorizada de impotência. Ele mesmo a experimentara enquanto vira sua companheira morrer.

Havers lavou o rosto e saiu para o vestíbulo. Os Irmãos e o humano ergueram os olhos para ele.

– Sobreviveu à operação. Agora temos de esperar para ver se é capaz de se recuperar – Havers dirigia-se agora a Tohrment. – Quer me eliminar agora?

O guerreiro o olhou com olhos duros e violentos.

– Manteremos você vivo para que cuide dele. Depois, ele mesmo poderá matá-lo.

Havers concordou e escutou um grito fraco. Olhou na direção do som e viu Marissa apertando a boca com a mão.

Estava a ponto de se aproximar quando o macho humano parou diante dela. O homem hesitou antes de lhe oferecer um lenço. Ela o aceitou e se afastou de todos.

Beth apoiou a cabeça na ponta mais afastada do travesseiro de Wrath. Haviam-no levado da mesa de operações para um leito hospitalar, ainda que, por ora, não seria transferido para um quarto normal. Havers havia decidido mantê-lo no sala de cirurgia, em observação, caso precisasse ser operado de novo por alguma emergência.

O edifício de paredes brancas era frio, mas alguém a cobrira com uma pesada manta de lã. Evidentemente, também haviam enrolado um cobertor em torno da metade inferior de seu corpo. Não podia recordar quem tinha sido tão amável.

Quando escutou um clique, virou-se para olhar o aparato de máquinas às quais Wrath estava conectado. Olhou-as todas, sem fazer ideia da função de cada uma. Enquanto nenhum alarme soasse, imaginaria que tudo estava bem.

Voltou a escutar o tal som.

Baixou a vista para Wrath. E pôs de pé com um salto.

Estava tentando falar, mas tinha a boca seca e a língua grossa.

– Psiu – apertou-lhe a mão. Colocou o rosto diante de seus olhos para que pudesse vê-la se os abrisse – Estou aqui.

Seus dedos se torceram entre os dela. E logo perdeu a consciência novamente.

Meu Deus, parecia estar muito mal. Pálido como o piso do chão da sala de cirurgia, e os olhos afundados no crânio.

Tinha um espesso curativo na garganta. O ventre envolto em gazes e compressas de algodão, com drenos saindo da ferida. Em um de seus braços haviam conectado o soro com a medicação, e uma bolsa excretora pendurada em um lado da cama. Uma confusão de fios do eletrocardiograma colados no peito, e um sensor de oxigênio no dedo médio.

Mas estava vivo. Ao menos por enquanto.

E havia recuperado a consciência, embora só por um instante.

Assim se passaram os dois dias seguintes. Despertava a intervalos regulares e tornava a ficar inconsciente, como se quisesse comprovar que ela estava com ele antes de voltar para o hercúleo trabalho de se recuperar.

Finalmente, convenceram-na a dormir um pouco: os Irmãos levaram para ela uma poltrona mais cômoda, um travesseiro e um cobertor. Despertou uma hora depois, agarrada à mão de Wrath.

Comia quando a forçavam, porque Tohrment ou Wellsie exigiam. Persuadiram-na a tomar uma chuveirada rápida. Quando retornou, Wrath estava sofrendo convulsões e Wellsie mandara chamar Havers.

Mas, no instante em que Beth segurou a mão de Wrath, ele se acalmou imediatamente. Não sabia quanto tempo poderia continuar assim. Mas cada vez que ele reagia ao seu toque, tirava forças não se sabia de onde. Poderia esperá-lo por toda a eternidade.

A consciência de Wrath ia e vinha. Num minuto, não se dava conta de nada; mas, no seguinte, seus circuitos começavam a funcionar de novo. Não sabia onde estava, e as pálpebras lhe eram muito pesadas para poder abri-las, assim, quando estava consciente fazia uma rápida avaliação de seu corpo. Na metade inferior se sentia bem, os dedos dos pés se moviam e notava as pernas. *Uau, ai.* Mas sua barriga parecia que havia sido golpeada com uma barra de ferro. Entretanto, o peito estava forte. O pescoço ardia. A cabeça doía. Os braços pareciam intactos, as mãos...

Beth.

Estava acostumado a sentir a palma de sua mão. Onde estava ela?

Suas pálpebras se abriram.

Ela estava junto dele, sentada em uma cadeira, com a cabeça sobre a cama como se estivesse adormecida. Seu primeiro pensamento foi que não devia despertá-la. Era evidente que estava esgotada.

Mas queria tocá-la. Precisava tocá-la.

Tentou esticar a mão livre, mas sentiu como se o braço pesasse cem quilos. Lutou, obrigando a mão a deslizar sobre o lençol centímetro por centímetro. Não soube quanto tempo demorou. Talvez, horas.

Mas, finalmente, alcançou-lhe a cabeça e pôde tocar em uma mecha de seu cabelo. Aquele toque sedoso foi como um milagre.

Estava vivo e ela também.

Wrath começou a chorar.

No instante em que Beth sentiu que a cama tremia, despertou em pânico. A primeira coisa que viu foi a mão de Wrath. Seus dedos estavam enrolados em uma longa mecha de seu cabelo.

Ergueu a vista para os seus olhos. Grossas lágrimas deslizavam por suas faces.

– Wrath! Oh, meu amor – inclinou-se sobre ele, alisou-lhe o cabelo para trás. Seu rosto estava arrasado – Está sentindo alguma dor?

Ele abriu a boca, mas não conseguiu dizer coisa alguma. Começou a sentir pânico, olhos arregalados.

– Calma, amor, tenha calma. Relaxe – disse ela. – Quero que aperte minha mão uma vez se a resposta for sim, duas vezes se for não. Sente dor?

Não.

Suavemente ela enxugou as lágrimas de suas faces.

– Tem certeza?

Sim.

– Quer que eu chame Havers?

Não.

– Precisa de alguma coisa?

Sim.

– Comida? Bebida? Sangue?

Não.

Ele começou a se agitar, seus olhos claros e arregalados imploravam.

– Psiu. Está tudo bem – beijou-o na testa. – Acalme-se. Já vamos descobrir do que você precisa. Temos bastante tempo.

Os olhos dele se fixaram em suas mãos entrelaçadas. Depois, seu olhar se dirigiu para o rosto dela.

– Eu? – sussurrou ela – Precisa de mim?

Não parou mais de apertar a mão dela.

– Oh, Wrath... Já me tem. Estamos juntos, meu amor.

As lágrimas escorriam como uma corrente impetuosa, o peito tremia com os soluços, a respiração era entrecortada e rouca.

Ela segurou o rosto dele entre as mãos, tentando acalmá-lo.

– Está tudo bem. Não vou a parte alguma. Não o deixarei. Prometo a você. Meu amor...

Finalmente, as lágrimas diminuíram e recobrou um pouco a calma.

Um grasnido saiu de sua boca.

– O quê? – Beth se inclinou.

– Queria... salvar você.

– E conseguiu. Wrath, você me salvou.

Os lábios dele tremeram.

– Eu amo você.

Ela o beijou suavemente na boca.

– Eu também amo você.

– Você. Volte a... dormir. Agora.

E, então, fechou os olhos, exausto.

A visão dela embaçou enquanto colocava a mão na boca e começava a sorrir. Seu belo guerreiro estava de volta. E tentava lhe dar ordens de sua cama de hospital.

Wrath suspirou e pareceu mergulhar no sono.

Quando teve certeza de que descansava pacificamente, espreguiçou-se, pensando que os Irmãos gostariam de saber que havia despertado e estava suficientemente bem para falar um pouco. Talvez pudesse encontrar um telefone para ligar para a casa.

Quando foi até o vestíbulo, não pôde acreditar no que viu.

Em frente à porta da sala de cirurgia, formando uma grande barreira viva, os Irmãos e Butch estavam estendidos no chão. Profundamente adormecidos, e pareciam tão exaustos como ela. Vishous e Butch estavam encostados à parede, perto um do outro, só havia uma pequena TV e duas pistolas entre eles. Rhage estava deitado de barriga para cima, roncando suavemente, com a adaga na mão. Tohrment apoiava a cabeça entre seus joelhos e Phury jazia a seu lado, segurando uma estrela ninja contra o peito, como se isso o tranquilizasse.

Onde estava Zsadist?

– Estou aqui – disse ele suavemente.

Ela deu um salto e olhou para a sua direita. Zsadist estava completamente armado, pistola na cintura, adagas cruzadas no peito, um pedaço de corrente balançando em sua mão. Seus brilhantes olhos negros a olhavam com firmeza.

– É meu turno de guarda. Estivemos nos alternando.

– É tão perigoso aqui também?

Ele franziu o semblante.

– Não sabe?

– O quê?

Ele deu de ombros e olhou para o corredor do vestíbulo. Primeiro numa direção, depois na outra.

– A Irmandade protege o que é nosso – seus olhos voltaram a se concentrar nela. – Nunca deixaríamos você ou ele desprotegidos.

Sentiu que ele a evitava, mas não ia pressioná-lo. Só o que importava era que Wrath e ela estavam protegidos enquanto seu marido se recuperava.

– Obrigada – sussurrou.

Zsadist baixou a vista imediatamente.

É impressionante como ele se esconde de qualquer manifestação de afeto, pensou ela.

– Que horas são? – perguntou.

– Quatro da tarde. A propósito, hoje é quinta-feira – Zsadist passou a mão sobre o crânio raspado à máquina. – Então, ah, como ele está?

– Já despertou.

– Sabia que ia viver.

– Sabia?

Seu lábio se levantou com um grunhido, como se fosse fazer alguma piada. Mas logo pareceu se conter. Olhou-a fixamente, seu rosto coberto de cicatrizes parecia ausente.

– Sim, Beth. Realmente sabia. Não existe arma alguma capaz de separá-lo de você.

Imediatamente, Zsadist desviou o olhar para outro lado. Os outros começaram a se mexer. Um momento depois, todos estavam de pé, olhando-a. Butch parecia estar tão à vontade entre os vampiros.

– Como está ele? – perguntou Tohr.

– Bem o bastante para tentar me dar ordens.

Os Irmãos riram e um murmúrio de alívio e de orgulho percorreu aquele grupo de homens rudes.

– Precisam de alguma coisa? – perguntou Tohr.

Beth olhou seus rostos. Todos estavam ansiosos, como se esperassem que ela lhes desse algo que fazer.

Essa realmente é minha família, pensou.

– Acho que estamos bem – Beth sorriu. – E tenho certeza de que ele logo vai querer ver todos vocês.

– E você? – perguntou Tohr –, como se sente? Quer descansar um pouco?

Ela negou com a cabeça, e abriu a porta da sala de cirurgia com um empurrão.

– Até que possa sair daqui com seus próprios pés, não me afastarei da cabeceira de sua cama.

Quando a porta se fechou atrás de Beth, Butch escutou Vishous assobiar baixo.

– É uma fêmea maravilhosa, não? – disse V.

Houve um murmúrio rouco de confirmação.

– E alguém que você não gostaria de enfrentar – continuou o Irmão. – Tinham de tê-la visto quando entramos no celeiro. Estava junto ao corpo dele, disposta a matar o detetive e a mim com as próprias mãos se fosse preciso. Como se Wrath fosse sua cria, sabe?

– Será que tem uma irmã? – disse Rhage.

Phury deixou escapar uma gargalhada.

– Não saberia o que fazer com você mesmo se esbarrasse com uma fêmea de valor.

– Vindo de você, senhor Celibato... – mas, então, Hollywood esfregou o queixo, como se estivesse pensando nas leis do universo. – Ah, diabos, Phury, provavelmente você tem razão. Mesmo assim, um macho tem direito de sonhar.

– Claro que tem – murmurou V.

Butch pensou em Marissa. Continuava esperando que descesse, mas não a tinha visto após a manhã seguinte à operação. Havia estado muito retraída, muito distraída, embora tivesse motivos para estar preocupada. A morte de seu irmão se aproximava. Mais cedo ainda do que pensava, levando-se em conta a rápida recuperação de Wrath.

Butch queria estar com ela, mas não tinha certeza de que aceitaria sua companhia. Não a conhecia suficientemente bem para se atrever a tentá-lo. Tinham passado juntos muito pouco tempo.

O que significava para ela? Era uma simples curiosidade? Um pouco de sangue fresco que ela queria saborear? Ou algo mais? Butch olhou o outro lado do corredor, desejando que ela aparecesse do nada.

Morria de vontade de vê-la. Mesmo se fosse só para saber se estava bem.

Capítulo 52

Dois dias mais tarde, Wrath tentou se levantar antes que os Irmãos entrassem. Não queria que o vissem deitado. O soro conectado a seu braço e todas aquelas máquinas atrás dele já eram bastante desagradáveis.

Mas, ao menos, tinham retirado o cateter no dia anterior. E havia conseguido se barbear sozinho e lavar-se um pouco. Poder lavar o cabelo era maravilhoso.

– O que está fazendo? – perguntou Beth, quando surpreendeu sua movimentação.

– Sentando...

– Ah, não, não pode – pegou o controle da cama e elevou a cabeceira.

– Ah, diabos, *leelan*, agora permanecerei deitado e sentado ao mesmo tempo.

– Assim está bem – ela se inclinou para ajeitar os lençóis, e ele reparou na curva de seus seios. Seu corpo se inflamou. No lugar certo.

Mas a onda de desejo o fez pensar na cena que havia encontrado no celeiro. Ela presa naquela mesa. Pouco lhe importou que os *redutores* não pudessem ter ereções.

Agarrou-a pela mão

– *Leelan*?

– Sim?

– Tem certeza de que está bem? – haviam falado do que acontecera, mas ele continuava preocupado.

– Já lhe disse. A ferida de minha coxa está cicatrizando...

– Não estou falando do físico – disse ele com vontade de matar Billy Riddle outra vez.

Por um instante, o semblante dela se anuviou.

– Já lhe disse, vou ficar bem. Porque me nego que seja de outra maneira.

– É muito valente. E resistente. Assombra-me.

Ela sorriu, e se inclinou para lhe dar um beijo rápido.

Mas ele a imobilizou, e falou bem pertinho dos lábios dela:

– E obrigado por me salvar a vida. Não só no celeiro, mas também pelo resto de meus dias.

Beijou-a intensamente, alegrando-se por ouvi-la ofegante de prazer. Aquele som fez com que seu membro também renascesse e ele roçou as pontas dos dedos em sua clavícula.

– O que acha de deitar um pouco aqui comigo?

– Não acho que já esteja completamente preparado para isso.

– Quer apostar? – agarrou-lhe a mão e a colocou debaixo dos lençóis.

Sua risada gostosa ao prendê-la de leve pareceu-lhe outro milagre. Assim como sua constante presença no quarto, sua implacável proteção, seu amor, sua força.

Ela era tudo para ele. Seu mundo inteiro. De indiferente a respeitoso pela própria vida passara a desesperado por viver. Por ela. Por eles. Por seu futuro.

– O que acha de esperarmos só mais um dia? – perguntou ela.

– Uma hora.

– Até que possa se sentar sozinho.

– Combinado.

Graças a Deus se recuperava com rapidez.

A mão dela deixou o seu corpo.

– Posso deixar os Irmãos entrarem?

– Sim – respirou fundo – Espere. Quero que escute o que vou dizer.

Puxou-a suavemente para baixo, até que estivesse sentada na beira da cama.

– Vou deixar a Irmandade.

Beth fechou os olhos, como se não quisesse que ele visse o enorme alívio que sentia.

– Verdade?

– Sim. Pedi a Tohr que se encarregasse dela. Mas não vou sair de férias. Tenho de começar a governar a nossa espécie, Beth. E preciso que você faça isso comigo.

Beth abriu os olhos.

Ele acariciou a sua face.

– Estamos falando de ser rei e rainha. E serei sincero com você: não sei por onde começar. Tenho algumas ideias, mas precisarei de sua ajuda.

– Qualquer coisa – disse ela –, qualquer coisa por você.

Wrath a olhou maravilhado.

Meu Deus, ela sempre conseguia fasciná-lo. Ali estava, disposta a enfrentar o mundo com ele embora estivesse prostrado em uma cama de hospital. Sua fé nele era surpreendente.

– Já disse que amo você, *leelan*?

– Há uns cinco minutos. Mas nunca me canso de ouvir.

Beijou-a.

– Diga aos meus Irmãos que entrem. Diga a Butch para esperar no vestíbulo. Mas quero que você esteja presente enquanto falo com eles.

Ela deixou os guerreiros entrarem e, logo depois, voltou para o lado dele.

A Irmandade se aproximou da cama com cautela. Embora já houvesse tido uma breve conversa com Tohr naquela manhã, era a primeira vez que via o restante dos guerreiros. Foi um tal de tossirem baixo, como se quisessem limpar as gargantas, mas ele sabia o que sentiam. Ele também sentia um nó na garganta.

– Meus Irmãos...

Nesse momento, Havers cruzou a soleira da porta. Parou repentinamente.

– Ah, o bom doutor – disse Wrath –, entre. Temos assuntos pendentes, você e eu.

Havers entrava e saía da sala de cirurgia com regularidade, mas Wrath não havia se sentido capaz de enfrentar aquela situação até agora.

– É hora de solucioná-los – ordenou.

Havers respirou profundamente, aproximou-se da cama e inclinou a cabeça.

– Meu senhor.

– Soube que tentou contratar alguém para me matar.

Verdade seja dita, o macho não tentou fugir. Não prevaricou. E, embora sua pena e seu arrependimento fossem claros, não tentou se desculpar para obter clemência.

– Sim, eu fiz isso, meu senhor. Fui eu quem se aproximou dele – apontou Zsadist – e quando ficou claro que seu Irmão não o trairia, procurei o *redutor*.

Wrath concordou, pois já conversara com Tohrment sobre o que realmente havia acontecido naquela noite. Tohr só escutara parte da resposta de Zsadist.

– Meu senhor, deve saber que seu Irmão esteve prestes a me matar só por eu ter feito a proposta.

Wrath olhou para Zsadist, que observava fixamente o doutor como se quisesse esmagar sua cabeça contra a parede.

– Sim, e ouvi que sua sugestão não foi bem recebida. Z., devo desculpas a você.

O guerreiro deu de ombros.

– Não se incomode. Acho esse lance de desculpas um saco.

Wrath sorriu, pensando que aquilo era a cara de Z. Sempre zangado, não importava a ocasião.

Havers olhou os Irmãos.

– Aqui, diante dessas testemunhas, aceito a sentença de morte.

Wrath examinou o doutor com expressão severa. E pensou em todos os anos de sofrimento que a irmã do macho tivera de suportar. Embora Wrath jamais houvesse tido a intenção de que sua vida fosse tão desgraçada, tudo aquilo fora culpa dele.

– Marissa foi a razão, não é? – disse Wrath.

Havers confirmou.

– Sim, meu senhor.

– Então, não vou matá-lo. Você agiu assim devido ao modo como eu tratei um ente querido seu. Vingança é uma coisa que consigo entender.

Havers pareceu cambalear com o choque.

Depois, deixou cair o prontuário que estava carregando e ajoelhou-se junto à cama, agarrando a mão de Wrath e encostando a testa nela.

– Meu senhor, sua clemência desconhece limites.

– Uma ova que não. Poupo sua vida como um presente para sua irmã. Se tentar algo semelhante outra vez, vou atrás de você pessoalmente com minha adaga. Está claro?

– Sim, meu senhor.

– Agora, deixe-nos. Pode me espetar e me sondar mais tarde. Mas bata na porta antes de entrar, entendeu?

– Sim, meu senhor.

Quando Havers saiu, Wrath beijou a mão de Beth.

– No caso de estarmos ocupados – sussurrou-lhe.

As risadas zombeteiras encheram o quarto.

Ele olhou com severidade para os Irmãos para silenciá-los e, depois, fez seu pronunciamento. Pelo longo silêncio após suas palavras, soube que os Irmãos haviam ficado abalados.

– Então, estão com Tohr ou não? – perguntou ao grupo.

– Sim – disse Rhage – Por mim, tudo bem.

Vishous e Phury aprovaram com a cabeça.

– Z.?

O guerreiro revirou os olhos.

– Qual é, cara. O que isso importa para mim? Você, Tohr, Britney Spears.

Wrath riu.

– Isso foi uma piada, Z.? Depois de tanto tempo, encontrou seu senso de humor? Diabos, assim você me dá outra razão para viver.

Z. ruborizou e resmungou um pouco enquanto os outros o repreendiam.

Wrath respirou fundo.

– Irmãos, tem mais uma coisa. Subirei ao trono. Tal como contei a Tohr, precisamos nos reconstruir. Precisamos ressurgir como raça.

Os Irmãos olharam fixo para ele. E, um por um, aproximaram-se da cama e juraram sua lealdade no antigo idioma, segurando sua mão e beijando-a na parte interna do punho. Sua solene reverência o abalou e o comoveu.

A Virgem Escriba tinha razão, pensou. Eles eram seu povo. Como podia não liderá-los?

Quando os guerreiros terminaram seus juramentos, olhou para Vishous.

– Conseguiu as urnas dos dois *redutores* do celeiro?

V. franziu o semblante.

– Só havia um. O recruta que você e eu conhecemos na noite de seu casamento. Retornei e apunhalei o corpo enquanto o operavam. A urna estava na casa.

Wrath sacudiu a cabeça.

– Havia dois. O outro era o *redutor* que conduzia o Hummer.

– Tem certeza de que morreu?

– Jazia por terra com um golpe na cabeça – de repente, Wrath sentiu a agitação de Beth e apertou sua mão. – Já basta, falaremos disso mais tarde.

– Não, tudo bem... – começou ela.

– Mais tarde – beijou-a nas costas da mão e acariciou-lhe a face. Olhando-a nos olhos, tentou tranquilizá-la, odiando o mundo para o qual a trouxera.

Ela sorriu e Wrath a puxou para si, dando-lhe um beijo rápido e depois voltou a olhar para os Irmãos.

– Mais uma coisa – disse –, vocês mudarão para viverem juntos. Quero a Irmandade em um único lugar. Pelo menos, pelos próximos dois anos.

Tohr fez uma careta.

– Cara, acho que Wellsie vai detestar a ideia. Acaba de instalar a cozinha de seus sonhos.

– Encontraremos alguma solução para vocês. Especialmente porque há um bebê a caminho. Mas, o resto de vocês vai morar em um único lugar.

Houve protestos. Sérios protestos.

– Ei, podia ser pior – disse – podia obrigá-los a viver comigo.

– Bem lembrado – disse Rhage – Beth, se algum dia precisar descansar dele...

Wrath grunhiu.

– O que eu *ia* falar – disse Hollywood, de maneira arrastada –, era que podia vir viver com todos nós durante um tempo. Sempre tomaremos conta dela.

Wrath ergueu os olhos para olhar para Beth. Meu Deus, como era bonita! Sua parceira. Sua amante. Sua rainha.

Sorriu, incapaz de apartar a vista de seus olhos.

– Deixem-nos a sós, cavalheiros. Quero ficar sozinho com a minha companheira.

À medida que os Irmãos se encaminhavam para a saída, iam rindo com cumplicidade masculina. Como se soubessem exatamente o que ele tinha em mente.

Wrath penou para se sentar na cama, tentando apoiar o peso da parte superior do corpo sobre os quadris.

Beth o observou, negando-se a ajudá-lo.

Quando conseguiu uma postura estável, esfregou as mãos de expectativa. Já podia sentir a pele dela.

– Wrath – disse ela como advertência ao vê-lo todo sorridente para ela.

– Venha aqui, *leelan*. Trato é trato.

Ainda que só conseguisse abraçá-la, precisava tê-la em seus braços.

Capítulo 53

Jose de la Cruz apertou a mão do investigador de incêndios premeditados.

– Obrigado. Fico aguardando o seu relatório por escrito.

O homem concordou, enquanto relanceava os restos carbonizados da Academia de Artes Marciais de Caldwell.

– Nunca vi coisa igual. Parece até que explodiram aqui uma espécie de bomba nuclear. Sinceramente, ainda não sei o que colocar em meu relatório. Jose acompanhou com o olhar o homem enquanto se dirigia ao furgão e partia.

– Voltará para a delegacia de polícia? – perguntou Ricky, entrando na viatura policial.

– De imediato, não. Preciso ir ao outro lado da cidade.

Ricky acenou para ele e arrancou.

Quando ficou só, Jose respirou fundo. O cheiro do incêndio continuava penetrante, mesmo quatro dias depois.

Ao se dirigir para o carro, baixou a vista e olhou os sapatos. Parecia que tinham mudado de cor devido à grande quantidade de cinzas que cobria o lugar. Mais pareciam cinzas vulcânicas do que qualquer outro resíduo que costuma resultar de um incêndio normal. E as ruínas também eram estranhas. Geralmente, boa parte da estrutura fica de pé, não importa a intensidade das chamas. Mas ali não restara coisa alguma. O edifício havia sido arrasado por completo.

Assim como o investigador, também era a primeira vez que ele via um incêndio daquele tipo.

Jose se colocou ao volante, introduziu a chave na ignição e pôs o carro em movimento. Dirigiu cerca de 12 quilômetros para o leste, até uma das zonas mais desoladas da cidade. Um conjunto residencial bastante ordinário surgiu no horizonte, com seus prédios que lembravam ervas-daninhas urbanas, nascidas de um solo de concreto e asfalto.

Parou em frente de um deles e estacionou. Desligou o motor. Demorou ainda um bom tempo para se forçar a sair.

Enchendo-se de coragem, dirigiu-se à entrada principal. Um casal que saía segurou a porta aberta para ele. Depois de subir três andares, percorreu um corredor de paredes descascadas e carpete gasto e marrom pelos milhares de passos que suportara.

A porta que procurava fora repintada tantas vezes que os detalhes começavam a se perder nas camadas grossas de tinta.

Bateu, mas não esperava que respondessem.

Demorou só um instante para forçar a fechadura. Escancarou a porta.

Fechando os olhos, respirou fundo. Um corpo que estivesse ali há quatro ou cinco dias já estaria cheirando mal, mesmo com o ar condicionado ligado.

Mas não sentiu cheiro algum.

– Butch? – chamou em voz alta.

Fechou a porta atrás de si. O sofá estava coberto com os suplementos esportivos do *Correio de Caldwell* e do *New York Post* da semana anterior. Havia latas de cerveja vazias sobre a mesa. Na cozinha, havia pratos na pia. E mais latas vazias sobre a bancada.

Dirigiu-se ao quarto. Tudo que encontrou foi a cama com os lençóis em desordem e um monte de roupas pelo chão.

Deteve-se junto à porta do banheiro. Estava fechada.

Seu coração começou a bater com força.

Ao empurrá-la, temeu encontrar um cadáver enforcado no chuveiro.

Mas não havia nada.

O detetive da divisão de homicídios Butch O'Neal havia desaparecido. Sem deixar rastros.

Capítulo 54

Darius olhou à sua volta. A tranquila neblina do *Fade* havia se dissolvido, revelando um pátio de mármore branco. Na parte central, a água cristalina de uma fonte jorrava numa dança faiscante, captando a luz difusa para refleti-la de forma mais intensa. Os pássaros cantavam melodiosamente, como se lhe dessem boas-vindas e anunciassem sua chegada.

Então, esse lugar realmente existe, pensou.

– Bom dia, Darius, filho de Marklon.

Ele se deixou cair de joelhos sem se virar e baixou a cabeça.

– Virgem Escriba. Muito me honra com essa audiência.

Ela sorriu. Apesar de ter a cabeça baixa, quando ela se colocou diante dele pôde ver a barra de seu traje negro. A luminosidade que se filtrava por baixo da seda era tão intensa como a luz do sol.

– Darius, como eu poderia recusar? É a primeira que solicitou em toda sua vida – ele sentiu que algo roçava seu ombro, e que o cabelo da nuca formigava. – Levante-se. Quero ver seu rosto.

Ele ficou de pé, muito mais alto do que aquela figura diminuta. Mantinha as mãos entrelaçadas diante de seu corpo.

– Então, quer dizer que o *Fade* não lhe agrada, *princeps*? – perguntou ela – E deseja que eu o mande de volta?

– Manifesto humildemente tal pedido, se o mesmo não constituir afronta. Esperei o período requerido. Gostaria de ver minha filha, mesmo que só uma vez. Se não constituir afronta.

A Virgem Escriba sorriu de novo.

– Devo dizer que a maneira como se apresentou a mim foi melhor que a de seu rei. Seu modo de falar não condiz com o de um guerreiro.

Houve um silêncio.

Naquele momento, pensou em seus Irmãos.

Como sentia falta de Wrath. Sentia falta de todos.

Mas quem desejava ver era Beth.

– Ela se casou – disse a Virgem Escriba bruscamente –, sua filha se casou com um macho de valor.

Ele fechou os olhos, sabendo que não devia perguntar. Entretanto, morria de vontade de saber. Esperava que Elizabeth fosse feliz com o parceiro que escolhera, fosse quem fosse.

A Virgem Escriba parecia se deleitar com o seu silêncio.

– Olhe para você, nenhuma pergunta. Que autocontrole! E já que foi extremamente educado, direi o que deseja saber. Casou-se com Wrath, que assumiu o trono. Sua filha é rainha.

Darius deixou a cabeça pender, sem querer revelar suas emoções, desejando que ela não visse as suas lágrimas. Não queria que pensasse que era um fraco.

– Oh, *princeps* – disse a Virgem Escriba com brandura – há tanta alegria e tristeza em seu peito... Diga-me, a companhia de seus filhos no *Fade* não é suficiente para contentar seu coração?

– Tenho a sensação de que a abandonei.

– Ela já não está só.

– Isso é bom.

Houve uma pausa.

– E ainda deseja vê-la?

Ele assentiu.

A Virgem Escriba se afastou, dirigindo-se para o bando de aves que trilavam felizes sobre uma árvore branca coberta de flores brancas.

– O que você deseja, *princeps*? Pensa em lhe fazer uma visita? Algo rápido? Em seus sonhos?

– Se não constituir afronta – mantinha a linguagem formal porque ela merecia tal deferência. E porque esperava que isso a convencesse.

A negra veste se moveu, e entre eles surgiu uma luminosa mão. Uma das aves, um tordo, pousou em um de seus dedos.

– Foi assassinado de forma desonrosa – disse, acariciando o minúsculo peito do pássaro –, e após ter servido à raça por séculos. Foi um *princeps* honrado e um extraordinário guerreiro.

– Causa-me grande alegria saber que meus atos lhe agradam.

– Verdadeiramente – ela assobiou para a ave. A ave assobiou de volta, como uma resposta – O que diria, *princeps*, se eu lhe oferecesse mais do que solicitou?

O coração de Darius começou a bater com força.

– Diria que sim.

– Sem saber qual é o presente ou o sacrifício?

– Confio em você.

– E por que não poderia ser rei? – perguntou ela ironicamente, enquanto soltava o pássaro e voltava a encará-lo. – Ofereço-lhe de novo a vida, um encontro com sua filha e a oportunidade de lutar uma vez mais.

– Virgem Escriba... – deixou-se cair de joelhos novamente – Aceito, mesmo sabendo que não mereço tamanhos favores.

– Não o recriminarei por essa resposta. Mas terá de se sacrificar. Não terá uma lembrança consciente dela, porque não será como é agora. E exijo uma amostra de sua habilidade.

Ele não compreendeu suas últimas palavras, mas não tinha intenção de perguntar.

– Aceito.

– Tem certeza? Não precisa de certo tempo para refletir sobre isso?

– Obrigado, Virgem Escriba. Mas minha decisão está tomada.

– Então, que assim seja.

Aproximou-se dele. As fantasmagóricas mãos surgiram das negras pregas de sua túnica ao mesmo tempo em que o véu que cobria seu rosto se ergueu sozinho. A luz era tão ofuscante que ele não conseguiu divisar-lhe os traços.

Enquanto ela segurava-o pelo queixo e a nuca, ele estremeceu ao sentir sua tremenda força. Seria capaz de esmagá-lo em um segundo.

– Dou a você a vida outra vez, Darius, filho de Marklon. Que encontre o que procura nessa encarnação.

Pressionou seus lábios contra os dele e Darius sentiu o mesmo choque que tivera quando morreu. Todas as suas moléculas explodindo no ar, a fragmentação de seu corpo. A libertação e ascensão de sua alma.

Capítulo 55

O Sr. X abriu os olhos e viu uma fileira de desfocadas linhas verticais. Grades?

Não, pernas de uma cadeira.

Estava estendido sobre um piso de madeira rústico. Deitado de bruços. Debaixo de uma mesa.

Levantou o queixo, sua vista ficou borrada de novo. *Meu Deus, a minha cabeça dói como se houvesse sido partida ao meio...*

De repente, lembrou-se de tudo. A luta com o Rei Cego. O golpe que a fêmea lhe dera com alguma coisa pesada. O momento em que desabara.

Enquanto o Rei Cego lutava para se manter vivo, tentando estancar o sangue dos ferimentos causados pela espingarda, e a fêmea estava concentrada em seu macho, o Sr. X havia escapado se arrastando até sua *minivan*. Afastara-se ainda mais da cidade, dirigira para as montanhas dos confins de Caldwell. Por milagre, encontrara sua cabana no escuro e, com muita dificuldade, conseguira abri-la e entrar nela antes de desmaiar.

Ignorava quanto tempo ficara inconsciente.

Os vãos na parede de troncos filtravam os primeiros raios do amanhecer. Era a manhã seguinte? Não estava muito convencido disso. Tinha a sensação de que vários dias haviam transcorrido.

Movendo os braços com muito cuidado, tocou a parte traseira da cabeça. A ferida estava aberta, mas começava a cicatrizar.

Com um tremendo esforço, conseguiu se levantar e apoiar-se na mesa. De fato, sentia-se um pouco melhor com a cabeça erguida.

Tinha tido sorte. Os *redutores* podiam ficar permanentemente incapacitados por um golpe forte ou uma ferida de bala. Não mortos, mas arruinados. Ao longo das décadas, encontrara muitos outros membros da Sociedade inutilizados, escondendo-se, apodrecendo, incapazes de se curar para voltar a lutar, e muito fracos para esfaquearem a si próprios e cair no esquecimento.

Olhou as mãos. Estavam manchadas com o sangue seco do Rei Cego e o pó do celeiro.

Não se arrependia de ter fugido de lá. Em determinadas ocasiões, o melhor movimento que pode fazer um líder é abandonar a batalha. Quando as baixas são muito numerosas, e a derrota praticamente certa, a manobra mais inteligente é a retirada, para lutar outro dia.

O Sr. X deixou pender os braços. Precisaria de mais tempo para se recuperar, mas tinha de encontrar seus homens. Os vazios de poder na Sociedade eram perigosos. Em particular, para o *redutor*-chefe.

A porta da cabana se abriu de repente. Ergueu a vista se perguntando como se defenderia, antes de se dar conta que pela hora do dia não podia ser um vampiro.

O que ocupava a soleira fez com que seu sangue negro congelasse nas veias.

Ômega.

– Vim ajudá-lo a se recuperar – disse, com um sorriso.

Quando a porta se fechou, o corpo do Sr. X estremeceu.

A ajuda de Ômega era mais apavorante do que qualquer sentença de morte.

EPÍLOGO

– A mansão da Tumba. Estou lhes dizendo, é para lá que deveríamos ir – disse Tohr, enquanto espetava um pedaço de rosbife da bandeja de prata que o mordomo lhe oferecia – Obrigado, Fritz.

Beth olhou para Wrath, pensando que se recuperara por completo, apenas um mês depois de ter sido atingido. Estava sadio e forte. Formidável como sempre. Arrogante. Adorável. Impossível e irresistível.

Enquanto ele se acomodava em sua cadeira à cabeceira da mesa, segurou-lhe a mão, acariciando-lhe a palma com o dedo polegar.

Sorriu para ele.

Estavam vivendo na casa de seu pai enquanto ele se recuperava, traçando planos para o futuro. E, todas as noites, a Irmandade ia jantar com eles. Fritz não cabia em si de contente com aquele entra e sai de gente.

– Sabe? Parece-me uma excelente ideia – disse V. – Eu poderia cercar muito bem aquele lugar. É bem isolado, na montanha. E construído em pedra, de modo que não devemos temer incêndios. Se instalarmos umas persianas metálicas retráteis em todas as janelas, poderíamos nos movimentar durante o dia. Isso representa um ponto crítico nesta casa, quando... – parou. – E não conta com enormes salões subterrâneos? Poderíamos utilizá-los para treinar.

Rhage concordou.

– Além disso, o lugar é bastante grande. Poderíamos viver ali todos juntos sem acabar nos matando.

– Isso depende mais de sua boca do que de qualquer projeto arquitetônico – disse Phury, sorrindo de orelha a orelha. O guerreiro se moveu em sua cadeira, acomodando Boo em seu colo.

– O que acha? – perguntou Tohr a Wrath.

– Não depende de mim. Esses edifícios e instalações eram propriedade de Darius. Agora passaram para Beth – Wrath olhou para ela – *Leelan*, permitiria que os Irmãos utilizassem uma de suas casas?

Uma de suas casas. *Suas* casas. Como nunca havia sido proprietária de coisa alguma, tinha certa dificuldade em conceber tudo o que agora lhe pertencia. E não eram apenas imóveis. Arte. Terras. Carros. Joias. E o dinheiro que controlava era uma barbaridade.

Felizmente, V. e Phury compartilhavam com ela seus profundos conhecimentos sobre o mercado de ações, títulos, ouro, *commodities*. Eram extraordinariamente bons com o dinheiro.

E muito, muito bons com ela.

Beth correu os olhos sobre os homens à mesa.

– Tudo o que a Irmandade precisar está à disposição.

Houve um murmúrio de gratidão, e as taças foram erguidas em um brinde a ela. Zsadist deixou a dele sobre a mesa, mas lhe dirigiu um aceno de cabeça.

Ela se virou para olhar Wrath.

– Você não acha que deveríamos viver lá, também?

– Quer fazer isso? – perguntou ele. – A maioria das fêmeas preferiria sua própria casa.

– É minha, lembra? Além disso, eles são seus conselheiros mais próximos, as pessoas nas quais mais confia. Por que haveria de querer se separar deles?

– Espere – disse Rhage – Pensei que o combinado fora que não teríamos de viver com ele.

Wrath lançou um olhar feio a Hollywood e depois se dirigiu de novo a Beth.

– Tem certeza, *leelan*?

– É mais seguro vivermos todos juntos, não?

Ele concordou.

– Mas também estaríamos mais expostos.

– Entretanto, estaríamos em muito boa companhia. Não há ninguém no mundo em quem confio mais para nos proteger do que esses homens maravilhosos.

– Com licença – interveio Rhage. – Não estão todos apaixonados por ela?

– Claro, caramba – disse V., erguendo seu gorro do Red Sox – Completamente.

Phury assentiu.

– E se ela morar conosco, poderemos ficar com o gato.

Wrath a beijou e olhou para Thor.

– Então, acredito que já temos um lugar para morar.

– E Fritz também virá – disse Beth, quando o mordomo entrou na sala. – Não é? Por favor, diga que sim!

O mordomo pareceu enormemente grato por ter sido incluído, e olhou para os Irmãos com alegria.

– Por minha senhora e o rei, faço qualquer coisa. E quanto mais trabalho, melhor.

– Bem, providenciaremos ajuda para você.

V. falou, dirigindo-se ao rei:

– Ouça, com relação ao tira, o que pretende fazer com ele?

– Está me perguntando isso porque ele é seu amigo ou porque é uma ameaça para todos nós?

– Ambas as coisas.

– Por que tenho o pressentimento de que vai sugerir algo?

– Porque é verdade. Ele deveria ir conosco.

– Por alguma razão em particular?

– Andei sonhando com ele.

Todos na mesa fizeram silêncio.

– Está certo – Disse Wrath – mas com sonhos ou não, ele deverá ser vigiado.

V. concordou.

– Aceitarei a responsabilidade.

Enquanto os Irmãos começavam a fazer planos, Beth baixou o olhar para a mão de seu marido que estava entre as suas, e sentiu uma absurda necessidade de chorar.

– *Leelan* – disse Wrath suavemente. – Você está bem?

Ela assentiu, impressionada ao comprovar que ele podia perceber todos os seus sentimentos com incrível facilidade.

– Estou muito bem – sorriu para ele. – Sabe? Justo antes de conhecê-lo estava procurando uma aventura.

– Verdade?

– E encontrei muito mais do que isso. Agora tenho um passado e um futuro. Toda... uma vida. Algumas vezes não sei como administrar minha boa sorte. Simplesmente não sei o que fazer com tudo isso.

– Estranho, eu sinto a mesma coisa – Wrath segurou seu rosto entre as mãos e pousou seus lábios sobre os dela – E é por isso que a beijo com tanta frequência, *leelan*.

Ela envolveu-lhe os largos ombros com os braços e roçou-lhe os lábios com a boca.

– Ah, qual é – disse Rhage. – A gente vai ter que ficar vendo esses dois se beijarem o tempo todo?

– Desejaria ter tanta sorte – murmurou V.

– Sim – suspirou Rhage. – Só o que quero é uma boa fêmea. Mas, acho que me conformarei com a quantidade, enquanto não encontro a qualidade. A vida é mesmo uma droga, não?

Gargalhada geral. Alguém lhe atirou um guardanapo.

Fritz trouxe a sobremesa.

– Por gentileza – disse o mordomo –, não comecem a atirar os guardanapos uns nos outros. Alguém deseja pêssegos?

Sobre a autora

J. R. Ward vive no Sul dos Estados Unidos com o marido incrivelmente solidário e o seu amado golden retriever. Depois de se formar em Direito, começou sua vida profissional na área da saúde, em Boston, e passou muitos anos como chefe de gabinete de um dos mais importantes centros médicos acadêmicos do país. Para ela, escrever sempre foi uma paixão, e a sua ideia de paraíso é passar um dia inteiro diante do computador, só com o seu cão e uma caneca de café.

A SEGUIR, UMA PRÉVIA DO SEGUNDO ROMANCE DA IRMANDADE DA ADAGA NEGRA, *AMANTE ETERNO.*

Rhage se sentia um lixo enquanto avançava pelas voltas do longo corredor. Cada vez que a besta irrompia dele, sua visão tirava umas férias, e, como sempre, os olhos iam retornando ao trabalho muito preguiçosamente. E seu corpo também estava esgotado. Suas pernas e braços pesavam como chumbo; dava para usá-los, mas com esforço.

E o estômago? Só de pensar em comida já ficava nauseado.

Mas tinha de sair de seu quarto. Já desperdiçara tempo demais: doze horas direto deitado. Iria ao ginásio do centro de treinamento, montar na bicicleta reclinada, e poder desenferrujar um pouco.

Rhage parou, tenso. Não conseguia enxergar direito, mas soube com certeza que não estava sozinho no vestíbulo.

Girou e atirou bruscamente a figura através do portal, agarrando-a pela garganta, forçando seu corpo contra a parede. Tarde demais, deu-se conta de que era uma mulher, e seu gritinho abafado o encheu de vergonha. Imediatamente, afrouxou a mão, não a soltou.

Santo Deus, ela era humana.

O que uma humana estava fazendo no quartel-general da Irmandade?

– Quem é você? – quis saber – O que está fazendo aqui?

Não houve resposta, só a respiração acelerada. Estava completamente apavorada, o cheiro de seu medo era como incenso em seu nariz.

Ele baixou a voz.

– Não vou fazer lhe mal. Mas não devia estar aqui e quero saber o seu nome.

A pele sob a sua palma era quente e macia. A garganta era delgada e o sangue corria rapidamente através das veias que chegavam ao coração dela. Os cabelos tinham um belo tom de castanho e lhe caíam pelos ombros.

– Meu nome é Mary. Vim com uma amiga.

Rhage perdeu o fôlego. Seu coração pulou um batimento e desacelerou.

– Repita isso – ele sussurrou.

– Ah, meu nome é Mary Luce. Sou amiga de Bela...

Rhage estremeceu. Uma onda balsâmica percorreu toda sua pele. O timbre musical de sua voz, o ritmo de seu discurso, o som de suas palavras se espalharam por ele, acalmando-o, confortando-o.

Embalando-o docemente.

Rhage fechou os olhos.

– Fale mais.

– Como? – perguntou ela, obviamente confusa.

– Fale. Fale comigo. Quero ouvir sua voz de novo.

Ela ficou em silêncio e ele estava a ponto de lhe implorar que falasse quando ela disse:

– Você não me parece bem. Precisa de um médico?

Ele cambaleou. As palavras não importavam muito, era o seu tom. Grave, suave, uma delicada carícia em seus ouvidos. Como se estivesse sendo golpeado por baixo da pele.

– Mais – disse ele, movendo a palma da mão sobre o pescoço dela para poder sentir as vibrações de sua garganta.

– Poderia... poderia me soltar, por favor?

– Não – ele colocou a outra mão sobre a clavícula dela para que não pudesse se soltar.

– Fale.

Ela começou a lutar para se desvencilhar.

– Você está me sufocando.

– Eu sei. *Fale.*

– Oh, pelo amor de Deus, o que quer que eu fale?

Mesmo exasperada, sua voz era linda.

– Qualquer coisa.

– Muito bem. Tire a mão da minha garganta e deixe-me ir ou irei acertar uma joelhada em um lugar que importa muito para você.

Ele riu.

Então, pressionou a parte inferior do corpo contra ela, imobilizando-a com as coxas e quadris. O corpo dela enrijeceu, mas ele obteve uma abundante percepção dela. Tinha a compleição delicada, mas não deixava dúvida de que era uma mulher. Seus seios estufavam contra o peito dele, seus quadris acolchoavam os dele, e seu ventre era macio.

– Continue a falar – disse-lhe no ouvido. Caramba, que cheiro bom tinha! Limpeza e frescor. Como limão.

Tentou empurrá-lo e ele recostou todo o peso do corpo nela.

Ela soltou o ar dos pulmões.

– Por favor – murmurou ele.

– Já que você não me solta, nada tenho a dizer.

Ele sorriu, tendo o cuidado de manter a boca fechada. Não fazia sentido exibir suas presas.

– Então, fale isso.

– O quê?

– Nada. Diga "nada". De novo e de novo e de novo. Faça isso.

Ela se encolerizou, o cheiro do medo foi substituído por um odor penetrante, como hortelã fresca no jardim. Estava aborrecida agora.

– *Está bem*. Nada. Nada – de repente, ela riu, e o som atravessou diretamente a coluna vertebral dele, queimando-o – Nada, nada. Náá-da. *Na-dáá*. Naaaaaada. Já está bom para você? Vai me deixar ir, agora?

– Não.

Ela se debateu contra ele outra vez, criando uma fricção deliciosa entre seus corpos.

E ele percebeu quando toda aquela ansiedade e irritação se converteram em desejo. Farejou sua excitação, um doce aroma no ar. O corpo dele respondeu. Moveu seus quadris em um lento círculo, esfregando-se nela.

Estava duro como um diamante.

As mãos dela achataram-se contra a sua cintura e depois deslizaram lentamente por suas costas, como se não estivesse certa do motivo de responder a ele daquela forma. Ele arqueou o corpo contra ela e sentiu-lhe as palmas subirem por sua espinha.

Rhage soltou um grunhido baixo e deixou a cabeça pender a fim de que seu ouvido ficasse próximo à boca da mulher. Queria lhe sugerir outra palavra para que a pronunciasse, algo como *apetitoso*, *sussurro* ou *morango*.

Bom mesmo seria *inconstitucionalissimamente*.

O efeito que tinha sobre ele era como uma droga, uma irresistível combinação de desejo sexual e profunda paz. Como se estivesse tendo um orgasmo e caísse em um sono plácido ao mesmo tempo. Jamais sentira algo assim.

Um calafrio o atravessou como um relâmpago, absorvendo todo calor em seu corpo.

Jogou a cabeça para trás ao se lembrar do que Vishous lhe dissera.

– Você é virgem? – quis saber Rhage.

– *Como é que é?* Isso é pergunta que se faça? – ela o empurrou com força.

A ansiedade fez com que ele aumentasse a pressão em sua clavícula.

– Já foi possuída por um macho? Responda à pergunta.

Sua adorável voz se elevou, assustada.

– Sim. Sim, tive... um amante.

O desapontamento fez com que afrouxasse a pressão. Mas, logo em seguida, sentiu-se aliviado.

Pensando bem, não tinha muita certeza de que precisava encontrar seu destino naqueles dez minutos.

Além disso, mesmo que ela não fosse o seu destino, aquela fêmea humana era extraordinária... algo especial.

Algo que precisava tomar para si.

HR Gráfica e Editora

Rua Serra de Paracaina, 716 – Moóca - São Paulo – SP – CEP 03107-020
Fone/Fax: (11) 3341-6444 - Email: vendas@hrgrafica.com.br
www.hrgrafica.com.br